6 juillet 69

Jean V.
711 9136

L'ABSURDE
ET LA GRÂCE

« *Espaces libres* »

JEAN-YVES LELOUP

L'ABSURDE
ET LA GRÂCE

Albin Michel

Albin Michel
▪ *Spiritualités* ▪

*Collections dirigées
par Jean Mouttapa et Marc de Smedt*

Première édition :
© Éditions Albin Michel, S.A., 1991

Édition au format de poche :
© Éditions Albin Michel, S.A., 1994
22, rue Huyghens, 75014 Paris

ISBN 2-226-06743-4
ISSN 1147-3762

Avertissement

Ce livre est un essai de réponse à une triple demande :

Celle de mon évêque qui, au moment de m'engager de nouveau au service du Christ et de l'Église, me suggéra de « confesser » ma vie passée et de poser sur les détours de cette merveilleuse et ténébreuse aventure le regard de Dieu.

Celle de mon éditeur, Marc de Smedt, qui, intéressé par les témoignages anciens et contemporains de l'expérience intérieure, souhaita que je révèle quelque chose de la foi qui m'anime et des expériences concrètes qui sont à la source de mes enseignements.

A ces deux demandes on peut en ajouter une plus intime : à l'occasion de mes quarante ans, faire le point, mesurer le chemin parcouru, se poser la question du veilleur : « Où en est la nuit ? quels sont les " symptômes " de l'aurore ? »

Cette triple demande mêlée donnera à ce texte son style particulier. A la fois celui d'une « confession » ; celui d'un récit d'aventure, pas seulement « intérieure » ; celui d'une auto-analyse. Pourtant il ne s'agira pas d'entrer dans l'étroitesse d'un confessionnal ni de s'allonger dans l'intimité d'un divan, mais plutôt de suivre un homme dans les méandres de son itinérance, avec toutes les chutes et les « relèvements », les absurdités et les grâces qui le tiennent « en marche » sur le chemin.

Je n'ai cherché à plaire à personne, pas même aux parents et aux proches qu'on tente généralement d'épargner dans de tels cas. Ceux qui me connaissent sous un angle spirituel seront choqués par certains détails et aspects grossiers de mon existence. Ceux qui me connaissent sous un angle familier seront peut-être gênés par certaines confidences concernant les saveurs de l'union mystique ou de la connaissance intellective. Je parle de sexualité, de certaines violences subies, cela sonne malséant pour un prêtre. Faut-il rappeler que le prêtre est aussi un homme ? et un homme qui a une « ombre » ? Je parle de Dieu, de l'Absolu, de la nécessité de vivre une vie spirituelle. Faut-il rappeler que l'homme est « un animal appelé à devenir Dieu » et qu'il y a en lui un infini désir que l'infini seul peut combler ? (en ne le comblant pas, justement).

Je ne crains pas d'être trop spirituel ou trop humain ; je crains de n'être ni l'un ni l'autre ou de ne l'être pas assez, de manquer d'humanité dans ma recherche de Dieu et de manquer de spiritualité dans la vie quotidienne.

Ces « fragments d'une itinérance » voudraient être le témoignage d'un homme à la recherche de son « entièreté », qui ne piétine pas l'ego au nom du Soi, qui n'oublie pas le Soi parce que trop encombré par son ego. Un homme entier, c'est aussi un homme qui, après l'avoir fuie ou niée, finit par accepter son ombre et par l'aimer « comme soi-même ». Je pense souvent à François d'Assise, au beau chevalier qui un jour descend de sa monture pour embrasser le lépreux... Il embrasse ce qui alors lui fait le plus peur, ce qui se tient à la racine de ses plus profonds dégoûts, et là, au cœur de l'ombre incarnée, il reconnaît le Christ Vivant... Mais accepter l'ombre ce n'est pas se complaire en elle : François revient de son baiser au lépreux avec des lèvres de lumière... Il m'est arrivé souvent d'être descendu de cheval et de culbuter dans l'ombre... à la rencontre d'un autre soleil.

A chacun sa terreur, sa maladie incurable, son amour ou sa joie la plus forte qui, une fois acceptés, obligent à un Sens qui excède les explications. La recherche d'une entièreté n'est pas la recherche d'une perfection ni d'un idéal. On ne trouvera dans ces lignes aucun modèle à imiter ; chacun est rappelé à cette solitude qui ose dire « je », non pour s'y arrêter mais pour se faire vraie capacité de l'Autre. S'il me fallait encore trouver une justification à ces écrits, je la chercherais chez Paul de Tarse, cet Hébreu, ce Grec, ce Romain, cet « homme mélangé »..., dans sa deuxième Épître aux Corinthiens :

« Il faut s'enorgueillir ? C'est bien inutile ! Pourtant j'en viendrai aux visions et révélations du Seigneur. Je connais un homme en Christ qui, voici quatorze ans — était-ce dans son corps ? je ne sais ; était-ce hors de son corps ? je ne sais, Dieu le sait —, un homme qui fut enlevé jusqu'au troisième ciel. Et je sais que cet homme — était-ce dans son corps ? était-ce sans son corps ? je ne sais, Dieu le sait —, cet homme fut enlevé jusqu'au paradis et entendit des paroles inexprimables qu'il n'est pas permis à l'homme de redire.

» Pour cet homme-là, je m'enorgueillirai, mais pour moi, je ne mettrai mon orgueil que dans mes faiblesses. Ah ! si je voulais m'enorgueillir, je ne serais pas fou, je ne dirais que la vérité ; mais je m'abstiens, pour qu'on n'ait pas sur mon compte une opinion supérieure à ce qu'on voit de moi, ou à ce qu'on entend dire de moi. Et parce que ces révélations étaient extraordinaires, pour m'éviter tout orgueil, il a été mis une écharde dans ma chair, un ange de Satan chargé de me frapper, pour m'éviter tout orgueil. A ce sujet, par trois fois, j'ai prié le Seigneur de l'écarter de moi. Mais il m'a déclaré : " Ma grâce te suffit ; ma puissance donne toute sa mesure dans la faiblesse... " » (II Cor. 12,1-9).

Mais qu'on ne s'attende pas ici à des descriptions trop pathétiques de l' « écharde » ou de ces jolies « failles » par où nous vient le jour... Tout cela fut écrit joyeusement par temps de catastrophe.

CHAPITRE I

Naître, et avant ?

« Il ouvrit la bouche et maudit le jour de sa naissance. Il prit la parole et dit : " Périsse le jour qui me vit naître et la nuit qui annonça : un mâle vient d'être conçu !... "

Pourquoi ne suis-je pas mort dès le sein, n'ai-je péri aussitôt enfanté... Maintenant je serais étendu dans le calme, je serais comme l'avorton qui ne voit pas le jour...

Là, petits et grands se confondent et l'esclave recouvre sa liberté *... »

Job a-t-il raison ? Naître est-il absurde ?

« Vous m'avez mis au monde pour mourir », ce ne sont pas mes premiers mots mais la première phrase dite à voix lente dont mes parents se souviennent.

« Dès qu'un homme est né il est assez vieux pour mourir », « L'homme meurt dès sa naissance » : lorsque enfant je répétais ce genre de phrases, ma grand-mère ouvrait de grands yeux, ma mère me trouvait morbide...

Qui a dit que la vie est un don de Dieu ? Pour moi c'était une absurdité, mettre un enfant au monde me semblait un acte criminel. Je découvrirai plus tard dans la *Garbha Upanishad* que « le passage par la porte de la matrice (*yonidvara*) est pour le nouveau-né plus une sorte de mort qu'une naissance ». Les Albigeois ne disaient-ils pas que les femmes enceintes sont habitées par un démon ? L'avortement était alors non seulement

* Job 3, 1-26, trad. Bible de Jérusalem.

un acte légal, mais un acte spirituel : éviter à un esprit de s'incarner dans le temps ou de s'enchaîner à une matière...

D'où vient dans l'homme ce désir d'enfant ? Vient-on forcé ? Lorsque je posai la question à mes parents, ma mère répondit : « Tu coupes les cheveux en quatre » ; mon père eut un sourire : « Nous étions en bonne santé ! »

Toujours est-il que je fus conçu avant leur mariage, porté dans l'angoisse et la culpabilité, déjà coupable d'exister, recevant sans doute ce double message qui fait les gentils schizophrènes : « Mon petit chéri, je te veux, je t'adore. Mon petit chéri, tu m'emmerdes. »

C'est sans doute au fait de n'avoir entendu que la dernière phrase que je dois de n'être pas plus fou.

Mais combien de fois, enfant, ai-je tenté de me suicider ? Je ne prenais pas vraiment les moyens, j'évitais de trop me pencher par les fenêtres... Avaler un tube de dentifrice dans l'intention de « vraiment » mourir, c'est assez pourtant pour en avoir la sensation : une fièvre et des diarrhées ; pauvre langage par lequel un enfant appelle sa mère, mais c'est la bonne (on ne disait pas, alors, « employée de maison ») qui venait, pour « laver tout ça » et l'enfant restait dans le creux de son lit avec cette certitude : « Elle ne m'aime pas. »

Un jour je surpris ma mère disant à une de ses amies dont elle avait vu le fils se coller à ses genoux :

— Jean-Yves ne fait jamais cela : il ne m'aime pas.

« Elle ne m'aime pas », « Il ne m'aime pas », c'est là tout le climat de mon enfance. Aucun des deux n'aurait songé à « aimer l'autre le premier », à faire les premiers pas. Chacun est resté en enfer, enfermé dans son attente.

La grâce c'est oser un pas vers l'autre, aller au-delà de sa peur de ne pas être aimé parce qu'on porte en soi la plénitude d'un amour qui n'attend rien en retour... Cette grâce, je ne me souviens pas l'avoir reçue ni l'avoir donnée à cet âge.

Un autre jour, j'entendis ma grand-mère chuchoter : « Il est neurasthénique. » Le mot avait des résonances de maladie honteuse ; comme pour prendre ma défense, « mamie » continua son chuchotement : « Ce n'est pas que de sa faute, il y a des pendus dans la famille. » Ainsi j'appris que le père de « Pépé-Nu » (mon grand-père maternel, Pierre Bienvenu) s'était pendu et que c'était sa propre fille qui l'avait découvert, la chère « tata » qui me semblait si douce, si humble, au dernier étage de notre grande maison de Roche Marotte. Un « pendu »... à part ce chuchotement, je n'en ai jamais rien su, pas un mot, pas un nom.

Chaque famille a son fantôme, celui dont on ne parle pas, celui qu'on croit à tout jamais disparu dans les trous de la mémoire, mais les enfants sont parfois plus proches des morts que des vivants, plus proches des esprits que des corps qui les entourent, ils ont parfois au cœur des traces de corde, des nœuds que de leurs petites mains ils n'auraient jamais su nouer. L'homme naît vieux, il mettra longtemps à devenir jeune. Je n'ai jamais été aussi vieux que dans ma jeunesse. Il m'est facile de croire qu'on porte en soi des étoiles mortes, il suffit de creuser un peu dans les couches encore si mal explorées de l'inconscient pour y retrouver la mémoire des univers.

« Quel était ton visage avant la naissance de tes parents ? » demande le koan zen. Sait-on vraiment d'où on vient ? Suis-je né de la rencontre incertaine de deux codes génétiques véhiculés plus ou moins amoureusement par Jean-Claude et Pierrette ? Suis-je une vieille âme errante, attirée par les halètements de l'étreinte, qui s'est introduite subrepticement dans la matrice afin d'achever une œuvre trop tôt éconduite ? (cf. le *Bardo Thodol*). Suis-je un *bodhisattva*, un Verbe fait chair, revenu dans le monde pour travailler à l'éveil des créatures, ou suis-je tout simplement une illusion, un murmure de vagues, un moi composé qui va se décomposant, la bulle d'un grand savon plongée dans l'eau tiède du temps... ?

On m'a proposé avec beaucoup de sérieux chacune de ces explications. Aucune n'a su me satisfaire. Pourquoi les philosophes parlent-ils si peu de la naissance ? Le naître, plus que le mourir, demeure encore à penser. On m'a également invité, sans doute pour mieux « court-circuiter le mental », à « faire l'expérience », c'est-à-dire, par voie régressive, à revenir dans ma petite enfance, revivre ces fameuses « phases périnatales » dont parle Grof, puis me baigner dans la relative béatitude océanique de l'état fœtal, et, enfin, après « un pas de plus », découvrir mes vies antérieures...

Qu'ai-je ramené de ces très doux et parfois effrayants voyages ? En vérité peu d'informations qui puissent être l'objet d'investigations scientifiques, mais une sorte d'émerveillement devant des réalités qui débordent le cadre de nos appréhensions sensorielles et rationnelles, une plus grande conscience de mon ignorance, mais pas assez de miséricorde à l'égard de ceux qui trop vite sécrètent du sens, se hâtent d'interpréter les démangeaisons de leur système nerveux comme messages supracélestes ou paroles d'anges.

Sans doute vais-je faire de la peine à ceux qui un soir d'été me révélèrent que j'étais une réincarnation de saint Jean — c'est leur « guide » qui le leur avait dit. A l'époque je traduisais l'Evangile de Jean et croire cela m'aurait aidé, mais avais-je besoin de faire appel à l' « explication par la réincarnation » pour me sentir en affinité avec son enseignement ? L'Esprit de saint Jean ne pouvait-il pas se manifester à moi et parfois même m'inspirer sans que pour autant je sois « lui » ?

Quelques jours plus tard une femme de ce groupe vint me trouver, me disant gravement (elle ne me semblait pas complètement déséquilibrée) qu'ils s'étaient trompés, que des instances « plus hautes » leur avaient révélé que je n'étais pas saint Jean, mais... le Christ !, et que malgré mon humilité il faudrait bien qu'un jour je cède à ma mission...

Malheureusement je ne suis pas humble, et malgré l'attitude pleine de dévotion de la jeune femme, je me mis à rire, citant les paroles de Jean-Baptiste :

« *Non Sum*, Je ne Suis pas, un autre est Je Suis. Je ne suis pas le Christ mais une voix qui crie dans le désert. Aplanissez le chemin du Seigneur... Nul ne peut rien s'attribuer qui ne lui soit donné du ciel. Qui a l'épouse est l'époux ; mais l'ami de l'époux qui se tient là et qui l'entend est ravi de joie à la voix de l'époux, voilà ma joie... Il faut que lui grandisse et que moi je diminue. »

— Il faut que « le Soi » grandisse et que « ton petit moi » diminue, continua la femme. Pourquoi n'acceptes-tu pas d'être le Christ ? Tant d'hommes et de femmes le désirent, nous en avons tellement besoin...

Je compris la tentation que pouvaient rencontrer certains gourous ou maîtres spirituels de céder à ces désirs, à ces besoins, à tous ces transferts d'absolu sur un pauvre être de chair, de s'identifier à l'archétype de l'homme Dieu ou du Dieu-Homme qui habite en chacun, jouer de ce transfert pour assurer leur pouvoir, rendre les autres dépendants d'eux, en faire leurs propres disciples plutôt que des fils de Dieu.

« N'appelez personne Maître, n'appelez personne Père... » Faut-il que Jésus aime notre liberté pour dire de telles paroles ! Combien de fois faudra-t-il couper le cordon ombilical de nos peurs et de nos besoins de dépendance ?

Une autre fois, un homme m'affirma que j'avais été Maître Eckhart. De nouveau il y avait de quoi me faire plaisir, je venais tout juste d'écrire une vingtaine de pages sur les derniers jours d'Eckhart en Avignon où je racontais avec force détails ce qu'aucun historien ne saurait trouver dans ses archives puisqu'il n'y en a aucune qui concerne ce qu'il vécut après son procès... Je remerciai mon visiteur de me placer dans le camp des dominicains inquisités plutôt que dans celui des dominicains inquisiteurs, mais je lui dis que rien ne me prouvait que j'avais été autrefois dans la peau et dans l'habit blanc et noir de Maître Eckhart. Il ajouta :

— Si, si, tout le prouve, non seulement mon sentiment intérieur, mais tout ce que vous dites, tout ce qui vous arrive...

Cela faisait beaucoup de « tout ». Quant à « ce qui m'arrive », il faisait allusion à mon exclusion de l'ordre dominicain. Je lui dis que cela n'avait rien à voir avec Maître Eckhart et que j'étais simplement en état de transgression d'un certain nombre de lois propres à un ordre religieux catholique romain. Qu'on ait émis des soupçons sur ma doctrine et mon enseignement, cela ne faisait aucun doute, mais je n'ai jamais été jugé pour des raisons doctrinales.

Ne pas me prendre pour Maître Eckhart, ni pour saint Jean, ni pour le Christ, est-ce que cela veut dire que je nie toute possibilité de réincarnation et toute utilité à une telle croyance ? Est-ce que cela veut dire que je ne sais pas que, pour la moitié de l'humanité, elle est une quasi-certitude et qu'aujourd'hui des Occidentaux, parfois des scientifiques et des psychiatres comme Stevenson, s'y intéressent ?

Mon attitude face à la réincarnation est-elle celle de la majorité (plus de 99 pour cent !) des prêtres et des théologiens chrétiens, qu'ils soient catholiques romains, catholiques orthodoxes ou protestants, qui *a priori* sont contre ce type d' « élucubrations contraires à l'anthropologie judéo-chrétienne » ?

Si je sais avec Balzac que « les hommes sont ainsi faits qu'ils peuvent résister à des arguments solides et céder à une impression », je crois aussi avec Joubert qu' « il vaut mieux examiner une question sans la résoudre que la résoudre sans l'examiner », pour en conclure avec Kant que « la philosophie qui, compte tenu de sa vanité, s'expose à toute sorte de questions creuses se trouve souvent embarrassée devant certaines histoires, dont elle ne peut douter sur certains points sans en souffrir et qu'elle ne peut croire sans s'exposer au ridicule »...

Je crois que l'idée de réincarnation répond à notre besoin d'explication devant la souffrance, le mal et l'injustice ; elle correspond bien au fonctionnement binaire de notre cerveau : telle cause, tel effet, dans cette vie ou dans une autre, c'est la loi du karma. Je suis la conséquence de mes actes passés, je suis la cause de mes actes futurs. « Si vous voulez savoir ce que vous étiez dans vos vies antérieures regardez ce que vous êtes maintenant ; si vous voulez savoir ce que vous serez dans votre vie future regardez ce que vous êtes maintenant », disait le Bouddha. Discours qui tranche par sa sobriété sur les promesses faites dans certains stages qui nous assurent de retrouver les « amours » de nos vies antérieures...

Je me souviens de cette jeune femme (une Occidentale) qui en Inde, me voyant arriver, me dit qu'elle m'attendait depuis longtemps... Dans une vie antérieure nous avions été si heureux, il fallait recommencer... En bon hindouisant, je lui répondis que, si nous ne voulions pas de nouveau être enchaînés dans le *samsara*, dans la chaîne des causes et des effets, justement, nous ne devions pas recommencer !... Il n'est pas toujours si facile d'échapper au mécanisme de répétition...

Alain Daniélou, dans son livre *La Fantaisie des dieux et l'aventure humaine,* précise que la théorie de la réincarnation n'apparaît que dans l'hindouisme tardif, car elle n'appartient pas au shivaïsme, qui est la religion primitive de l'Inde, ni au védisme. « Elle provient du jaïnisme qui l'a transmise au bouddhisme, puis à l'hindouisme moderne », écrit-il, en apportant à cette affirmation d'autres précisions intéressantes : la croyance dans la survie de l'individualité humaine ainsi que la théorie de la réincarnation sont liées à la doctrine du karma, qui suppose la permanence d'un « moi » que le shivaïsme considère comme éphémère. Le destin des êtres vivants, selon le shivaïsme, dépend essentiellement de la fantaisie du Créateur, et non pas de leur karma : « Le shivaïsme n'accepte pas la théorie du karma car elle limite l'omnipotence de l'être divin, son droit à l'injustice. Tout dans l'univers dépend de la fantaisie, de la grâce de Shiva. »

Guénon, au nom du *Védanta*, rejettera également « la croyance populaire » à la réincarnation : se soucier de ses vies antérieures ou futures c'est entretenir l'illusion, oublier l'Unique Réel qui demeure au-delà de l'espace et du temps.

Cette croyance populaire peut néanmoins avoir son utilité, elle sécrète du sens, donne de la patience, et surtout rappelle à l'homme sa responsabilité, les conséquences positives ou néfastes que peut avoir le moindre de ses actes. C'est une voie de rigueur et de justice, elle a une vertu apaisante devant les évidences de l'absurde ; « si ce n'est pas dans cette vie, c'est dans une autre que tu payeras ».

Je dois l'avouer, j'ai souvent utilisé ce remède pour endormir la sourde angoisse d'être livré aux « caprices des dieux ». N'y a-t-il pas quelque chose de noble dans cette croyance à une justice immanente sans intervention de puissance extérieure ?

« Ce que tu sèmes, tu le récoltes », dit l'Évangile.

Mais dans l'Évangile on trouve aussi une autre hypothèse porteuse de sens, qui aujourd'hui me semble plus satisfaisante que celle de la réincarnation et à laquelle je donne plus volontiers mon adhésion : la foi en la résurrection.

Contrairement à ce que l'on pense, cette foi en la résurrection n'est pas le propre du judéo-christianisme, on la retrouve aussi dans l'hindouisme, où, à côté de la croyance populaire à la réincarnation, on affirme la possibilité de la résurrection, de l'*anastasis,* c'est-à-dire de la nouvelle naissance, la naissance d'en haut dont parle l'Évangile de Jean. En sanscrit, on distingue le mot *punarjanman,* « réincarné », qui selon la racine punar traduit à la fois un mouvement de retour en arrière et une répétition, et le mot *dvijanman,* qui traduit, selon la racine dvija, celui qui est « deux fois né », « né de nouveau », sorti de l'enchaînement des causes et des effets, au-delà du moi et de l'espace-temps, appelé à devenir un *jivan mukta,* un « libéré vivant », éveillé dès cette terre à sa condition d'éternité, « déjà ressuscité ». En anglais, on distingue bien également les deux termes *back again* (de retour) et *born again* (né de nouveau).

Plutôt que de se préoccuper de ses vies antérieures ou de ses vies futures, il me semble plus important de nous soucier de notre vie présente et de notre vie éternelle. Comme le dit Syméon le Nouveau Théologien : « Celui qui n'a pas connu la vie éternelle dès cette vie ne la connaîtra pas non plus dans l'autre. » S'il s'agit de vie « éternelle », elle était « avant », elle sera « après », elle est « pendant ». C'est la dimension d'éternité qui habite notre vie mortelle, ce non-temps, qu'il s'agit de goûter au cœur du temps. Le Christ, le Bouddha, les grands éveillés, sont appelés ainsi parce que justement ils se sont éveillés à un autre Jour, au grand Jour sans revers d'ombre, à la pure lumière qui Est au commencement, « non née, non faite, non créée », et qui ne passe pas. Se réincarner c'est encore appartenir à « l'être pour la mort »,

Docteur Francine Hébert

LIC. 74-261

1025, ST-JOSEPH, MONTRÉAL, QUÉBEC H2J 1L2
TÉL.: (514) 287-1126 - (514) 844-1112

Pour...... *Jean Tremblay* ....

Adresse ....

R   Date .... *15-6-95* ......

*Traitements de physiothérapie
requis*

REPETATUR	1	2	3	4	5		NR

prolonger du temps ; ressusciter, c'est sortir du temps, ne plus être « pour la mort », demeurer dans le Vivant. Croire à cela sans avoir été touché ne serait-ce qu'un instant par une autre dimension me semble difficile. Pourtant on peut se poser honnêtement la question : que reste-t-il quand il ne reste plus rien, qui suis-je avant ma naissance, qui suis-je après ma mort, qu'est-ce qui meurt quand je meurs, qu'est-ce qui naît quand je nais, qui passe, qui demeure ?

Je me dis souvent que le jour de ma vraie naissance fut le jour de mon baptême. Le jour de ma naissance légale je suis né pour mourir. On aura beau prédire à ce petit tas de fiente rose les plus hautes destinées, cela ne l'empêchera pas de retourner à la poussière. Nos parents ne peuvent nous donner que la mort... Le jour de mon baptême, on m'a dit que je pouvais naître d'en haut, m'ouvrir à une vie qui ne passe pas, m'éveiller à un monde sans mort. La première naissance est absurde et on a le droit de maudire ses parents pour cela s'ils ne nous proposent rien d'autre. C'est ce que fit Job. La seconde naissance donne du sens à ce qui n'en a pas par nature. Si le Christ n'est pas ressuscité, « monté au ciel », c'est-à-dire éveillé au monde sans mort, à quoi bon vivre, à quoi bon aimer, se battre pour la vérité, la justice ? C'est la mort qui aura le dernier mot.

Mais si le Christ est ressuscité, cela veut dire qu'il y a quelque chose de plus fort que la bêtise, la violence et la décrépitude. Il n'est pas absurde d'aimer : « L'amour est plus fort que la mort. » Je suis né le jour de mon baptême, né au ciel, né à autre chose qu'au monde des choses. Même si chaque matin il m'est difficile de me lever, si je dois endurer pendant des heures ce très pesant « à quoi bon ? », je peux vivre désormais, j'ai dans ma poche un grain de ciel, un nom d'espérance : Jésus deux fois né — Jésus-Christ mort et ressuscité.

Je suis donc né pour mourir le 24 janvier 1950 à Angers, clinique Saint-Laud, et je suis né pour ne plus mourir à une date imprécise (1969, l'année où je vivais sans « mois »), dans la mer

Égée, au pied du mont Athos, baptême non obligé, pourtant assez peu volontaire, où je renonçais à vivre absurdement...

Quarante ans après ma première et fatale naissance, Héloïse Marie vint au monde. J'étais là. Ne me dites pas que c'est beau la naissance d'un enfant ! Ce mélange de boucherie et de toilettes, ce chiffon de chair qui hurle, qu'on vous met sans vous demander votre avis entre les bras... Je ne savais même pas comment m'asseoir... Et puis tout à coup un grand vent de calme, l'enfant dort, la peau se déride, la petite main prend des airs de bénédiction, un instant je découvre que ce n'est pas la vie qui est absurde, mais que c'est moi qui suis idiot. Je lui donne son premier bain, son premier baptême. Je lui fredonne en silence ma chanson :

> « *Bienvenue petite crotte, petite âme, petite âme crottée dans*
> *ce monde moitié pourri moitié merveille.*
> *Tu en verras des coquelicots et des chiens qui te mordent.*
> *Tu en verras des bleus...*
> *Comme une vague tu es née pour mourir*
> *sur la grève du temps.*
> *Comme la mer tu es née pour vivre*
> *de ces vagues qui meurent, et jamais ne périt.*
> *Bienvenue petite crotte, petite âme, petite âme crottée.*
> *Bonne terre à tes pieds.*
> *Assez d'eau à ta graine.*
> *Bon vent à ton souffle.*
> *Shalom — Shanti — Paix à ton cœur — Dieu à ton âme.* »

CHAPITRE II

Roche Marotte

Roche Marotte était une grande maison au fond d'un immense jardin que j'ai toujours prise pour un château, sans doute à cause des dépendances qui l'entouraient, ou de l'escalier qui montait jusqu'au premier étage, ou des vignes qui couraient le long du grenier... qui sait ce qui dans les yeux d'un enfant fait d'une maison sans grand caractère une demeure de roi ou l'antre d'une sorcière ?

« Tu fabules toujours », disait ma mère. Oui, heureusement. Les enfants sont sans défense, mais non pas sans armes, même si ces armes sont imaginaires, épées vaporeuses qui tranchent pourtant ce que leur vie a de trop insupportable et qui les gardent dans le royaume de leurs songes.

« Marche ou rêve ! » Je n'avais pas le choix, pour survivre je devais faire les deux. Je devais obéir à ma mère et fuir au-dedans ce que cette obéissance avait d'insupportable. Quand je vois ma mère aujourd'hui, si calme, si patiente avec ses petits-enfants, je me demande comment elle a pu m'inspirer tant de terreur.

Est-ce que je ne fabulerais pas encore ? Ne suis-je pas en train de m'inventer une enfance malheureuse ? Pourtant, si je suis honnête, à part quelques brefs séjours chez ma marraine et une ou deux escapades avec mes deux grands-pères ivres, je ne trouve aucun bon souvenir dans mon enfance.

La terreur que m'inspirait ma mère n'est pas qu'un songe. Je me souviens l'avoir aperçue un jour, rue Bressigny à Angers (j'étais alors chez ma grand-mère) ; sans avoir eu le temps de penser à quoi que ce soit, je me retrouvai à plat ventre sous un camion, tout tremblant, redoutant par-dessus tout qu'elle puisse me voir. Je n'étais pas en faute, mais il suffisait que je rencontre son regard pour me sentir à jamais coupable, écrasé par mon imperfection, cette imperfection prenant des formes aussi fonda-mentales que dérisoires, une morve pas encore mouchée, une main qui traîne dans la poche, des yeux qui ne disent pas bonjour et des lèvres qui disent toujours rien... On n'invente pas de tels souve-nirs : se cacher terrifié en pleine rue pour ne pas voir sa mère !

Mais comment ne pas lui pardonner ? Elle travaillait dur, il n'y avait pas en elle de méchanceté, mais un sens imperturbable du devoir, une exigence sans concession sur ce qui doit être fait. Sans doute avait-elle un cœur tendre, elle n'a pas su me le manifester ou je n'ai pas su le comprendre. Ce qui me perturbait le plus, c'était son attitude à l'égard de mon père — jamais un mot doux, toujours des reproches, elle le traitait comme un enfant ou comme l'orphelin de mère qu'il était. Lui par contre ne manquait pas une occasion de lui faire un compliment, de la caresser aux épaules, de lui donner un baiser dans le cou. Je trouvais cela injuste, et lorsque ma mère traitait le pauvre homme d'incapable je sentais monter en moi une folle violence ; il fallait le défendre, le venger, ce qui d'ailleurs une fois arriva, je donnai une gifle à ma mère. Passons sur les larmes, les cris qui suivirent. Je me sentis soulagé, au moins il y avait quelqu'un dans la maison qui ne lui était pas soumis, quelqu'un capable de lui dire non !

Il arrivait parfois quand même que mon père se mît en colère, mais cela prenait des dimensions si grandiloquentes que cela en devenait ridicule. Malgré les verres cassés il n'arrivait pas à un semblant d'autorité, alors qu'il suffisait à ma mère de quelques mots, à peine sifflés entre ses dents, pour que toute l'atmosphère se glace ; les invités regardaient fixement leur assiette, j'avais les mains moites et la gorge serrée.

Auprès d'eux j'appris la différence entre la vanité et l'orgueil. Mon père était vantard, vaniteux, très content de lui-même ; malgré le principe de réalité qui vivait à ses côtés il semblait toujours régi par le principe de plaisir. La vie était belle, il était le meilleur et on ne pouvait pas le prendre au sérieux. Ma mère ne se vantait jamais, mais elle n'avait jamais tort, elle était la meilleure et on ne pouvait que la prendre au sérieux. Vanité de mon père, orgueil de ma mère. J'ai hérité des deux !

Le plus douloureux pour un enfant c'est de se trouver devant un adulte qui a toujours raison et qui ne se reconnaît jamais une erreur ou une possible faiblesse. Je me souviens d'une anecdote qui devait briser sans retour l'estime ou l'admiration que j'aurais dû avoir pour ma mère. Un soir au retour de l'école je lui annonce que le prix du repas à la cantine est de 4,70 francs.

Ma mère me répond :

— Non ! c'est 4,50 francs.

J'insiste, j'affirme... et je me retrouve au lit avec une paire de claques et quelques jugements définitifs sur « cet enfant impossible ».

Le lendemain, je reviens de l'école avec une note à la main, le prix du repas est bien de 4,70 francs. Je n'ai pas le temps d'ébaucher le sourire du victorieux, de nouveau je reçois une claque.

— Non, c'est 4,50 francs, on ne dit jamais le contraire de ce que dit sa mère.

— Mais Maman, c'est écrit !

— Non, c'est 4,50 francs. Écrit ou pas écrit on ne dit jamais le contraire de ce que dit sa mère. Tu me le copieras mille fois...

Vingt centimes ce n'est pas grand-chose. Pour l'enfant que j'étais ça n'avait pas de prix, ou c'était le prix de l'absurde, de la bêtise. Comment après cela faire confiance à ma mère ? Elle qui disait détester le mensonge, elle mentait à grands cris ! S'il y a quelque chose auquel les enfants sont particulièrement sensibles, c'est bien l'injustice. Autant ils peuvent accepter et même apprécier une punition juste, fondée sur un acte qu'on se met d'accord pour juger répréhensible, autant ils ne peuvent suppor-

ter d'être punis pour un acte qu'ils n'ont pas commis ou pour
justifier la toute-puissance de l'adulte qui les juge. Cela laisse des
traces indélébiles. A partir de ce jour-là il n'y eut plus pour moi
de vérité. Mille fois j'avais écrit sur mon cahier : « On ne dit pas
le contraire… », mille fois j'avais écrit dans mon cœur : « Ma
mère m'a menti, la vie est un mensonge ». Ce jour-là également je
décidai de raconter n'importe quoi et d'avoir toujours raison. Le
mensonge prit en moi le pouvoir, jusqu'à la mort j'aurais sans
doute à me battre avec lui. Plus grave encore que le mensonge, ce
jour-là aussi je perdis toute confiance en la parole dite avec
autorité (« C'est vrai parce que c'est moi qui vous le dis »,
« parce que c'est moi qui commande »). La parole du plus fort est
la moins digne de confiance. Malheureusement ce n'était pas
seulement la confiance dans la parole de l'adulte que je perdais,
c'était la confiance tout court. J'étais le juste bafoué dans un
monde hostile, il y avait moi, pur et seul, et les humains perfides
et menteurs.

  « Malheur à l'homme qui se fie en l'homme. » Je devenais
« cathare » ; ou, pour me donner un nom d'oiseau moins flatteur,
je devenais « paranoïaque », perroquet aux riches couleurs, exilé
dans la cage sans air d'une famille même pas bourgeoise, c'est-à-
dire sans concert le dimanche et sans grand-oncle qui réciterait en
frisant ses moustaches deux alexandrins de Baudelaire.

  Comment un enfant peut-il se sentir tellement étranger à sa
famille, étranger sur la terre ? Je ne demandais pourtant qu'à être
heureux, heureux comme les enfants savent l'être, avec un tour de
manège, une barbe à papa, une épaule contre laquelle il aurait pu
pleurer, pour rien, ou pour un arbre qu'on venait de couper…
Mais on avait décidé une fois pour toutes que je n'étais pas doué
pour le bonheur, « regardez ce qu'il dessine, toujours des têtes de
morts ». Cependant, cette faculté de bonheur il m'arrivait de la
trouver auprès de ma marraine, la cousine de ma mère, lorsque je
passais chez elle quelques semaines de vacances, à Néris-les-Bains
où elle tenait avec Lucien l'hôtel face aux Thermes, puis plus tard
à Ronces-les-Bains, où elle habitait villa René, proche de la

grande maison à verrière de la tante Marthe. J'en avais fait ma
« mère rêvée », elle ne me donnait jamais d'ordres, même pas de
conseils, et pourtant je faisais tout ce qu'elle voulait.

C'est quelqu'un à qui je n'arrive pas à trouver un seul défaut,
mais qui, à la différence des gens qui n'ont pas de défauts, n'était
pas parfaite. Non une image de perfection, mais une image
d'humanité, de féminité sans doute. Elle lisait *Nous deux,* elle ne
manquait jamais son feuilleton à la télé, fidèle à sa légèreté. Elle
aimait les caniches et les enfants qui ont de grands cernes sous les
yeux. Je crois qu'elle m'aimait. D'un amour pas compliqué, un
amour d'hirondelle ou de bouton d'or qui fait le printemps, un
amour qui ne vous pose pas de questions, il a l'air de voler et de
briller seulement pour vous, cela suffit au bonheur d'un enfant.
Elle ne se disait pas chrétienne, elle l'était sans doute naturellement, et c'est naturellement qu'elle est morte un jour de Pâques,
le lundi, très discrètement, le jour d'un retour de vacances. Était-
ce un ange en vacances sur la terre ? Sur la terre même les anges
souffrent, elle a souffert non seulement d'une longue maladie,
mais aussi de deuils familiaux intolérables. Je remercie Dieu
d'avoir gravé dans ma mémoire, même si cela est une illusion
d'enfant, le visage d'une femme qui n'eut des dents que pour rire
et des yeux pleins de malice pour toujours vous bénir.

Roche Marotte, c'est aussi le lieu où naissent mon frère et ma
sœur, Patrice et Françoise. De nouveau ce même sentiment
d'étrangeté : je ne les connais pas, comme si nous n'étions pas de
la même famille. Lorsque nous nous retrouvons aujourd'hui il
nous est bien difficile de retrouver des souvenirs communs. A
part quelques chatouilles dans le noir de l'escalier avec ma sœur,
je ne me souviens de rien. Paraît-il que je lui donnais de temps en
temps des coups de bêche quand elle venait me déranger dans ma
culture du souci (je parle de la fleur) et de la fraise ?

Il y eut un incident pénible dont je n'ai pu parler qu'en analyse
mais que je veux citer ici. Il illustre bien la souffrance et le silence
dans lequel vivent encore aujourd'hui trop d'enfants violés : je
devais avoir dix ans, on m'avait demandé à l'école de vendre des

calendriers, si j'en vendais dix-huit une récompense m'attendait !
Pendant les vacances de Noël j'étais chez ma grand-mère à
Angers, rue Bressigny. Elle me donne la permission d'aller
durant l'après-midi vendre mes calendriers, en me souhaitant
« bonne chance ». Je pars vers la vieille ville, dans ce quartier que
j'ai toujours aimé, proche du château avec ses grandes tours
moyenâgeuses et sa statue du roi René bénissant le carrefour. Un
homme d'une cinquantaine d'années s'approche de moi, me
félicite pour ma jolie culotte courte et mes chaussettes à carreaux.
Je lui propose un calendrier. Il m'en achète un.

— Je t'en achèterai d'autres si tu veux, mais viens pour
« causer » dans un endroit tranquille.

Ma mère m'avait bien dit de ne jamais suivre des inconnus,
mais cet homme n'était déjà plus un inconnu, il m'avait acheté un
calendrier, c'était un « client ». En plus il était aimable, je n'avais
rien à craindre, ce n'était pas tous les jours qu'on m'adressait
aussi gentiment la parole, c'était presque un ami. Je le suivis sans
méfiance jusque sous le porche d'une porte latérale de l'église
Saint-Laud (non loin de la clinique Saint-Laud où je suis né).
C'est en effet tranquille, dans ce coin il ne passe personne. Une
fois assis, il me pose quelques questions sur mes parents, me
demande si je suis heureux avec eux, puis assez brusquement
quelque chose dans son visage se crispe.

— Peux-tu me rendre un petit service ?

Que pouvais-je refuser à un homme si aimable et si soucieux de
mon bonheur ? Doucement il ouvre sa braguette et me met son
gros machin un peu mou entre les mains. Je ne comprends pas.

— Ton papa ne te demande jamais ça ? me dit-il et il
m'explique ce que je dois faire.

Je lui dis que je ne sais pas faire ça et que je dois partir. Le
visage de l'homme n'est plus du tout gentil, je le sens prêt à me
frapper, j'ai peur. J'obéis. Il commence alors à déboutonner ma
braguette et à me tripoter.

— C'est pour que tu aies du plaisir en même temps que moi.

Du plaisir, il n'y en a pas. De la douleur plutôt, de plus en plus
insupportable, je croyais qu'il voulait m'arracher un lambeau de

chair, le manger. C'était comme dans les mauvais contes que me racontait Gisèle, un ogre, caché sous un chapeau et un veston-cravate, dans sa main je vis du sang... Avec sa verge il me fouettait le visage, je commençai à gémir et à crier, cela le mit en fureur :

— Si tu ne te tais pas je te tue !

Il arriva enfin à ce qu'il voulait, me lança son sperme dans la bouche, les yeux, les oreilles, ne pouvant plus étouffer mes cris il me donna un coup de poing et partit après s'être rhabillé, d'un pas rapide.

Combien de temps suis-je resté à moitié assommé sous le porche de cette église ?

A la terreur que je venais de vivre succéda une autre terreur : ma mère ! Il ne faut pas qu'elle voie, il ne faut pas qu'elle sache, sinon elle va me punir. Je lui ai désobéi ! Il me fallait au plus vite effacer toute trace, et ne jamais en parler. Après avoir vomi je me rendis dans un café proche pour me nettoyer dans les toilettes. Le soir, je rentrai à la maison, j'avalai une boîte de cachets d'aspirine, pensant que cela suffirait à me faire mourir. J'avais honte, pour moi, pour cet homme, pour Dieu qui abritait de telles turpitudes sous le porche de ses églises. Je me sentais trop coupable pour pouvoir en parler à quiconque et trop innocent pour ne pas souhaiter mourir.

Malheureusement il y eut de nouveau un matin avec seulement une fièvre, des diarrhées et un mal de ventre plus violent que de coutume. Ma grand-mère de nouveau me trouva « neurasthénique », et ma mère « jamais content, comme d'habitude »...

Pourquoi les enfants violés (c'est plus fréquent qu'on ne le pense) n'en parlent-ils jamais à leurs parents ? Sans doute devrait-on les mettre en garde contre ces « gentils inconnus » qui les abordent, mais ne pas les traumatiser au point que la désobéissance à ces sages conseils devienne plus grave que le tort et la souffrance qu'ils viennent de subir. On peut pardonner avec sa tête, avec son cœur ; le corps, lui, met plus longtemps à comprendre. Pour que la sexualité ne m'apparaisse plus comme une chose sale et dégoûtante, il me faudra attendre la lecture attentive des premiers chapitres de la Genèse, « Et Dieu vit que cela était bon ». Si mon esprit et mon affectivité adhèrent a cette parole, mon corps demeure « lent à y croire ».

Roche Marotte, pourtant, ce ne fut pas que le temps de l'absurde, il y eut aussi des moments de grâce. Cette grâce venait souvent me chercher au creux de mon lit, profitant de la maladie et de la fièvre pour me donner de sa bonne humeur.

Le foie ou la vésicule biliaire étant devenus les lieux privilégiés de mes somatisations il m'arrivait souvent d'avoir la jaunisse. C'est au cours d'une de celles-ci que dans un demi-délire j'écrivis mon premier roman. Il s'appelait *Descente aux abricots* — je venais de lire le titre d'un livre de Rimbaud *Descente aux enfers*. C'était évident qu'il me fallait descendre plus bas ou aller plus loin... On m'avait apporté un abricot du jardin, je le mis contre ma bouche, je respirai son odeur, je savourai son goût et je commençai ainsi mon « voyage », ma « descente aux abricots ». Je découvris très vite que l'abricot était inaccessible : si je l'avais dans la bouche je ne l'avais plus devant les yeux, si je voyais son noyau une grande partie de sa peau m'échappait. On ne peut saisir l'abricot que successivement et en « parties », sa totalité demeurant pour toujours inconnue. Il n'y avait qu'une solution : devenir abricot soi-même, connaître l'abricot par l'abricot... Je me mis à « abricoter » — cela allait d'ailleurs fort bien avec mon teint jaunâtre — et je demeurai ainsi abricot au fond de mon lit. Si personne n'y voyait rien c'est que tout le monde était aveugle, le médecin avait beau mettre à deux fois ses lunettes je ne désabricotais pas. La seule issue pour sortir de l'abricot c'était de me « blettir », de pourrir moi-même et de retourner ainsi à la terre. Le voyage devenait dangereux... mais quelques bonnes piqûres me ramenèrent à mon humanité, qui depuis ce jour voua un culte très tendre aux abricots.

Bien sûr, ce n'était qu'une parabole, mais comme les enfants savent les vivre en s'y identifiant totalement. Je découvrais ainsi comment connaître les choses « du dedans » — la « connaissance par connaturalité », disait Thomas d'Aquin, devenir une même nature avec ce que l'on connaît. Je découvrais aussi que la moindre chose dont l'abricot était le symbole demeurait inaccessible dans sa totalité. Il est possible de connaître la vérité, « mais non pas toute ». Plus tard, Philomène, la chèvre de Saint-Maur, viendra développer ma graine métaphysique, mais le premier enseignement de « pensée vitale » je le dois à la grâce de cet abricot par temps de jaunisse...

Malgré la réprobation de ma mère j'aimais beaucoup mes deux grands-pères. Ils aimaient boire et pour tout dire ils buvaient trop. Malgré tous les dangers que cela représentait il arriva qu'on me laissa partir avec eux. Pépé-Nu (Pierre Bienvenu) était un homme charmant avec ses amis, mais il ne disait mot ni à sa femme ni à sa fille. Un soir je sortis avec ses « copains ». J'étais heureux d'entendre rire, j'avais même le droit de boire un coup, il était fier de son petit-fils, nous sommes rentrés vers 5 heures du matin. Ma grand-mère était en larmes, elle venait de passer une nuit d'enfer, imaginant mille et un accidents sur notre route. Quand un enfant a été heureux toute la nuit il ne comprend pas que c'est sa grand-mère qui a raison, de nouveau la femme prit pour moi son visage de castratrice. On ne me laissa plus jamais sortir seul avec Pépé-Nu.

Pépé-Loup (André Leloup) était lui aussi un homme qui vivait à l'extérieur, délaissant sa maison, maison habitée par une troisième femme avec laquelle il ne s'entendait guère. Je me souviens d'une soirée où il me conduisit avec lui au casino de Bagnoles-sur-Orme. J'avais dans la poche un livre de Jacques Loew, *En mission prolétarienne*. Où avais-je trouvé une telle littérature ? Je ne comprenais pas ce que le titre pouvait dire, mais le mot « prolétarienne » me séduisait beaucoup, c'était certainement le nom d'une choucroute très savoureuse. Lorsque je le montrai aux messieurs et aux dames bien habillés, mon livre provoqua quelque hilarité. Mon grand-père sembla très fier d'avoir un petit-fils qui ne se sépare pas de son livre de cuisine même pour aller au casino.

Après le casino Pépé-Loup m'emmenait au cabaret pour voir le strip-tease. J'aimais beaucoup cela, les bas noirs, les dentelles...

montrer en cachant, cacher en montrant, de loin dans cette
lumière rose et bleue le corps de la femme se dénudant me
semblait beau. Pépé-Loup devenait un petit peu plus rouge puis il
disparaissait un bon quart d'heure avec une serveuse, me
demandant de lui garder sa coupe de champagne. Quand il
revenait la coupe de champagne était vide et je dormais sur son
fauteuil. Pour mon grand-père la morale n'existait pas. « Le
strip-tease, me disait-il, c'est beaucoup mieux pour les enfants
que le cirque, ici au moins on ne frappe pas sur les animaux, on
les embrasse et on les applaudit. » Il ajoutait : « N'en parle pas à
ta mère, elle ne comprendrait pas. » Lui aussi la craignait. C'est
vrai que elle, elle avait une morale... une terrible morale laïque,
sans Dieu, sans mystique, la morale du « il faut parce qu'il faut »,
du « tu dois parce que tu dois ».

Ne sachant plus comment se comporter avec moi, ma mère
décida de m'envoyer chez le psychologue. Ce fut d'abord une
femme. Elle me demanda de lui décrire ce que je voyais dans les
« taches ». Je vis beaucoup de choses, énormément de dragons,
mais je n'arrivai pas à voir les taches. Le diagnostic sembla
donner satisfaction à ma mère : j'avais beaucoup d'imagination,
et elle, elle avait raison de ne voir « que des taches là où il y a des
taches ».

Ma santé psychique ne s'améliorait pas, je n'étais toujours pas
aimable, ou plutôt j'étais partout aimable sauf à la maison. Elle
me présenta à un nouveau psychologue. Après s'être entretenu
avec elle, celui-ci eut l'indélicatesse de me dire : « C'est votre
mère qui est folle. » Il donnait ainsi l'absolution à mes mensonges, à ma perversité, à ma tristesse. J'avais désormais à l'égard
de ma mère la même attitude qu'elle : « C'est l'autre qui a tort,
définitivement. Moi j'ai raison, l'autre est fou, moi je vais bien. »

Quand on est sur le divan, en larmes ou en colère, et en même
temps dans le fauteuil, « légèrement à l'arrière dans une neutralité
bienveillante », quand on est à la fois confesseur et confessé il est
difficile de ne pas vouloir donner des explications ou faire un
petit sermon à l'enfant que j'étais. Un enfant vieux, affreusement

sage avec son prix d'excellence et son prix d'honneur, attendant un mot de satisfaction, même pas un compliment, de la bouche de sa mère, et menant en cachette une vie de petit débauché, menteur, voyeur et parfois même méchant.

Alice Miller, dans son analyse de l'enfance des grands dictateurs de notre époque (Hitler, Staline), décrit bien cette « pédagogie noire » du « Il faut », du « Tu dois » et du « C'est pour ton bien », qui avec les colères refoulées des enfants fera le crime des adultes... Bien piètre consolation que de se dire : « J'aurais pu devenir pire que ce que je suis maintenant. » Ou d'accuser, comme le fit Nietzsche, une certaine morale confondue avec le christianisme, pour ne pas affronter en face et accuser une mère et une sœur dont il ne fut jamais indépendant. C'est ainsi qu'on en arrive à généraliser, à tirer des règles pour la comète... Pour celui qui écoute ce n'est que l'écho d'un cas particulier : « Les gens de bien ne disent jamais la vérité, ce sont des côtes trompeuses et de fallacieuses sécurités que vous enseignent les gens de bien : c'est parmi les mensonges des gens de bien que protégés du jour vous avez vu le jour. Tout est jusqu'au tréfonds faussé et falsifié par le mensonge des gens de bien... Les gens de bien — ils furent toujours le commencement de la fin... et quel que soit le mal que font les détracteurs du monde, le mal que font les gens de bien est toujours le plus malfaisant » (Nietzsche, *Ecce Homo*).

Si Nietzsche avait pu accuser sa mère, beaucoup de diatribes de « Zarathoustra » ou de l'Antéchrist contre l'humanité, le christianisme, la morale, n'auraient pas eu cette « nécessité » d'être écrites. Mais comment dire à sa mère qu'on ne l'aime pas, quand on est si fragile et que le père, la maison, la vie, tout dépend d'elle ?...

Il ne me sera pas difficile par la suite d'adhérer à ces paroles de l'Évangile : « Si quelqu'un vient à moi sans laisser son père, sa mère, ses enfants, ses frères, ses sœurs et jusqu'à sa propre vie, il ne peut être mon disciple. » En mettant en pratique cette parole je ne me faisais pas disciple du Christ, je n'étais que soumis à ma pulsion de mort ; l'amour de Dieu peut devenir le beau prétexte qui cache une inavouable haine.

Mais, comme le dit Pascal, « L'erreur c'est l'oubli de la vérité contraire ». Dans l'Évangile et dans la Bible, il est bon de chercher la parole qui dit le contraire de celle qu'on vient de lire, sinon on retombe dans l'idéologie. J'ai mis du temps à la trouver cette « parole contraire », elle est pourtant dans le Décalogue : « Honore ton père et ta mère » — la racine *kbd* signifie moins honorer ou glorifier que donner du poids à quelqu'un, reconnaître sa réalité. « L'ordre de donner du poids au père et à la mère insère l'homme dans sa réalité propre, le ramène aux sources de son être. »

Il y a des haines qui donnent plus de poids à l'autre que de mièvres amours. J'ai haï passionnément ma mère, je lui ai donné tout son poids. Je suis sûr que ce poids fut pour moi plus facile à porter que si je l'eusse aimée avec la même passion. Il m'est plus facile d'en être libre, et aujourd'hui de lui demander pardon. On demande plus difficilement pardon de trop aimer sa mère...

L'ombre, disait Graf Dürckheim, ce n'est qu' « une lumière contractée qui n'arrive pas à se donner, à se diffuser ». La haine n'est-elle pas un grand amour refoulé ? Haïr n'est-ce pas être empêché ou s'empêcher d'aimer ? Dire à quelqu'un qu'on le déteste, l'aimer encore assez pour le haïr, regarder cette haine en face, aimer cette haine et voir fondre la glace... cette glace cachait de l'eau vive.

La Roche Marotte, la pierre noire de mon enfance, cette longue absurdité... la regarder en face, laisser venir les larmes, le passé est passé. Laisser fondre ces vieilles mémoires, découvrir l'eau vive de l'instant.

CHAPITRE III

N'importe où hors du monde

« Adieu mes parents, mes proches,
ces yeux, ces voix, ce foyer !
j'entends que mon âme approche
à grands flots pour me noyer. »

(Marie Noël)

Arsène, un des premiers « Pères du désert », alors qu'il demandait à Dieu ce qu'il devait faire pour être sauvé entendit une voix
lui répondre : *Fuge.* Fuis... Je ne demandais rien, ni à Dieu ni à
personne, mais il m'a été donné d'entendre très tôt cette voix :
Fuge. « Fuis. » A l'école primaire il suffisait d'un rien, une simple
remarque de la maîtresse et après la récréation, quand tout le
monde était rentré, je sautais par-dessus le mur et partais au
hasard dans la ville. J'étais inconscient de l'angoisse que ces
fugues pouvaient provoquer dans mon entourage. Les correc-
tions, les privations qu'on pouvait m'infliger alors ne faisaient
que me conforter dans cette idée fixe : « partir ». « Je dois partir
si je veux vivre », « Va plus loin, va-t'en ! qui te connaît ? Passe !
Tu n'es pas d'ici, cherche ailleurs ta place. »

Au fur et à mesure que j'avançais dans l'adolescence, ces fugues
devenaient de plus en plus imprévisibles, la motivation n'étant
provoquée que de l'intérieur. Après un dimanche où j'avais été
particulièrement aimable, où l'ambiance à la maison était déten-
due — on m'avait même entendu rire dans la grande cour de
Roche Marotte —, je rassemblai mes économies, de quoi me
payer le train jusqu'à Tours, et laissai à mes parents un petit mot :

« Cette fois ne me cherchez plus. Je pars très loin. Vous m'avez fait naître pour mourir. Je vais vivre. » Ils me retrouvèrent néanmoins une semaine plus tard à la frontière d'Espagne, où les douaniers s'étaient inquiétés devant ce jeune garçon à qui l'on demandait : « Où vas-tu ? » et qui répondait : « Au soleil » sans autre précision. Ce jeune garçon n'avait pas très bonne mine, il venait de se prostituer contre un repas, la dame qui lui avait demandé ce « service » sentait particulièrement mauvais, il aurait voulu s'arracher la peau pour enlever cette odeur qui partout le suivait...

Mes parents, alertés par la police, arrivèrent bientôt. Le retour vers Angers fut moins difficile que je le pensais. Ma mère me souhaita seulement d'avoir un jour un fils ou une fille qui me fasse autant souffrir que, elle, avait souffert.

Durant cette semaine j'eus le temps d'avoir faim et de rencontrer des gens étranges, parfois dangereux, dans les gares et autres endroits où je cherchais un peu de repos.

La violence et la saleté m'avaient impressionné, l'adolescent cynique que je devenais décida d'apprécier Roche Marotte pour la nourriture et les bains qu'on y trouvait. Mais de nouveau le besoin de fuir me rongea, les motivations ne changent guère : être seul, écrire des poèmes. Mais on me retrouvait en compagnie de femmes qui, oubliant derrière mes longues phrases le mineur qui se cachait, prenaient le risque de m'héberger.

Mes parents n'étaient pas toujours au courant de mes escapades, j'étais alors pensionnaire au collège Saint-Martin à Angers. Le lundi je prenais la voix de mon père au téléphone, avertissant le responsable de l'établissement : « Mon fils a encore une mauvaise fièvre, le médecin demande qu'il reste à la maison, je vous l'enverrai dès que possible, sans doute mercredi. » Or il arriva que Pépé-Loup mourût un mardi. Mon père vint me chercher au collège pour me préparer à l'enterrement, et dut attendre une longue journée que je revienne guéri de ma « mauvaise fièvre ». C'est la seule fois où mon père me frappa. Je lui en fus reconnaissant, je l'avais bien mérité, et en recevant les

coups je pouvais pleurer davantage, gémissant la disparition de
mon Pépé-Loup.

Ne sachant plus que faire de moi, m'ayant émancipé pour ne
plus être responsable des conséquences de mes actes, mes parents
décidèrent de m'envoyer à l'armée. C'était leur dernier espoir.
Devançant l'appel, je me retrouvai ainsi à Laon dans un régiment
de cuirassiers. Très vite je découvris qu'on ne pouvait pas à la fois
« penser » et « marcher au pas », ce qui amena des troubles dans
les rangs. Quelques sous-officiers décidèrent de me « mater ».
S'ils pouvaient me rouer de coups, me cracher au visage, me
priver de « perm », ils ne pouvaient pas m'arracher la langue ou
me couper la main, qui prit bientôt la plume pour écrire au
capitaine.

« Monsieur, vous nous avez dit que nous étions ici pour
devenir des hommes, alors pourquoi nous oblige-t-on à marcher
à quatre pattes ? Croyez bien que j'aime l'armée, que j'aime la
France et que je trouve normal qu'un homme donne au moins
une année de sa vie pour son pays, il y a tant de choses à faire, des
routes à réparer, des décharges à assainir, des bidonvilles à
humaniser... »

Et je lui indiquai tout un programme de choses utiles à réaliser
« pour le bien-être de la France et des Français ». C'est la
conclusion qui dut lui paraître catastrophique.

« Monsieur, ici on n'apprend rien, on ne fait rien, on ne
développe en nous que le goût de la violence et de la guerre. Je me
sens devenir bête et paresseux, méchant et visqueux... De la
fréquentation de la noble armée française, des très purs cuirassiers du roi, je n'aurais appris que de nouvelles techniques de
masturbation et l'art de mieux tricher aux cartes... »

Le capitaine me convoqua, il s'attendait à un excentrique ou à
un révolté. Pas du tout, le loup était un agneau, il avait l'air
serein, il parlait calmement, lui posant des questions embarras-
santes sur sa vie : comment lui qui avait de l'intelligence pouvait-
il rester dans une institution qui en manquait de toutes parts ? Les
questions n'étaient pas provocantes, j'étais sincère. L'armée

m'apparaissait comme un monde « institutionnellement absurde », je ne demandais pas mieux que d'être convaincu du contraire. Comme ma mère, le capitaine ne pouvait douter un seul instant de son juste jugement et de sa droite raison ; comme elle il décida que c'était moi le fou et rédigea un rapport pour qu'on me transfère à l'hôpital psychiatrique de l'armée à Lille, car je risquais de devenir « contagieux » pour mes sains camarades.

Arrivé à l'hôpital on me mit un costume en laine bleue qui grattait la peau et malgré les camisoles chimiques, habilement gardées sous la langue et crachées ensuite dans le lavabo, je commençai à faire des rencontres intéressantes, des pauvres types comme moi, parfaitement inadaptés, qui préféraient leur maman, un canari ou leur chère motocyclette à la grandeur de la France et au devoir de tout homme bien né qui est de savoir tenir un fusil et de bien tuer.

C'est là que je rencontrai un garçon immense aux yeux ardents qui se prenait pour Nietzsche. Il imagina qu'entre nous devait naître une « fraternité d'étoiles ». Il m'appela monsieur Teste (d'après le livre de Valéry que je lisais alors). Il incarnait la passion, j'incarnais la raison, de notre dialogue devait sortir la pensée inévitable dont avaient besoin les âges futurs.

C'est à cette époque également que je découvris Schopenhauer et que je décidai, à travers ce qu'il en disait, de devenir bouddhiste, ce qui eut pour effet immédiat de plaquer un sourire satisfait sur mon visage morose. Aux dires du psychiatre cela me donnait un air de souveraine imbécillité, à faire fuir les généraux. En souriant j'avais gagné la guerre : on me laissa tranquille.

Ayant sur « Nietzsche » un effet apaisant, on nous laissa tous les deux à longueur de jours et de nuits disserter sur des « aphorismes fondamentaux ». Je devais retrouver J.P.V. quelques années plus tard, à Ypres, en Belgique. Il était toujours aussi mégalomane, sa culture s'était enrichie de psychanalyse et il voulait à tout prix psychanalyser sa petite amie parce qu'elle se refusait aux « petites secousses vitales » que dans sa générosité il voulait lui offrir.

— Si seulement je pouvais lui expliquer pendant huit jours ce que je pense, elle comprendrait.

Étant à cette époque toujours bouddhiste et toujours imperturbable, mais non pas sans compassion devant sa souffrance qui était réelle, je lui dis :

— Eh bien, il faut l'enlever. Nous l'attendons à la sortie de son bureau et nous l'emmenons pendant huit jours dans un endroit où tu pourras tendrement la psychanalyser.

Aussitôt dit aussitôt fait, un ami nous prête sa voiture — J.P.V. savait conduire —, à la sortie du bureau, non sans quelques brutalités, il pousse la demoiselle, qui ne ressemblait guère à la Joconde qu'il m'avait décrite, à l'arrière de la voiture. J'ai droit à une morsure que par un mécanisme de sublimation immédiat et transcendantal j'interprète comme baiser passionnel. Ce n'est pas si facile d'enlever une jeune fille en pleine force de l'âge, pas intellectuelle pour deux sous mais assez sportive et musclée pour nous échapper à un de ces moments d'arrêt auxquels même les ravisseurs courageux doivent céder. Tout cela finit au poste de police.

A l'époque, l'important pour moi était de « faire des expériences, toutes les expériences possibles ». Celle-ci, malgré les larmes et les cris que j'entendis de toute part, m'amusa beaucoup...

Lorsque je fus devant le commissaire je lui expliquai la noblesse de mes intentions : mon ami était malade, à rêver de cette jeune fille son état empirait, il devait la rencontrer « réellement ». J'insistai particulièrement sur le mot « réalité », comme si la rencontre avec la réalité — giflante dans le cas précis — pouvait tout guérir. Je lui parlai également du bouddhisme, de la beauté de l'acte pur et détaché, j'enchaînai sur un petit discours de spiritualité simple à l'usage des commissaires.

Celui-ci, au lieu de me rabrouer, parut intéressé, il venait de rencontrer André Frossard, qui lui-même avait rencontré Dieu. Il me dit que cela lui avait ouvert l'esprit à des réalités non évidentes et qu'il allait faire son possible pour nous tirer de là : nous ne restâmes pas longtemps au poste. Il y eut néanmoins un procès, les parents de la jeune fille ayant porté plainte.

A ce propos, je me souviens que notre avocat fit un long discours sur cette « jeunesse qui avait trop lu Michel Butor », auteur que je n'avais en fait jamais lu. Cela dut émouvoir le juge... Les parents de J.P.V. eurent droit à une bonne amende et on nous renvoya chacun dans nos foyers, c'est-à-dire, pour moi, sur le trottoir.

Mis à part J.P.V., je ne rencontrai à l'hôpital de Lille aucune personnalité marquante. Le climat était au : « moins j'en fais mieux je me porte » ; aux tares de l'institution militaire s'ajoutait celle de l'institution médicale, mélange de savoirs et de pouvoirs qui faisaient de chaque « matricule » un malade et un subalterne à administrer. Je commençais à m'ennuyer. Après l'absurde plus ou moins tragique de Roche Marotte, je découvrais « l'absurde absurde », le dérisoire, et je m'initiais à « l'acte comique et signifiant ».

Un après-midi d'été, ayant repéré une sortie de cet hôpital-caserne-prison par un soupirail, je m'aventurai dans les rues de Lille. C'est là que je pus mesurer la qualité de mon indifférence et mon détachement. Tout le monde se retournait sur ce bagnard en costume bleu, lui continuait son chemin d'un pas dansé et tranquille comme un jeune éléphant. Il était cinq heures, échappé de l'hôpital psychiatrique, déserteur ou pas, c'est l'heure du thé. J'entrai dans un des établissements les plus chics de la ville et demandai un *earl grey*, que je savourai intensément. Au moment de régler l'addition je fis remarquer au serveur que mon costume, mis à part la braguette, n'avait pas de poche et que l'armée nous interdisait le port de la monnaie, s'il voulait être réglé il devait appeler le capitaine... On me ramena à l'hôpital où je fus définitivement déclaré « inapte au service ».

J'aimais cette condition d'inapte, d'inadapté, je me créai un personnage d'exilé, mais sans patrie, sans vaine nostalgie, sans désir de retour. Kafka me semblait proche.

« Insensibilité. Je suis séparé de toutes choses par un espace aux limites duquel je ne puis parvenir. Tout n'est qu'imagination, la famille, le bureau, les amis, la rue, tout n'est qu'imagination ; et plus lointaine ou plus proche, la femme. Mais la vérité la plus proche, c'est que tu presses ta tête contre le mur d'une cellule sans fenêtre ni porte... Je ne crois pas qu'il y ait des êtres dont l'état intérieur soit semblable au mien... qu'autour de leur tête comme autour de la mienne vole sans cesse le secret corbeau, c'est ce que je ne puis pas même me représenter. »

Celui qui a vécu dans la compagnie de ce « secret corbeau » saura apprécier, après le ricanement perpétuel de ses ailes noires, la brise légère de la secrète colombe, mais ce n'est pas encore l'heure, c'est encore l'heure du thé face à face avec un soi-même d'imagination, c'est l'heure du « terrier ».

« Un fétu de paille ? maint d'entre nous se tient à un crayon au-dessus de l'eau. S'y tient ? noyé, il rêve d'un sauvetage. Je suis de pierre. Je suis ma propre pierre tombale sans nul interstice pour le doute ou pour la foi... »

Étrange ataraxie, caricature de l'*hesychia* que je découvrirai plus tard chez les Pères du désert, paix sans amour, sans vie, paix de branche morte qui grince malgré tout sous les pas de ceux qu'elle rencontre, impressions fugaces d'être mort depuis longtemps, on se souvient de sa vie, le présent est du déjà-vu, déjà-vécu, on survit à soi-même en se demandant à quoi servent ces heures nocturnes et supplémentaires où se répète l'ennui du jour.

Kafka encore :

« Celui qui, de son vivant, ne vient pas à bout de sa vie a besoin de l'une de ses mains pour écarter un peu — un peu seulement — le désespoir, et de l'autre main il peut enregistrer ce qu'il aperçoit sous les décombres, car il voit autre chose que les autres. Il est donc mort de son vivant. Il est essentiellement le survivant. »

C'est dans cet état de survivant que je m'en retournai à Angers. Mais l'état de survivance n'était pas que métaphysique, mes parents refusant de me nourrir il fallait « gagner mon pain à la sueur de mon front ». Mon front, il suait depuis longtemps sans que cela me rapporte du pain. C'était plutôt les mains, les bras qui devaient travailler. Je trouvai mon premier emploi dans une usine de champignons de Paris. Je travaillais à la chaîne, toute la journée je mettais des petites boîtes dans des grandes boîtes, le bruit empêchait de penser, ainsi on souffrait moins d'être idiot. Je retrouvai à l'usine, la paresse en moins, le même climat absurde qu'à l'armée — il faut parce qu'il faut —, avec cet ajout qui me serrait le cœur : « Il faut bien vivre. »

Je ne restai pas longtemps dans cette usine, j'allai à la source des « petites boîtes », dans une cave à champignons près de Saumur. Nous rentrions sous terre à 6 heures du matin pour en ressortir le soir à 18 heures. A l'arrêt de midi tous ne sortaient pas de la cave ; on pouvait ainsi passer des journées enterrés sans jamais voir le soleil. Les visites médicales étaient fréquentes ; à force de respirer le fumier les bronches s'abîmaient. Je fus surpris de voir des hommes et des femmes encore jeunes attendre leur certificat d'invalidité — « Vivement qu'on soit foutu, on pourra se reposer. »

Je rencontrai là, sous terre, un homme d'une cinquantaine d'années qui me sembla paisible, qui ne s'énervait pas outre mesure quand dans un coin on entendait les cris d'une nouvelle employée en train de se faire violer par le contremaître. Il me disait :

— Ici on est tranquille, on ne peut tomber plus bas.

Il y avait un je-ne-sais-quoi de sordide et de fascinant dans son sourire : la sérénité par le bas. En quelques semaines je devins aussi serein que lui : le soir je m'endormais devant la télévision.

Heureusement la fille de l'instituteur du village vit que ce jeune homme était vraiment trop serein avant l'âge et décida de me débaucher. A l'heure du film elle m'invita au bord de l'étang, et, après avoir forcé quelques-unes de mes résistances liées à mes expériences passées, elle entreprit de me démontrer tous les délices de la fornication. Ce ne fut pas vraiment un échec, il arriva même que le mot plaisir prit du sens lorsqu'elle mêlait à ses halètements quelques vers de Rimbaud.

En bonne fille d'instituteur elle m'apporta des livres, Eluard,

Aragon, André Breton. Tout en remuant les caisses de fumier je parlais aux champignons :

> *Plus rien ne me tient aux pieds*
> *Ni le sol ni le soleil*
> *Et c'est un léger martyre*
> *Une vague liberté.*
>
> *Le jour m'étonne et la nuit me fait peur*
> *L'été me hante et l'hiver me poursuit*
> *Un animal sur la neige a posé*
> *Ses pattes sur le sable ou dans la boue*
> *Ses pattes venues de plus loin que mes pas*
> *Sur une piste où la mort*
> *A les empreintes de la vie...*

Ma grande question, alors, était celle du comte Lautréamont : « comment une figue peut-elle manger un âne ? », et mon éthique, hélas ! n'était pas loin de celle du marquis de Sade : « Je dois respecter des principes qui conduisent à des égarements. »

Toutes ces lectures m'aidèrent à sortir du trou où j'avais la tentation de me terrer et je cherchai un travail mieux adapté à mes aspirations du moment, tournées vers la littérature. Je trouvai l'emploi rêvé dans une maison de la presse, boulevard Foch, à Angers. Le soir je partais le sac plein de livres, Lacan, *Lucky Luke*, Levinas, *San Antonio*, Jean Walh, tout y passait. Qu'est-ce qui restait ?... Le matin sur un même événement, il me fallait lire tous les journaux, *l'Humanité*, *le Figaro*, *le Monde diplomatique*.

Je découvris les difficultés qu'aurait plus tard l'historien devant ces documents d'archives pour se faire une idée de ce qui s'était « réellement passé ». Sur le même fait les témoignages étaient si contradictoires ! Chacun raconte son histoire, il n'y a pas de faits ; seulement des interprétations ! L'histoire est un choix parmi ces interprétations. Je me souviendrais de cela quand il me faudra étudier l'histoire de l'Église. Ce qu'on raconte à l'Institut de théologie à Thessalonique est si différent que ce qu'on enseigne à l'Institut catholique à Paris, que s'est-il réellement passé ? Après avoir lu tous les journaux je ne savais plus rien, même les images à la télévision, me disait-on, étaient truquées.

C'est l'époque où je devins allergique à la politique et aux politiciens, je n'arrivais pas à trouver de fondements réels à leurs discours passionnés... Et je me tournai alors résolument vers les sermons érotiques, on venait de publier *Emmanuelle, Histoire d'O.* Je découvris alors avec Jacqueline, vendeuse dans cette même librairie, les fondements réels de ces discours passionnés. Les rayons de librairie sont un lieu privilégié de rencontres, je fis ainsi la connaissance de nombreuses jeunes filles. Il m'arrivait d'avoir plusieurs rendez-vous la même nuit ; comme je tenais à être fidèle et à tous les « honorer » j'arrivais le matin au travail de plus en plus fatigué, les yeux cernés, l'haleine lourde, le cœur las d'aimer sans amour, avec une exception peut-être pour Domini-que, avec ses grands yeux de ciel, sa chevelure bouclée et son rire en cascade. Mais avais-je seulement un cœur à cette époque ? Seulement de la tristesse que je prenais pour une âme...

Ces excès nocturnes, une mauvaise alimentation et déjà un certain goût pour l'alcool et la drogue me conduisirent assez vite dans un état physique lamentable. Je tombai malade. « Ictère infectieux grave » : une amie médecin imposa un congé maladie et m'envoya dans une maison de repos non loin de Grenoble, une maison de pierres grises assez sinistre mais avec une jolie vue sur la montagne, et comme la seule chose qu'on me demandait était de rester allongé sur une chaise longue je pus me livrer à mon sport favori : la lecture.

C'est de cette chaise longue que j'assistai aux événements de Mai 68. Je regrettais d'être loin de tout cela et de ne pas bien comprendre. Les visages grimaçants que je voyais à la TV ne me semblaient pas convaincants, imposer ses rêves comme des raisons ne servait pas la vie et ôtait tout pouvoir au rêve. Les interventions de Maurice Clavel pourtant me semblaient intéres-santes : plus qu'à un changement des structures sociales il aspirait à un changement de l'homme, et je me souviens avoir entendu dans sa bouche le mot « conversion ».

A cette époque le mot n'avait pour moi qu'un sens politique, pas encore le sens d'un « retournement du cœur ». Je lisais pourtant les *Confessions* de saint Augustin et les *Pensées* de Pascal. C'était sur le conseil de Nietzsche, je voulais me rendre compte par moi-même de ce que valait cette littérature d' « efféminés ». Saint Augustin me semblait particulièrement bien mériter ce qualificatif, j'étais allergique à sa notion de péché et à sa culpabilité maladive. Pour moi il n'y avait pas de péché et pas de coupable. Une mauvaise compréhension du bouddhisme (Schopenhauer) me faisait dire : « Puisqu'il n'y a pas de " moi ", il n'y a pas de " responsable ", je peux faire n'importe quoi, cela n'entraîne qu'une petite modification dans la forme incertaine de mes agrégats. » Je pratiquais une sorte d' " innocence diabolique " » qui ne prenait surtout pas la peine de justifier ses actes.

L'important était de suivre mon bon plaisir et de n'ennuyer personne avec des notions surannées comme le bien et le mal. Cela n'enlevait pas l'inquiétude, parfois même l'angoisse. Je refusais la notion de péché et de culpabilité. *Le Procès, La Colonie pénitentiaire* de Kafka m'avaient pourtant inquiété. S'il existe un monde spirituel, nos actes, tous nos actes, seront jugés au poids de l'absolu. Agir, faire un seul pas c'est s'engager dans une voie qui nous rapproche ou nous éloigne du but, encore inconnu, qui nous est assigné. Vivre, c'est se commettre, c'est peut-être fatalement commettre quelque chose, contracter une dette doublement inquiétante, puisque nous en ignorons la loi et que le Débiteur est une puissance inconnue.

Dans *La Colonie pénitentiaire*, Kafka met en scène une exécution à l'aide d'un instrument de torture extrêmement sophistiqué. Le condamné ignore son crime et ne découvre qu'il a violé la loi qu'à son dernier soupir, quand la machine en a férocement tracé la formule sur son corps en labourant sa chair. Alors un éclair de joie illumine ses traits. Tout se passe comme si la connaissance de la loi le faisait accéder à la vraie vie.

Tout cela me semblait tiré par les cheveux, maladif, mais la tristesse qui accompagnait mes débauches me rappelait que quelque chose ne devait pas être « en ordre » et que je devais me trouver hors de mon axe, à côté de moi-même (je découvrirai plus tard que le sens du mot péché, *hamartia,* en grec, c'est « tomber à côté », « ne pas viser juste »). Mais n'ayant pas de but à viser, comment aurais-je pu sentir que les flèches de mon désir tombaient à côté ?

Pascal me semblait plus « viril » que saint Augustin. Sa fameuse pensée 793 sur les « trois ordres » m'inquiétait : il existait donc une autre puissance que la puissance des corps et des esprits. Était-ce possible ? la charité pouvait-elle être autre chose qu' « impuissance de l'instinct » ?

« La distance infinie des corps aux esprits figure la distance infiniment plus infinie des esprits à la charité car elle est surnaturelle. Tout l'éclat des grandeurs n'a point de lustre pour les gens qui sont dans les recherches de l'esprit. La grandeur des gens d'esprit est invisible aux rois, aux riches, aux capitaines, à tous ces grands de chair. La grandeur de la sagesse, qui n'est nulle sinon de Dieu, est invisible aux charnels, et aux gens d'esprit. Ce sont trois ordres différents de genre.

» Les grands génies ont leur empire, leur éclat, leur grandeur, leur victoire, leur lustre et n'ont nul besoin de grandeurs charnelles, où elles n'ont pas de rapport. Ils sont vus non des yeux, mais des esprits, c'est assez. Les saints ont leur empire, leur éclat, leur victoire, leur lustre, et n'ont nul besoin des grandeurs charnelles ou spirituelles, où elles n'ont nul rapport, car elles n'y ajoutent ni ôtent. Ils sont vus de Dieu et des anges, et non des corps ni des esprits curieux : Dieu leur suffit. »

Dios solo basta! disait aussi cette aventurière devenue nonne dont Marcelle Auclair racontait la vie (Thérèse d'Avila).

Comment ces gens pouvaient-ils se satisfaire de quelque chose qui n'existait pas ? « Jouir du manque » n'était pas encore pour moi une évidence, je rejetais toute cette littérature, je me sentais davantage rassuré dans les concepts étroits de Freud. L'explication par la libido me satisfaisait, mais ne pouvait « réduire » en moi cet instinct pour « encore autre chose ». La libido elle-même devait être habitée par un « autre désir » ?

Mais ce n'était pas l'heure de cet « autre », je m'attardais dans un « long dérèglement de tous les sens », dans cette plongée au fond du gouffre, « enfer ou ciel, qu'importe ? au fond de l'inconnu pour trouver du nouveau »...

A peine rentré à Angers je rêvais aussitôt de repartir pour un tour du monde.. Un ami de collège, Arnaud Vailland, partagea avec moi ce projet que nous appelions « la fuite essentielle, la grande évasion ». Nous trouvâmes une vieille Renault Juva 4 qui devait être notre roulotte, notre bibliothèque et notre théâtre de marionnettes.

Ce premier tour du monde, après nous avoir fait découvrir quelques beaux coins de France, s'arrêta à Marseille. Ma vie commune avec Arnaud dura peu de temps, je le trouvais trop bourgeois : il pouvait aller à la poste chercher un mandat envoyé par sa mère ! Cette sainte femme, qui cherchait désespérément à nous comprendre, avait vacillé un soir lorsque je lui avais expliqué que notre univers, ce grand gaz de galaxies, n'avait pas plus de sens que la bulle de savon avec laquelle peut jouer un enfant avant qu'elle ne s'efface à jamais dans le vide... Malgré tout elle avait accepté que son fils voyage avec cet individu qui cachait si mal son dégoût de vivre derrière de prétentieuses explications scientifiques. Grâce à son argent, nous pouvions nous ravitailler en lait et en tomates, mais je ne pouvais supporter cette dépendance.

Je décidai donc de quitter Arnaud — avec regret, car c'était un bon compagnon, un vrai musicien qui faisait pleurer avec sa clarinette. Mais je ne me sentais vraiment bien que seul. Pour vivre, je commençai à explorer les poubelles, ma grande idée étant de créer des bijoux avec des objets de récupération. J'en exposai quelques-uns sur les trottoirs de la Canebière, mais sans succès, et je commençai à mendier...

Je rencontrai un homme, un Corse, qui me dit :

— Si tu te rases la barbe, avec la tête que tu as tu peux devenir un vrai mac, et comme moi tu n'auras plus jamais à travailler.

Je ne comprenais pas exactement dans quel genre de galère il voulait m'embarquer, mais je me voyais mal en petit chef ou en maître chanteur, et puis je ne voulais pas me raser la barbe. Je renonçai donc à la Mercedes qu'il m'avait promise « avant la fin de l'année », et à la maison sur la Côte avec « toutes les filles qui travailleraient pour toi ».

C'était bientôt le 24 décembre, je trouvai un emploi plus modeste : père Noël chez un photographe. De Marseille à Nice, nous faisions tous les grands trottoirs de la Côte. Ce fut assez dur, l'accoutrement me plaisait, mais jouer ainsi de la crédulité des enfants et de la tendresse des grand-mères pour de l'argent me donnait le cœur gris sous la barbe blanche. Le temps de Noël étant terminé, ce photographe me proposa de faire des photos pornographiques. Je ne me souviens plus par quel accès de bon sens je refusai. M. Delran m'insulta et m'avertit de ne plus venir frapper à sa porte si j'avais faim. Il avait touché juste, la faim étant vraiment pour moi un problème, je ne pouvais pas me résoudre à manger ce que je trouvais dans les poubelles — celles des restaurants du Vieux Port regorgeaient pourtant de vieilles frites, de poissons, et même de restes de langouste avec leur mayonnaise. Je n'arrivais pas non plus à voler dans les magasins, je me mettais à trembler devant la caisse et je rendais les deux saucissons que j'avais sous les bras avant que le caissier n'ait le temps d'appeler la police.

Quand on n'a pas de compétences professionnelles et qu'on ne veut pas être mac, ni clochard, ni voleur, et qu'on a faim, que faire dans les rues de Marseille ?

Au hasard des rencontres on me proposa du hash, sans doute de mauvaise qualité, mais suffisant pour endormir la faim et y substituer des sensations plus ou moins agréables qui me faisaient voir la vie en rose acide.

J'avais l'impression que l'herbe n'était qu'un prétexte à fantasmer. La drogue la plus dure je la produisais avec mon imagination, mais elle avait besoin d'un support. Lorsqu'on me proposa de petites capsules vertes sous le nom de LSD, « du vrai *owsley*, fait par un chimiste », je pensais que le support était plus sérieux. Après deux pastilles je me retrouvai en effet dans un état « inqualifiable avec des mots », le moindre bruit semblait me faire un trou dans la peau, la lumière du jour m'arrachait les yeux. Je tombai dans un coma lucide dont il me fallut plus de huit jours pour me remettre.

Je voulus en savoir plus sur cet ami chimiste qui vendait à prix d'or ce LSD si pur, on me conduisit les yeux bandés chez lui. Il se présenta lui-même comme homosexuel et alchimiste, toutes ses recherches avaient pour but la transformation du corps. En regardant d'un peu plus près les substances qui étaient dans son laboratoire, je découvris beaucoup d'arsenic et de mort-aux-rats. Je compris que son LSD n'était pas si pur mais qu'il nous procurait exactement ce que notre inconscient recherchait : la proximité psychosensorielle du néant et de la mort. *Au-delà du principe de plaisir :* Freud n'a-t-il pas éprouvé lui aussi cet inavouable désir, qu'il appelle justement « pulsion de mort » ? Rien de tel que ces petites capsules pour se flatter la pulsion.

L' « alchimiste » comprit que je l'avais démasqué, et, comme je refusais de participer à son trafic, il m'avertit :

— Si tu dis quelque chose on te tue.

Je savais que ce n'était pas là seulement violence verbale, deux jours auparavant j'avais vu un homme étranglé dans une voiture, rue Thubaneau... Je décidai donc de revenir à des drogues plus légales et moins dangereuses, comme le café et l'alcool, qui me mettaient dans des états d'excitation plutôt fugaces pendant lesquels j'écrivais des poèmes et des réflexions que je qualifiais pompeusement de « métaphysique expérimentale », en souvenir du « Grand Jeu » de René Daumal et de Roger-Gilbert Lecomte.

La nuit, ne sachant où dormir, je me retrouvais souvent dans le quartier de l'Opéra. Je me souviens du 19 de la rue Saint-Saëns et de sa porte brune, quelquefois une prostituée m'apportait une saucisse chaude ou une vieille couverture, elle me trouvait bien

jeune pour être dans la rue. En attendant leurs clients, qui se
faisaient plus rares entre 2 et 3 heures du matin, elles venaient me
parler, raconter leur histoire, toujours une dure, une sale histoire,
avec des coups, des trahisons, des larmes, un enfant, un amant
pour lequel elles étaient bien obligées de « travailler ». Ce qui me
surprenait le plus c'était leur conscience professionnelle, elles ne
mélangeaient jamais le sentiment et le travail. Quand je lirai plus
tard dans l'Évangile que « les publicains et les prostituées nous
précèdent dans le Royaume des cieux », je n'en douterai pas un
seul instant. Mais il ne faut pas idéaliser ! Dans ce milieu comme
dans les autres, on rencontre le pire, la mesquinerie, l'esclavage de
l'argent, les jalousies, la calomnie et même le crime, mais
comment oublierais-je la grande Sonia avec ses bas résille et ses
cuirs noirs : une petite fille au cœur pur. Une nuit elle
m' « avoua » que dans toute sa vie « elle n'avait jamais menti »,
que cela lui avait causé beaucoup de tort, surtout avec la police
lorsque c'est un devoir de mentir ; elle n'y arrivait pas, sa gorge se
serrait, elle étouffait... Même chez les moines et les moniales les
plus saints je n'ai jamais entendu quelqu'un me dire : « Je n'ai
jamais menti. » Bien sûr, je n'arrivais pas à la croire. « Si tu dis ça,
tu mens... » Elle me regardait avec ses yeux étonnés, j'avais
conscience de lui faire mal, quelque chose dans sa sincérité me
bouleversait, mais comment aurais-je pu la croire, moi qui ne
connaissais que le mensonge depuis mon plus jeune âge ?

Une nuit, Sonia me demanda brusquement : « Pourquoi tu ne
crois pas en Dieu ? moi je vais toutes les semaines mettre un
cierge à la bonne Mère. » C'est la première fois que j'entendis
parler d'une bonne Mère à Marseille, la Notre Dame de la Garde
qui veille sur les sommets de la ville. « Si un jour j'arrête de faire
le mal, ce sera grâce à elle. » Mais ce n'était « pas encore le
moment d'arrêter », continua-t-elle, et de nouveau j'entendis une
histoire d'enfant à nourrir, qu'elle n'avait pas voulu « mais
puisqu'il était là », et de son rêve d'avoir un petit magasin de
chaussures, « j'adore les chaussures », me dit-elle en s'éloignant
vers un homme qui faisait résonner le fer de ses talons.

Souvent la police venait me ramasser, j'avais vraiment de la compassion pour l'homme de garde derrière sa machine à écrire. « Nom, prénom, prénom de la mère, etc. » : que de papiers ! Je lui demandais les vieilles enveloppes qu'il avait dans sa poubelle pour que je puisse écrire mes poèmes... Je n'ai plus aucun écrit de l'époque, la plupart étaient de l'écriture automatique, ils ne devaient pas être des plus joyeux. Je me souviens avoir répondu à l'interrogatoire habituel du policier :

— Profession ?

— Étudiant en scatologie. (Comme le sens du mot échappait à mon interlocuteur, je précisai :) Oui, sociologie, j'étudie le contenu moral des graffitis élaborés dans les latrines méditerranéennes.

Reparties d'adolescent sans originalité, mais à l'époque je les prenais pour de véritables traits d'esprit et je les notais avec beaucoup de soin pour les classer ensuite dans une petite sacoche que je traînais partout avec moi.

Or il arriva qu'un soir je ne trouvai plus ma sacoche, on avait dû me la prendre pendant un moment d'assoupissement. Ce fut pour moi une réelle souffrance, je m'étais tellement identifié à ces bouts de phrases que sans eux ma vie n'avait plus de sens. Je ne pleurais pas mes papiers d'identité, je pleurais mes poèmes, je pleurais aussi sur la misère, l'injustice... un pauvre peut donc voler un autre pauvre ! Il n'y avait pas un sou dans ma sacoche, il y avait mon trésor, l'éclat de deux ou trois mots quand ils se collent ensemble et font un effet de musique ou de sens.

Cette nuit-là, avec acharnement et désespoir, je crus faire toutes les poubelles de la ville et je me retrouvai épuisé vers 5 heures du matin au bar des pêcheurs, près de la Criée, quai de Rive-Neuve. Je m'effondrai dans un coin, la tête entre les bras, à sangloter comme un enfant. Quand je fus calmé le serveur du bar vint m'apporter un chocolat chaud et deux croissants. Je lui dis que je n'avais rien demandé et que je n'avais pas d'argent, il me répondit qu'une dame avait payé.

— Qui ? demandai-je.

— Ah, elle est partie...

Un chocolat chaud et deux croissants, je crois que ce fut ma première communion, mes larmes n'étaient plus les mêmes, je sentais fondre en moi quelque chose d'infiniment dur, pour la première fois je sentis ce que voulait dire « avoir un cœur », le mot Amour et le mot Dieu formaient un autre mot, un autre nom pour l'Amour, un autre nom pour Dieu, mais c'était les mêmes ensemble et inséparables. Je n'aime ni le chocolat chaud ni les croissants, mais ce n'était plus cela, c'était la présence réelle d'un être qui est Amour...

Le saura-t-elle un jour, cette inconnue, que ce matin-là elle fit sortir un damné de son enfer ? Après voir embrassé la tasse blanche, il sortit sur le port et lui qui ne dansait jamais, il se mit à tournoyer comme un oiseau, il était au ciel... et il chantait, il pleurait : « C'est la bonne Mère, c'est la bonne Mère. »

Il n'avait plus rien, vraiment plus rien et pourtant il savait qu'il ne lui manquerait jamais plus quelque chose. Il était heureux, tellement heureux qu'il se mit à genoux sur le quai et peu lui importait qu'on le prenne pour un fou, ceux qui passaient près de lui, il les voyait remplis de lumière, ils les adorait tous, même les bateaux, les poissons morts, les mouettes qui venaient, il ne voyait que de la lumière, douce, légèrement dorée. Le saura-t-elle un jour, cette inconnue, la puissance d'un acte de compassion, les conséquences d'un simple geste d'amour gratuit et anonyme ?

Quand je parle de la grâce, je ne pense pas à un chapitre important de la théologie ; j'ai dans la bouche un goût de chocolat chaud et dans la main le moelleux un peu gras d'un croissant. Après cette expérience où se mêlent l'infini et le dérisoire, je n'étais plus le même. Je décidai de quitter Marseille et de partir en Inde. Je n'étais plus un errant, sans trop comprendre j'avais reçu la communion, un coup de saint sacrement, et de vagabond je devenais pèlerin.

CHAPITRE IV

India

Pourquoi l'Inde ? Sans doute parce que je pensais y trouver des « sages ». Je ne savais pas exactement ce que je mettais sous ce mot : quelqu'un qui vit en permanence dans la joie que je venais de vivre quai de Rive-Neuve ? Joie sans objet, joie d'être libre de tout objet ? En Occident je ne pensais pas avoir rencontré des hommes ou des femmes vraiment « sages ». Dans les livres, peut-être ? Montaigne et Spinoza. Le premier pour avoir dit : « C'est une absolue perfection, et comme divine, de savoir jouir loyable-ment de son être... Notre grand et glorieux chef-d'œuvre c'est de vivre à propos. Toutes autres choses, régner, thésauriser, bâtir, n'en sont qu'appendicules et adminicules pour le plus... Le sommet de la sagesse humaine et de notre bonheur est dans l'amitié que chacun se doit », et le second dans son *Éthique* : « Qui se connaît se contente... Le contentement de soi *(acquies-centia in se ipso)* est une joie née de ce que l'homme se considère lui-même et sa puissance d'agir. » Mais cette « amitié que chacun se doit » et cet « acquiescement à soi-même » auraient-ils été possibles si je ne m'étais pas senti au moins une fois aimé, infiniment aimé, sans mérite, par la cause même de ce qui fait exister toutes choses ? Par quel miracle peut-on adhérer à soi-même si on a été non désiré et rejeté de toute part ? Ce que je venais de découvrir c'est qu'on ne peut pas être rejeté par la Vie qui nous fait vivre à l'instant même où on s'interroge sur elle, comme on ne peut pas douter de la pensée qui nous rend capables de douter. La jubilation, il fallait la chercher à la naissance du moindre souffle, respirer cet acte créateur qui donne la vie. Mais sans doute fallait-il être dans une totale pauvreté, dans le dénuement, pour apprécier pleinement la grâce d'exister, la « stupeur d'être ».

Je m'imaginais les sages d'Orient capables de demeurer de longues heures immobiles dans cette stupeur... Je voulais partager avec eux cet étrange étonnement devant tout ce qui vit et respire. Spinoza aurait été d'accord, lui qui écrivit un jour à Blienbergh que, « entre toutes les choses qui ne dépendent pas de moi, il n'en est aucune qui ait pour moi plus de prix qu'un lien d'amitié établi avec des hommes aimant sincèrement la vérité ».

A part Sonia je ne connaissais personne qui aimât sincèrement la vérité. Mais la vérité de Sonia me semblait manquer de conscience, elle se tenait trop près de la vérité des choses, des arbres et des corps, « qui ne mentent pas ».

— Je suis un trou, me dit-elle un jour. Un trou ce n'est rien, on ne peut pas m'avoir.

Elle était heureuse comme un trou, elle donnait à chacun ce que chacun pouvait lui donner, philosophie un peu crue d'une péripatéticienne d'un quartier chaud de Marseille, prolégomènes à une métaphysique de la vacuité. Sonia avec son « trou » me donnait à penser l'Être comme plus proche de l'espace que de l'objet et à chercher la joie dans l'ouverture si ce n'est dans le don plutôt que dans la clôture et la possession.

C'est alors que je découvris un petit livre de Swami Ramdas, *Carnets de pèlerinage,* qui m'indiqua l'attitude à suivre pour aller vers les pays de l'Inde, mais aussi pour atteindre les orients du cœur.

J'étais touché par cet homme qui, après avoir mené pendant plus de trente ans une vie professionnelle normale, entendit soudain cet « appel » du divin. Laissant tout derrière lui, il partit sans esprit de retour « à la recherche de l'Absolu » auquel il donna le nom de Ram. Ouvrant la *Bhagavad Gita,* il y trouva le verset suivant : « Abandonne tous tes devoirs, cherche en Moi seul un refuge, ne t'attriste pas, je te libérerai de tous tes péchés. »

Il s'habilla très simplement de deux pièces de toile enroulées, l'une, sur la partie supérieure, l'autre, sur la partie inférieure de son corps.

Il écrivit deux lettres, l'une à sa femme, qu'il considérait déjà comme une sœur, l'autre à son ami, pour le délivrer de ses dettes, et « à 5 heures du matin il dit adieu au monde qui n'avait plus d'attrait pour lui, et dans lequel plus rien n'existait qu'il pût nommer Dieu. Le corps, l'esprit, l'âme il déposa tout aux pieds de Ram, l'Être éternel plein d'amour et de pitié ».

Le dénuement de Ramdas rejoignait le mien ; surtout il lui donnait un sens. Si j'étais encore en vie, si je n'avais pas cédé aux propositions sordides qui s'étaient présentées sur mon chemin c'est que j'avais une mission ou une vocation à remplir. A cet instant les traditions de l'Inde me proposaient la plus haute ambition dont un homme puisse rêver : « réaliser Dieu », devenir un « libéré vivant ». Je notai dans ma mémoire les paroles des sages qui m'entretiendraient dans cette intention :

« Le libéré vivant ne voit point d'affliction à guérir, car il est en possession de celui qui est toute félicité. Il n'a point de désirs à poursuivre, affamé, car il possède le suprême et le Tout, et il touche à la Toute-Puissance qui apporte tout accomplissement. Il n'a plus de doutes ou de recherches vaines, car la lumière dans laquelle il vit fait ruisseler sur lui toute connaissance. Il aime parfaitement le divin et il est son Bien-Aimé parce que, comme il trouve sa joie dans le Divin, ainsi le Divin trouve sa joie en lui. Tel est l'amant de Dieu qui possède la connaissance. »

La possibilité de vivre dans une constante béatitude n'avait jamais été évoquée comme but de la vie humaine lors de mes études, mon entourage ne parlait que de réussite sociale, de respectabilité, de famille, d'État, de cours de la Bourse, etc., je n'arrivais pas à prendre tout cela au sérieux, cela manquait de « réalité », la réalité je la cherchais malheureusement du côté de la souffrance et de la mort — là au moins on sent quelque chose qui n'est pas vanité ou construction mentale.

Je découvrais maintenant que la réalité pouvait être aussi du côté du bonheur et de la joie. « Le premier signe que l'on devient religieux est qu'on devient joyeux, disait Vivekananda. Lorsqu'un homme est maussade, ce peut être un effet de la dyspepsie, mais pas de la religion... Pour le yogin tout est plaisir : tout visage humain lui apporte de la joie. C'est à cela qu'on reconnaît un homme vertueux. »

Être mécontent de son sort revient en fait à s'irriter contre Dieu. Ramdas m'apprit l'abandon, la confiance, je devais recevoir toutes choses agréables, désagréables comme un don de Dieu :

« La liberté n'est pas un stade qu'il faut atteindre, mais un état qu'il faut réaliser. Laissons Dieu, seul maître de toute existence, employer comme il voudra cet instrument qu'est notre corps. Quand nous serons conscients que c'est lui qui l'anime nous comprendrons que nous sommes libres. »

Pour illustrer ses discours Ramdas racontait parfois des histoires, celle qui m'aidait le plus à vivre alors était « Dieu fait tout pour le mieux [1] » :

« Un roi, son ministre et sa suite s'enfoncèrent un jour dans la jungle pour chasser. Or le ministre était renommé pour sa sagesse ; il s'en tenait à la devise : " Dieu fait tout pour le mieux " et chaque fois que quelqu'un, dans le souci, le malheur ou l'infortune, venait lui demander conseil, il réconfortait l'affligé en l'engageant à reconnaître la vérité de ce proverbe.

» En poursuivant le gibier, le roi et le ministre se séparèrent de la suite, errèrent loin dans l'intérieur de la vaste forêt et, finalement, s'égarèrent. Le soleil atteignit le méridien. Le roi était accablé de fatigue et de faim. Ils se reposèrent à l'ombre d'un arbre.

» — Ministre, dit le roi épuisé, je souffre cruellement de la faim. Pouvez-vous me trouver quelque chose à manger ?

» Le ministre regarda autour de lui et vit des fruits sur les arbres. Escaladant l'un d'eux, il cueillit quelques fruits mûrs et les offrit au roi qui, dans sa hâte à manger, s'enleva un morceau du doigt en se servant de son couteau. Il laissa tomber le fruit et le couteau avec un cri de douleur, tandis que son doigt blessé ruisselait de sang.

» — Oh ! ministre, s'écria-t-il, que cela fait mal !

» — Dieu fait tout pour le mieux, répondit tranquillement celui-ci.

» Ces paroles ne firent qu'exciter le roi, déjà irrité.

» Il se mit en rage et s'écria :

» — Imbécile ! Trêve de philosophie ! J'en ai assez ! Alors que je souffre un affreux supplice, la seule consolation que vous m'offrez c'est " Dieu fait tout pour le mieux ". Comment cela peut-il être pour le mieux quand ma douleur est évidente et réelle ? Allez-vous-en de ma vue et ne vous présentez plus jamais devant moi.

» Incapable de se maîtriser, il se leva, donna un furieux coup de pied au ministre et lui ordonna de se retirer immédiatement. En quittant le roi, le ministre répéta calmement : " Dieu fait tout pour le mieux. "

» Le roi resta donc seul ; il déchira un morceau de son vêtement et banda son doigt blessé ; il s'adonnait à ses tristes réflexions quand il vit s'approcher deux hommes vigoureux qui se jetèrent aussitôt sur lui et le ligotèrent. Lutter ou résister eût été absolument inutile, car les hommes étaient bâtis comme des géants.

» Épouvanté le roi demanda :

» — Qu'allez-vous faire de moi ?

» Ils répondirent :

» — Nous voulons te sacrifier sur l'autel de notre déesse Kali. C'est notre coutume de lui offrir une fois par an un sacrifice humain. Le temps en est venu et nous étions à la recherche d'un être humain quand nous avons eu la chance de te trouver.

» Ces paroles remplirent le roi de frayeur. Il protesta :

» — Laissez-moi partir, je suis roi d'un pays. Vous ne pouvez donc pas me tuer pour le sacrifice.

» Les hommes se mirent à rire et dirent :

» — Ce sacrifice va donc être unique, et notre déesse sera extrêmement satisfaite quand elle verra que nous amenons cette année un haut personnage en offrande à son autel. Viens.

» Ils traînèrent la victime à l'autel de Kali, à peu de distance de là. Le roi fut dûment placé sur l'autel sacrificiel. Tout était prêt

pour le coup mortel quand le prêtre, remarquant que l'index de la
main gauche était bandé, défit le pansement et vit qu'un morceau
du doigt avait été coupé. Il dit alors :

» — Cet homme n'est pas digne de notre déesse. Libérez-le. Il
faut à la déesse un homme intact, tandis que celui-ci a un défaut
corporel. Un morceau de son doigt manque. Laissez-le aller.

» Détachant les cordes qui le liaient, les hommes libérèrent
donc le roi et le laissèrent partir en paix.

» Il se souvint alors des paroles du ministre lorsqu'il avait été
blessé au doigt : " Dieu fait tout pour le mieux. "

» En vérité, si ce n'avait été cette heureuse coupure, il serait à
présent un homme mort. Le souvenir du mauvais traitement qu'il
avait infligé à son ami l'affecta vivement ; très désireux de réparer
sa grossière erreur en lui demandant pardon, il le trouva enfin qui
se reposait sous un arbre. Allant à lui, le roi l'étreignit avec une
extrême affection et dit :

» — Ami, je vous demande pardon pour ma dureté. J'ai
compris la vérité de votre proverbe d'or.

» Il raconta alors l'incident du sacrifice destiné à la déesse et
comment il avait été libéré grâce au défaut dû à la blessure.

» — Sire, répondit le ministre, vous ne m'avez causé aucun
tort. Il n'y a donc rien à pardonner. En réalité, vous m'avez
sauvé. Vous pouvez vous rappeler que, lorsque vous m'avez
donné un coup de pied et m'avez chassé, je répétais la même
chose : " Dieu fait tout pour le mieux. " Dans mon cas également, le proverbe s'est vérifié, car, si vous ne m'aviez pas chassé,
j'aurais été en votre compagnie quand les hommes de Kali vous
capturèrent et, lorsqu'ils découvrirent que vous étiez impropre
au sacrifice, ils m'auraient offert à votre place puisque je n'avais
pas d'imperfection corporelle comme celle qui vous était si
providentiellement échue. Dieu fait donc tout pour le mieux. »

Hélas, je ne prenais pas avec la sagesse de Ramdas les
événements du chemin. Il m'arrivait de maudire les automobi-
listes qui me laissaient des heures durant au bord de la route sous
la pluie ou sous le soleil brûlant, je ne prenais pas « pour le

mieux » la conclusion d'un policier qui avait écouté patiemment mes citations de la *Bhagavad Gita* :

— Mais il est fou, il faut l'enfermer, ce type.

L'école de la route est rude. Je pouvais donner à ma faim le nom de « jeûne » et appeler certaines de mes blessures les « épines de la rose », cela ne me faisait pas moins mal. Mais envers et contre tout j'avais décidé d'être heureux, l'idéal du *sannyasin*, ou « renonçant », me guidait !

« Il vit dans une constante béatitude, il a presque oublié l'univers des phénomènes. Même lorsque sa pensée est immergée en Brahman, il est néanmoins tout à fait éveillé, mais en même temps libre des caractéristiques de l'état de veille. Il n'a plus l'idée de " Je " ni de " mien ", même pour le corps qui le suit comme une ombre. Il ne se remémore pas les jouissances passées, ne s'inquiète pas de l'avenir et considère le présent avec indifférence. Il regarde avec équanimité le monde empli d'éléments qui possèdent des mérites et des démérites. Lorsque se présentent des choses agréables ou pénibles, il garde dans les deux cas la même attitude et son esprit n'est pas troublé : il lui est indifférent que son corps soit adoré par les bons ou tourmenté par les méchants...

» Seul celui-ci peut être un vrai *sannyasin* qui renonce complètement au monde, qui n'a nul souci du lendemain, qui ne se demande pas ce qu'il mangera et de quoi il sera vêtu », disait Shri Ramakrishna.

Je me prenais vraiment pour un *sannyasin*, et sachant qu'on avait un grand respect pour eux en Inde, je ne comprenais pas que dans les pays traversés on considérait cela plutôt comme de la paresse ou de l'inadaptation sociale. Je n'étais plus paresseux. La quête de la vérité occupait mon esprit. Je dormais peu. Je marchais en explorant les limites de mes forces. Je ne me considérais pas non plus comme un inadapté social, je souriais à tous les passants, j'aimais tous les êtres et m'efforçais de découvrir même dans les araignées qui venaient troubler mon sommeil une réelle épiphanie de la présence de Dieu. Malheureusement je me prenais vraiment trop pour un *sannyasin !* Je découvrirai plus tard avec Ramana Maharshi que, « tant qu'un homme se prend pour un *sannyasin*, il n'en est pas un ». J'étais pourtant sincère dans ma démarche et mon mode de vie avait totalement changé.

J'essayais de mettre en pratique les grands principes de l'hindouisme :

ahimsa, la non-violence, qui consiste à ne causer aucun préjudice à qui que ce soit, ni par l'action, ni par la parole, ni par la pensée. Pour Gandhi, partout où il y a conflit, partout où on est en face d'un opposant, on doit en triompher par l'amour : « La non-violence sous sa forme active est bonne volonté pour tout ce qui vit. »

Après l'*ahimsa*, vient la « véracité » (*satya*). « Si tu dis un mensonge, toutes les bonnes actions faites depuis ta naissance iront aux chiens », disent les lois de Manou.

N'ayant aucune illusion sur moi-même, je me demandais ce qui n'irait pas aux chiens, mais ce qui m'intéressait dans la pratique de *satya* et d'*ahimsa*, c'étaient les « pouvoirs » qui en découlaient. Swami Vivekananda disait : « Nul n'est plus puissant que celui qui est arrivé à la parfaite *ahimsa*... Même les animaux les plus féroces deviendront pacifiques devant lui... Et lorsque la puissance de la vérité (*satya*) sera installée en vous, tout ce que vous direz sera vérité... Si un homme est malade et que vous lui disiez : " Sois guéri ", il le sera sur-le-champ. »

La troisième vertu à laquelle je m'exerçais, contrairement à ce que je m'attendais, ne me posa pas beaucoup de difficultés : la continence (*brahmacharya*). Presque tous les grands maîtres voient en elle une condition *sine qua non* de l'évolution spirituelle. Shri Aurobindo dira que la force que l'être humain dépense dans l'activité sexuelle, en acte ou en pensée, est identiquement la même que celle qui, autrement dirigée, permet le progrès spirituel. Tout ce que l'on utilisera dans le premier emploi est donc autant de moins dont on disposera dans le second.

Ces paroles me changeaient de celles que j'avais entendues

jusqu'alors, qui faisaient de l'exercice libre de la sexualité la condition de l'équilibre, du bonheur et de la santé.

Pour avoir rencontré des non-continents tristes et malheureux et des continents tout aussi tristes et malheureux, je crois évidemment que le problème est ailleurs. Aimer ou ne pas aimer : telle est sans doute la question...

Non-violence, vérité, pureté... Il y avait aussi l'abstention de vol (*asteya*). Il est dit dans la *Bhagavad Gita* que « les créatures n'ont le droit de posséder que dans la mesure où cela leur est nécessaire pour se remplir l'estomac ; celui qui prétend avoir droit à plus est un voleur et mérite d'être châtié ». Voilà ce qui n'encourage pas au commerce et au « développement » à l'occidentale. Les conséquences économiques d'une telle attitude sont inévitables, mais qui a dit que le but de la vie humaine ou d'une civilisation était la prospérité économique et la surabondance des biens de consommation... si l'essentiel nous manque ? Gandhi intériorisera encore cette vertu :

« Désirer mentalement quelque chose appartenant à autrui, ou regarder cette chose avec convoitise, est aussi un vol. »

Shri Aurobindo semble plus mesuré :

« Il ne faut ni vous détourner avec un recul ascétique du pouvoir de l'argent, des moyens qu'il vous donne et des objets qu'il vous apporte, ni entretenir un attachement pour ces choses ou un esprit de complaisance qui rend esclave des satisfactions qu'elles donnent... Toutes les richesses appartiennent au Divin et ceux qui les détiennent en sont les dépositaires et non les possesseurs. »

Ce qui me touchait dans tous ces enseignements, c'est leur pouvoir de transformation de l'homme. On ne pouvait pas philosopher sans changer de vie : c'était là une grande différence avec les penseurs occidentaux, qui pouvaient spéculer, élaborer de magnifiques théories sur le beau, le vrai, sans conformer leurs actes à leurs idées. L'exemple de Schopenhauer à ce sujet m'avait choqué, il prêchait l'ascétisme et vivait dans la débauche.

Ces enseignements me changeaient également de ce que j'avais

pu entendre dans les églises ou dans la bouche d'hommes
prétendus religieux qui, sous prétexte d'humilité, me semblaient
rabaisser l'homme, sans doute pour mieux le soumettre.

Vivekananda disait :

« Si nous nous humilions sans réserve, nous renions en
quelque sorte ce qui est divin en nous ou même, selon la
conception hindoue, le supradivin, l'*atman*. La solution, qui n'est
pas facile, serait donc de combiner l'humilité pour ce que l'on
semble être avec la fierté pour ce qu'on est potentiellement, en
réalité. L'une sans l'autre serait dangereuse. Il est aussi ridicule de
croire : " Je suis un ver de terre ", comme le font certains
chrétiens, que de croire : " Je suis Shiva " ou je suis le Brahman,
comme le font certains hindous. »

Je m'étais souvent complu dans mes faiblesses, l'Inde me
rappelait que la force est une vertu. « Sous quelque forme qu'elle
se présente, disait Ma Ananda Môyi, la faiblesse est un péché.
C'est pour cela qu'il vous est très nécessaire d'acquérir et de
conserver la vigueur physique et mentale. » C'est pour acquérir
cette force que je commençai à pratiquer quelques postures de
yoga et différentes formes de respiration ou *pranayama*. C'était
également un aspect que l'Inde me donnait à découvrir : entre la
spéculation et la gymnastique de nos écoles, il existait une forme
d'exercice qui agit aussi bien sur l'esprit que sur le corps,
développant à la fois l'intelligence et la souplesse des membres.
Ainsi je ne commençais pas ma journée sans une salutation au
soleil, que je me trouve en pleine campagne ou sur le quai d'une
gare. Cela provoquait parfois l'hilarité des témoins, surtout
lorsque je pratiquais *nadi sodhana pranayama* (respiration alter-
née, narine gauche, narine droite). Les enfants croyaient que
j'expérimentais une nouvelle façon de me moucher.

Les pratiquant sans maître, le résultat de ces exercices n'était
pas toujours excellent, je ressentais parfois des vertiges, ou un
état d'abrutissement qui pouvait durer des heures, que je
qualifiais un peu vite de *samadhi* ou d' « enstase » pour parler
comme Mircea Eliade. Le plus important des exercices me
semblait être la méditation (*dhyāna*), que ce soit avec objet ou

sans objet. Je crois avoir exploré là un certain nombre d'états de conscience proches de ceux que je connaissais déjà avec la drogue, et dont le souvenir ne me serait pas inutile lors de mes travaux en psychologie transpersonnelle.

Malheureusement, toutes ces expériences qui, dans un contexte traditionnel, avaient pour but d'effacer l'ego ne faisaient chez moi que le développer davantage. J'étais en train de me fabriquer un ego spirituel, un « ego de libéré vivant », autant dire un non-sens. Je n'étais même pas arrivé en Inde et déjà je me prenais pour un véritable yogi. De petits pouvoirs sans intérêt, comme lire dans les pensées ou se soulever légèrement de terre, m'entretenaient dans l'illusion que je n'étais pas loin de la réalisation. Narcisse avait connu le désespoir, il était maintenant au-delà de toute espérance, dans un pseudo-nirvāna, une sorte d'autohypnose qui le rendait insensible au monde extérieur, avec de petits picotements émotionnels dans les yeux et dans le cœur, qu'il prenait pour de l' « authentique compassion ».

Mon arrivée en Inde fut un véritable choc, je regardais à peine les pays que je rencontrais, marchant vers les gourous et les hommes lumières de la terre sacrée. Imaginez un hindou qui viendrait à Rome ou à Paris, s'imaginant que tous les Occidentaux sont comme saint François d'Assise ou comme Maître Eckhart. Pour lui c'est évident puisqu'il a lu dans les livres que tous les Occidentaux sont chrétiens. Moi, je croyais que tous les hindous étaient des sages. Or ceux que je rencontrais ne me semblaient soucieux que d'argent ou de me voler les quelques livres que je traînais avec moi, pour les revendre. Les villes étaient bruyantes, sales. Comment oublier cette femme à Bombay qui devant moi estropia davantage son fils pour le rendre plus « pitoyable » afin de récolter davantage d'aumônes, les mouches dans les yeux des enfants, le bruit... Les jeunes Européens ou Américains que je rencontrais étaient presque tous drogués. Ce que j'avais vécu dans les bas-fonds de Marseille n'était rien comparé à la misère que je voyais là. Pourtant il y avait parfois une sorte de douceur à la tombée de la nuit quand l'air se faisait moins moite, les femmes en sari marchaient avec dignité, certains regards, certains sourires m'annonçaient en éclairs la lumière que je cherchais.

Je cherchais mais je ne trouvais pas. Je cherchais un « gourou », mais le disciple en moi ne devait pas être prêt. J'avais pourtant médité les paroles de Swami Ramdas : « Le gourou est une incarnation de Dieu... Si vous demandez à Dieu votre libération il doit prendre la forme du gourou pour assurer la réalisation de votre désir. »

Ramana Maharshi dit pratiquement la même chose :

« Lorsque l'adorateur s'abandonne complètement, Dieu lui prouve sa miséricorde en se manifestant sous la forme d'un gourou... Quelqu'un cherche le bonheur, il apprend que Dieu seul peut le rendre heureux, il prie Dieu et lui rend hommage. Dieu entend ses prières et lui répond en lui apparaissant sous une forme humaine dénommée gourou pour lui parler le langage qu'il comprend et lui faire saisir la vérité... Comme vous conservez votre conscience corporelle, vous imaginez que le gourou est lui aussi une enveloppe corporelle afin qu'il puisse accomplir quelque chose de tangible. Mais son travail est purement intérieur. Comment obtenir un gourou ? Dieu, qui est immanent, dans sa grâce pleine de bonté, prend en pitié le dévot et se manifeste à lui sous une forme qui correspond au niveau de compréhension de l'individu. Le dévot pense que le gourou est un homme et il s'attend à nouer avec lui des relations personnelles. Mais le gourou qui est Dieu, ou le Soi, travaille de l'intérieur, il aide le disciple à voir ses erreurs de jugement et de comportement, le met sur le droit chemin, jusqu'au moment où il réalise le Soi en lui-même. »

Sans doute mon intention n'était-elle pas pure, je voulais « avoir » un gourou, je n'étais certainement pas prêt à me soumettre à lui. Le mot Dieu avait également pour moi un sens trop vague pour qu'il s'incarne ainsi de façon précise. En chemin j'avais perdu la pureté du départ, je ne cherchais plus Dieu Amour, je cherchais le Pouvoir, la Toute-Puissance, la Maîtrise de moi-même et, sans l'avouer, la maîtrise des autres.

Un jeune Français qui était à Bombay depuis deux mois voulut me présenter à un gourou qui, disait-il, a le pouvoir d' « éveiller la *kundalini* » ; il me conduisit dans une arrière-boutique où trônait un homme habillé en jaune avec un turban, deux garçons que je trouvais très efféminés déposaient des pétales de fleurs sur ses pieds. Le Français lui dit quelques mots en hindi, l'homme en jaune m'invita à le suivre dans la chambre proche, il était d'accord pour m'éveiller la *kundalini*. Lorsqu'après des tripotages peu spirituels, mais que je qualifiais au moins de bienveillants, il me mit son index dans l'anus, sans doute pour « percer mon *muladhara chakra* et faciliter ainsi la montée de la *kundalini* », je compris que j'étais la dupe d'un obsédé en turban, et me mis à crier et à le repousser avec violence. Je sortis de la chambre écœuré, avec la ferme intention de quitter l'Inde le plus vite possible.

Dans cette même ville, je l'appris plus tard, non loin du lieu où je me trouvais vivait Shri Nisargadatta Maharaj ; que ne l'ai-je rencontré, c'est pourtant comme un écho de ses paroles que j'entendis cette nuit-là :

« Tant que vous vous sentez compétent et en confiance, la réalité reste hors de votre portée. A moins que vous n'acceptiez l'aventure intérieure comme mode de vie, la découverte ne viendra pas à vous... N'être rien, ne rien connaître, ne rien avoir, c'est la seule vie digne d'être vécue, c'est le seul bonheur qu'il soit bon de posséder. Vous devez trouver votre propre voie. Si vous ne la trouvez pas vous-même, ce ne sera pas votre voie et elle ne vous conduira nulle part. Vivez avec sérieux votre vérité telle que vous l'avez trouvée, agissez en fonction du peu que vous avez compris, c'est l'application sérieuse qui vous fera faire la traversée, et non l'habileté, la vôtre ou celle d'un autre...

» Ne pas tricher, ne pas blesser, n'est-ce pas important ? Ce dont vous avez besoin par-dessus tout, c'est de paix intérieure, qui exige l'harmonie entre l'intérieur et l'extérieur. Faites ce en quoi vous croyez et croyez en ce que vous faites. Tout le reste n'est que perte de temps et d'énergie. »

CHAPITRE V

Istanbul-Thessalonique

De ce premier séjour en Inde je garde peu de souvenirs concrets. Je vivais dans mon monde intérieur, ce qui se passait à l'extérieur ne m'intéressait pas et en cela j'étais cohérent avec les doctrines dont je me nourrissais.

« *Brahma satyam jagan mithya* », le Brahman seul est réel, vrai, et le monde, la manifestation est une illusion. « *Ekam eva advitiyam* », il n'existe que l'Un, qui n'a pas de second. Maya est l'illusion qui fait que Brahman se présente sous l'apparence de l'univers, ou subjectivement, l'illusion qui nous fait voir Brahman sous l'aspect du monde, c'est une surimposition *(adhyāsa)*, une représentation que l'on ajoute sans nécessité, et même sans justification, à quelque chose qui existe déjà. Pour Shankara, Maya est l'illusion par laquelle le Moi (dans sa volonté et ses sentiments) croit être un individu.

En faisant tous les efforts possibles pour sortir de cette illusion je renforçais l'identité de celui qui disait que c'était une illusion. C'était bien moi qui voulais être délivré de moi : Narcisse sur le rivage racontait aux passants comment il va se noyer... Je repassai la frontière en me chantant les paroles de la *Bhagavad Gita*.

« Tu t'apitoies là où la pitié n'a que faire, et tu prétends parler raison. Mais les sages ne s'apitoient ni sur ce qui meurt ni sur ce qui vit. Jamais temps où nous n'ayons existé, moi comme toi,

comme tous ces princes ; jamais dans l'avenir ne viendra le jour
où les uns et les autres nous n'existions pas...

» Croire que l'un tue, penser que l'autre est tué, c'est
également se tromper ; ni l'un ne tue ni l'autre n'est tué. Jamais de
croissance, jamais de mort ; personne n'a commencé ni ne cessera
d'être... »

Seul l'absolu existe, l'Un sans second. Tout ce que je voyais
n'était que projection, « surimposition ». Si « Je » n'existe pas,
pourquoi ne pas disparaître au plus tôt, ou s'effacer dans « cela »
seul qui existe ? Et de nouveau, à l'ombre des grands textes de
l'Inde mal compris, j'entendais la voix fardée, enturbannée de
langues étrangères, de la pulsion de mort : disparaître dans
l'Espace comme l'oiseau au plus vif de son vol, en finir avec ma
conscience de vague, rejoindre l'océan... Je ne me nourrissais
plus, on me ramassait inanimé au bord de la route, et on me
conduisait vers une autre frontière.

Comment suis-je arrivé à Istanbul, je ne sais plus. Sans doute
avais-je quitté l'état de veille, je vivais dans un étrange « état de
rêve », parfois de sommeil profond, mais certainement pas dans
cet état de *turya* dont parlent les hindous, qui est celui d'une
conscience capable de contenir en elle les discriminations du jour,
les libertés du rêve et le repos du sommeil profond...

Je rencontrais parfois, à côté de brigands qui ne pensaient qu'à
me dévaliser ou à me violer, des gens vraiment charmants qui non
seulement m'hébergeaient et me soignaient ; ils m'offraient
encore le prix d'un long trajet en train et même (cela m'est arrivé
deux fois), en échange d'un sourire et d'une promesse de
bénédiction, un billet d'avion.

Ramdas savait reconnaître la présence de Dieu, chez les
brigands et les pervers autant que chez les justes et les sages.
Malgré mon état de « renonçant », la peur n'avait pas renoncé à
moi et j'avais encore des préférences. Il m'arrivait même de
reconnaître chez certains êtres qui me voulaient du malheur la
présence des démons. Mais Ramdas a peut-être raison, Dieu
n'est-il pas la Cause unique de tout ce qui existe ? De même qu'il

faut rendre gloire à Dieu plutôt qu'à ses saints, il faut craindre Dieu plutôt que ses démons.

Arrivé à Istanbul, je tombai gravement malade. On m'a dit par la suite que j'avais dû être empoisonné mais je ne trouve personne à accuser sinon moi-même, qui dans mon indifférence pouvais manger ce qui restait dans les rues après un marché et boire des eaux qui ne coulaient pas toutes de source. Je mangeais si peu qu'à mon avis c'est dans les eaux sales du Bosphore qu'il faut chercher le microbe fatal. On me trouva dans la rue sans connaissance. Voyant que j'étais européen, on me conduisit dans un hôpital où vivaient encore des médecins et des infirmiers français. Après les examens d'usage, dont un électro-encéphalo-gramme, on me déclara « mort ». Je n'étais pas le premier de ces jeunes Européens qu'on retrouvait ainsi. Drogue, misère, empoi-sonnement, peu importe, on les déclarait vite morts, et s'ils n'avaient pas de papiers, ce qui était mon cas, on ne tardait pas à les enterrer, ce qui allait être mon cas. On décida néanmoins d'attendre un peu et de m'installer dans une chambre fraîche, à l'écart.

Raconter ce que je vivais alors me semble bien difficile, d'abord parce qu'avec un électro-encéphalogramme plat on ne pense plus, ensuite parce que mon expérience n'a rien de très original lorsqu'on connaît les nombreux récits de *near death experience* dont on parle aujourd'hui. Je suis toujours étonné de l'abondance d'images et de lumière dont témoignent ces rescapés de la mort. Pour moi ce fut plutôt le vide. Rien, mais j'avoue n'avoir jamais connu un état de plénitude semblable à ce vide, à ce Rien. Je vais essayer d'être le plus honnête possible et de décrire avec des mots ce que je sais hors d'atteinte des mots. Les concepts en effet appartiennent à l'espace-temps, et font toujours référence à un « quelque chose » ou au monde. Or cette expérience ne s'est pas vécue dans notre espace-temps et demeure donc hors d'atteinte des instruments qui y sont forgés.

D'abord — fait étrange après tout ce que je viens d'écrire —, je ne voulais pas mourir. J'avais souhaité la mort, je m'y étais préparé de toute sorte de façons, conscientes et inconscientes, et, au moment où « cela » arrivait, je disais non. J'ai peur, et plus je dis non, plus je souffre... quelque chose d'intolérable, une révolte de tout mon corps, de tout mon psychisme, non ! Puis, devant l'inéluctable, l'intolérable surtout de la souffrance, quelque chose en moi craque, sombre, et en même temps acquiesce. A quoi bon lutter ? Oui. J'accepte — je meurs.

A l'instant même de ce oui, toute douleur s'évanouit. Je ne sentais plus rien ou quelque chose de très léger. Je comprenais le symbole de l'oiseau dont on se sert pour représenter l'âme. J'étais toujours dans ma petite boîte ou dans ma cage, mais l'oiseau déjà étendait ses ailes, prenait son vol. Sensation d'espace, « horizon non empêché », mais toujours conscience, extrêmement vive, lumineuse, que je percevais à la fois dans mon corps et hors de mon corps. Puis, pour reprendre l'image (inadéquate), l'oiseau sortit de sa cage, sortit du corps et du monde qui l'entourait, l'oiseau avait sa conscience d'oiseau, autonome par rapport à sa cage. L'âme existe bien en dehors du corps qu'elle informe ou qu'elle anime, cela a été rapporté par d'autres témoins. Puis, comment dire ? comme si le vol sortait de l'oiseau, un vol qui continue sans l'oiseau et qui s'unit à l'Espace. Il n'y eut plus de conscience, plus de « conscience de quelque chose », corps, âme ou oiseau : *Rien*, mais ce *rien*, ce *no-thing* (pas une chose, disent mieux les Anglais), c'était l'Espace qui contenait le vol, la cage et l'oiseau, cette vastitude contenait la conscience, l'âme et le corps, ce n'était rien de particulier, de déterminé, d'informé. Cela n'est *Rien*, cela *Est*, c'est tout ce que je peux dire.

Pendant ce « temps-là », ou plutôt pendant cette « sortie de ce temps-là », on préparait mon enterrement. Que s'est-il passé ?

Je me souviens seulement d'un homme qui a crié en français : « Il n'est pas mort », et on entreprit alors des choses désagréables pour me réanimer. Le vol revint dans l'oiseau, l'oiseau redescendit dans sa cage, l'oiseau suffoquait, il n'arrivait pas à respirer, on lui mit dans les poumons un air qui n'était pas le sien, on lui transfusa dans les veines toutes sortes de liquides qui n'étaient pas son sang.

Quand il commença à gémir, tout le monde fut rassuré : « Il sort du coma ».

Mon rétablissement fut rapide, personne ne s'en étonna, personne ne me posa de questions. On me demanda quand même qui allait « payer tout ça », est-ce que j'avais une famille, quel était mon pays, pour qu'on prévienne l'ambassade. Je fis le muet (pour le sourd c'était trop tard, mes yeux avaient répondu... « Il est muet ! » Cela ne surprit personne.

— Mais comme tu n'es pas sourd, me dit en début d'après-midi un médecin, je vais t'indiquer par où tu trouveras la porte de sortie.

Je me retrouvai ainsi dans la chaleur d'Istanbul, plutôt bien, je n'ose pas dire « ressuscité », mais c'est là un mot qui par la suite aura pour moi du sens.

J'allais où me conduisaient mes pas ; ce soir-là ils me conduisirent à la Mosquée bleue. Comme je n'avais pas de sandales je voulus entrer directement. On me rattrapa pour que j'aille me laver les pieds. J'entrai enfin, le contact avec le tapis était délicieux, ici la terre s'habillait de laines et de soies ; je levai les yeux dans l'espace libre de la coupole, lumière bleue, l'oiseau en moi retrouvait l'espace de son vol, de nouveau j'étais heureux et je me dis : « C'est bien ici la maison de Dieu. » Des hommes se levaient et se prosternaient. Sans grande difficulté je fis comme eux, puis je restai longtemps assis sur les talons, dans un bain d'adoration et de lumière bleue. En sortant de la mosquée je vis une autre coupole presque semblable... je me dirigeais vers Sainte-Sophie, la basilique construite par l'empereur Justinien.

L'espace intérieur m'apparut beaucoup moins vaste que celui de la mosquée, les lettres du Coran écrites sur de grands panneaux ne me semblaient pas à leur place et cassaient les perspectives, j'étais déçu et je m'apprêtais à repartir quand j'aperçus une mosaïque certainement ancienne qui représentait le Christ. Était-ce une vision, était-ce la réalité, dans ses yeux se rassemblait l'espace de la coupole, là aussi l'oiseau pouvait

prendre son vol. Je me sentais libre. Voulant en savoir un peu
plus sur ces mosaïques je demandai au gardin de m'indiquer quelqu'un qui pourrait satisfaire ma curiosité. Il m'indiqua l'adresse
du phanar sur la Corne-d'Or, là se trouve le patriarcat de
Constantinople ou plutôt ce qui en reste.

Un vieillard était dans la cour, paisiblement il récitait son
chapelet, les grains de laine noire filaient entre ses doigts, un beau
vieillard, j'avais une envie folle de me jeter dans ses bras comme
un enfant qui rentre à la maison après un long voyage. J'eus
l'impression qu'il m'attendait, il s'adressa directement à moi en
anglais : « Que cherchez-vous ? » Je lui racontai en peu de mots
ce que je venais de vivre à l'hôpital, l'oiseau, la mosquée, son
espace bleu et ce même espace dans les yeux de la mosaïque. Le
vieillard me regarda avec tendresse.

— Viens, me dit-il, et il me conduisit à l'intérieur de l'église,
devant une icône du Christ qui ressemblait à celle de la mosaïque.
Entourant le visage il y avait écrit en lettres grecques : *O hon.*

— Qu'est-ce que ça veut dire ? demandai-je.

— Celui qui Est, me répondit le vieillard, Celui qui est l'Être
même, Celui qui a dit à Moïse : « Je Suis. » C'est le Nom de
Dieu. Jésus a repris ce Nom saint, ineffable. Il a dit : « Avant
qu'Abraham fut Je Suis. »

En entendant la dernière phrase, je tombai face contre terre,
évanoui. « Je Suis » m'avait touché en plein cœur. On me
conduisit dans une petite pièce et, après m'avoir ranimé, consolé
avec un café, du loukoum et une eau-de-vie légèrement anisée, on
me laissa seul avec le vieillard.

— C'est vrai tout cela, disais-je, moitié riant, moitié pleurant.
« Je Suis » existe vraiment. C'est cela cet Espace, ce « Je Suis »
qui n'existe pas mais qui enveloppe toute existence, qui fait être
tout ce qui est, c'est la vérité — *O hon,* Celui qui Est.

— Celui qui Est, continua le vieillard, peut prendre corps, il
peut avoir un visage, l'illimité peut se manifester dans une forme,
l'infini et le fini, l'incréé et le créé, Dieu et l'homme ne sont pas
séparés, tu peux le croire, c'est écrit.

Et il me montra de nouveau une icône du Christ avec les lettres grecques encadrant son visage.

Je remarquai alors que les yeux étaient différents : l'un semblait sévère tandis que l'autre était doux.

— C'est l'œil de Justice et l'œil de Miséricorde, me dit-il. Difficile, n'est-ce pas, de symboliser cette union de l'Amour et de la Vérité ? Nous connaissons généralement ou l'un ou l'autre, la Justice sans la Miséricorde, ou l'Amour sans la Vérité. Jésus est l'incarnation des deux ensemble, il est le Visage de Celui qui Est *O hon*, l'Amour et la Vérité...

» Nous ne pouvons pas te loger ici au phanar, continua-t-il. Si tu veux en savoir plus va au mont Athos, tu te feras baptiser et tu comprendras. En attendant, prie, invoque le Nom de Jésus — et il me donna un chapelet semblable au sien.

A partir de ce jour je cessai d'invoquer Dieu sous le nom de Ram comme je le faisais lors de mon premier voyage en Inde. Je n'avais jamais vraiment adhéré de tout cœur à ce nom, malgré l'exemple de Ramdas et bien que sa vibration me fût douce. Mais Ram était sans doute trop étranger aux structures de mon « inconscient collectif » pour porter tous ses fruits. Avec le Nom de Jésus je n'eus aucune difficulté, je rejoignais la réalité que j'avais touchée au seuil de la mort : *ego eimi, O bon* — Je Suis.

Ayant reçu la bénédiction de ce saint vieillard (j'appris par la suite que c'était le patriarche Athénagoras), je partis vers Agion Oros, la Sainte Montagne.

Avant d'y parvenir il fallait passer par Thessalonique et, là, remplir toute sorte de formalités. Je décidai de me mettre en règle, à l'ambassade de France on accepta de me donner des pièces d'identité provisoires mais suffisantes pour obtenir un visa pour le mont Athos. En attendant que ces démarches administratives arrivent à leur fin, je visitais la ville, les églises et les musées. L'un d'entre eux fut pour moi une étape importante dans ma découverte du Christ. Une image vaut dix mille mots, une icône vaut parfois une somme de théologie.

Dans une salle de ce musée se trouvait un Apollon et quelques

Aphrodites. La beauté des corps, leur perfection, leur élégance me fascinaient, belles et froides nudités. Tout exprimait l'extériorité, l'homme était tout entier dehors, surface lisse ou pur relief, marbres à visage d'homme, matières accomplies, sublimes mais comme enfermées dans cette matière. Les visages étaient beaux mais les yeux demeuraient étonnamment vides.

Je pénétrai dans une salle où se tenaient dans une assise impeccable trois bouddhas. Là aussi je fus très impressionné. Quel contraste ! pas de détails, pas de muscles, pas de sexes, pas de fesses, un corps stylisé, presque abstrait dans un drapé d'or. Les yeux étaient mi-clos, tournés vers le dedans. Mais ce qui me frappa le plus dans ces visages, outre l'harmonie et la sérénité des traits (cette pleine lune rayonnante), c'est le sourire. Deux traces d'écume pour rappeler à l'homme qu'il est habité par un océan de béatitude ; cet océan est à l'intérieur, il n'y a rien à chercher au-dehors, le dehors ne peut que disperser, introduire la dysharmonie, une écharde dans cette rondeur, cette suffisance. Suffisance humble, non ostentatoire, plénitude de l'homme qui se sait habité de lumière.

D'un côté, « tout est à l'extérieur », pensais-je, il n'y a que le monde, les corps, la volonté, qui existent ; de l'autre, « tout est à l'intérieur », douceur, paix, accueil, il n'y a que l'absolu qui existe, le monde est un mauvais rêve, ou un long sommeil dont les bouddhas se sont éveillés.

On m'avait appris à l'école que seule la matière existe, l'esprit est le résultat d'une complexification progressive de notre cerveau. Dieu est une idée venue au hasard du jeu de nos synapses — le drogué sait bien qu'en trafiquant la chimie de son cerveau il peut produire toute sorte d'images, visiter tous les ciels et les enfers de nos vieilles mythologies. Bien sûr, Dieu n'existe pas, cela peut être un concept utile pour sceller l'unité d'un peuple ainsi que le fit Moïse, mais ce concept n'a pas d'autre réalité que cette utilité psychosociologique, fonctionnelle à une certaine époque de notre histoire mais aujourd'hui dépassée, inefficace...

Lors de mon voyage en Inde, j'avais lu et cru expérimenter

exactement le contraire, que Dieu seul existe, l'homme, le monde, la matière, n'ont pas d'existence ; « tout ce qui est composé sera décomposé » était et est toujours un de mes axiomes favoris. Plus on cherche à saisir la réalité de la matière plus elle nous échappe, plus elle nous apparaît comme une énergie, quand ce n'est pas un esprit ou une pensée un peu floue, dans laquelle on reconnaît la présence de l'intelligence relative qui l'observe.

Au point où j'en étais je n'avais plus envie de nier quoi que ce soit pour affirmer quoi que ce soit. Nier l'existence de Dieu pour affirmer l'existence de la matière (Sartre n'avait-il pas dit : « Si Dieu existe alors l'homme n'existe pas » ?), nier l'existence du monde pour affirmer l'existence de Dieu. Ma question c'était plutôt : comment tenir les deux ensemble ?

Pourquoi nier mon corps ? Il m'avait fait suffisamment souffrir pour que je ne doute pas de son existence, et puis n'était-ce pas dans un corps que je disais que le corps était une illusion, n'était-ce pas un être fini qui disait que seul l'infini existe, tout ce qu'on sait de Dieu, ou de l'Absolu, n'est-ce pas l'homme relatif qui le sait ?

Pourquoi nier cet espace qui m'était apparu au moment de la mort, ce « Je Suis » qui Est quand je ne suis plus ? Pourquoi nier que dans le regard d'un enfant il y a « plus » que l'interaction non évidente des molécules qui le composent, est-ce vraiment le hasard et la nécessité qui produisent l'art des grands génies et la bonté des saints ?

Il y avait dans le visage de ce vieillard rencontré à Istanbul quelque chose qui contenait la matière et qui ne lui était pas soumis ; le hasard et la nécessité il les avait acceptés, mais il en avait fait une œuvre, une foi, une destinée, comme il avait accepté ses rides et les grands cernes sous ses yeux. Mais à travers ces rides quelque chose se riait du temps, à travers ses yeux, une lumière « non faite, non créée », se mêlait à la clarté du jour.

Dieu existe. Le monde existe. Je n'avais plus envie de choisir l'un ou l'autre, j'avais envie de choisir les deux, mais les deux ne m'apparaissaient pas encore conciliables, comme me semblait impossible la rencontre du visage d'Apollon, avec ses grands yeux vides tournés vers un monde qui comme lui devait être plein de marbre, et le visage des bouddhas avec leurs yeux mi-clos tournés vers l'intérieur vers un espace qu'on devinait infini, sans limites.

J'entrai alors dans la partie principale du musée où sont exposés quelques chefs-d'œuvre de l'art byzantin. Je fus particulièrement attiré par la salle où étaient rassemblées une vingtaine d'icônes, du Christ, de la Vierge, des saints, de saint Georges terrassant le dragon. Je ne fus pas tellement séduit par toute cette « imagerie ». Les christs byzantins m'apparaissaient terriblement froids dans la clarté des projecteurs, je n'avais pas remarqué cette froideur dans l'église du patriarcat où l'icône du Christ était doucement éclairée par une lampe à huile. De nouveau je retrouvais ces lettres *O bon,* Celui qui Est, Je Suis.

Un musée n'est pas un si mauvais lieu pour philosopher, je m'interrogeais ainsi : ce Je du « Je Suis » est-il un épiphénomène de l'Étant, la somme des agrégats qui le composent, ne va-t-il pas se dissoudre avec eux ? ou est-ce l'Étant qui est le contenu de ce Je, est-ce lui qui fait que ces agrégats tiennent ensemble, et rien n'empêche qu'au moment où ils se dissolvent Lui subsiste ? Ces questions me hantent encore aujourd'hui. Mon jargon s'est un peu épaissi : le dépassement de l'ontothéologie n'est-il pas dans l'interrogation suscitée par ce Je, qui dit « Je suis ». Ce qui nous intéresse désormais ce n'est pas seulement l'Être, mais « Celui » qui Est. On a beaucoup glosé sur la « non-étantéité de l'Étant », on n'a encore rien dit sur la « sujet-ité de l'Étant »...

Bref, après mon quart d'heure philosophique où, assis sur un banc du musée, je mimais le penseur de Rodin plus que le front dégagé des bouddhas, je revins dans la salle des icônes... Une icône russe avait échappé à mon regard. Je restai un long moment devant elle, le visage du Christ avait la sérénité des bouddhas. Les traits étaient doux, mais précis et sans mollesse, les yeux étaient ouverts, ils n'étaient pas vides, ce fut pour moi ce que j'appellai par la suite le « choc de la synthèse ». Dehors et dedans n'étaient pas séparés, l'intériorité ne s'opposait pas à l'extériorité. C'était bien là un visage d'homme, mais transparent à une autre vie. L'expression du visage n'était pas psychique comme sur certaines images pieuses, mais ontologique ; ce n'était pas l'expression d'une émotion ou d'un sentiment quelconque, mais l'expression d'un état d'être, un Je qui est Amour. Les paroles du patriarche me revinrent : « En lui Dieu et l'homme ne sont pas séparés, ils ne sont pas confondus ».

Ce n'était pas le visage de l'homme séparé, de l'individu enfermé dans l'épaisseur de son marbre et de ses molécules, ce n'était pas le visage de l'homme sans ego, sans traits particuliers, fondu dans l'océan d'un Tout de béatitude, et pourtant il y avait quelque chose des deux, une intériorité qui n'avait rien à envier à celle des bouddhas, une présence charnelle qui n'avait rien à envier à celle des Apollons.

N'étais-je pas en train de projeter sur le visage du Christ la synthèse difficile que mon esprit était en train d'élaborer ? sans doute, mais l'icône était là, avec son visage sans sourire et pourtant tout accueil, avec ses yeux ouverts qui me regardent et qui pourtant regardent à l'intérieur, « vers le Père »... mais cela je l'apprendrai par la suite. A ce moment précis je recevais seulement le « choc de la synthèse ». Cette synthèse n'était pas une somme de pensées, une nouvelle idéologie, mais quelqu'un, une vérité en personne ; pas une vérité scientifique, ni philosophique, ni même théologique : une vérité en présence, un « Je Suis » la vérité, un Je suis vrai, vraiment Dieu, vraiment homme, à l'intérieur, à l'extérieur, au commencement, à la fin ; je suis l'alpha et l'omega. A Istanbul je m'étais évanoui, cette fois je tenais debout, étrangement immobile, silencieux, apaisé. Le gardien du musée, sans doute gêné par mon attitude, vint me toucher à l'épaule et me glissa dans l'oreille :

— Eh mon vieux, ici on n'est pas à l'église !

Je sortis, Son visage, Sa présence m'accompagnaient. Je peux dire qu'une nuit entière mon esprit resta silencieux, éveillé.

CHAPITRE VI

Athos

A Ouranopolis, le village où on s'embarque pour la sainte montagne, quelques touristes qui avaient visité les lieux me firent part de leurs impressions :

— N'y allez pas, ce qu'il faut voir ils le cachent, et ce qu'on voit c'est la décrépitude, la paresse, des ruines aux dents d'or avec des sourires malsains, l'haleine fétide ; ils crient ou ils dorment pendant les offices. Méfiez-vous, sous la barbe et l'habit il y a d'authentiques brigands qui fuient la police. En plus vous êtes beau et jeune, vous allez certainement vous faire violer, ils ne pensent « qu'à ça » !

L'Américain qui me parlait ainsi avait l'air sincère, il avait des hauts-le-cœur et se mouchait sans cesse comme pour chasser de son corps quelques mauvais souvenirs.

— Les microbes, me dit-il. Ils ne se rendent pas compte. Vous allez attraper des maladies, ils ne se lavent pas et vivent dans des conditions d'hygiène déplorables. La nourriture n'en parlons pas, heureusement que j'avais avec moi mes boîtes de vitamines.

Homme généreux, il me tendit deux bouteilles à peine commencées :

— Tenez, ça vous sauvera la vie.

Un jeune Belge qui avait entendu la conversation vint me trouver plus tard.

— Cet homme n'a rien compris. Le mont Athos est une réserve d'hommes de lumière, de saints que le monde ne peut pas comprendre, vous verrez la beauté des liturgies, la force du renoncement. C'est le seul endroit au monde où on vit encore le christianisme, le « mauvais temps », n'est pas encore entré à l'Athos, on y vit à l'époque des Pères, dans la proximité de l'Éternel.

Sans doute tous les deux avaient-ils raison et c'est l'esprit un peu « mélangé » que j'abordai Karyès, m'attendant au pire et au meilleur. Je commençai par le pire, dans un monastère proche où, après les formalités d'usage, je m'étais rendu avec une grande faim à l'estomac. Je fus reçu avec suspicion, le moine me dévisagea :

— Français ? papiste ?

C'est la première fois que je voyais lié comme deux synonymes le nom de la France et celui de la papauté. Le pape jusqu'alors avait été le moindre de mes soucis. J'ignorais qu'il fût français et moi, « papiste ». J'essayai en quelques mots d'expliquer au moine qu'on pouvait habiter en France et être sans religion, ni catholique, ni protestant, ni athée, mais, quand même chercher Dieu, aimer la Vérité.

Ces paroles me valurent un café et un loukoum. Reprenant confiance et espérant un peu de soupe, j'expliquai que je venais d'Istanbul et que là j'avais rencontré un saint vieillard au patriarcat. C'est lui qui m'avait demandé de venir au mont Athos. Le moine fit un bond, il courut dans sa cellule et me montra la photo du patriarche Athénagoras :

— C'est lui ?

Comme j'acquiesçais, il cracha sur la photo et commença à la déchirer en petits morceaux.

— Hérétique, hérétique, criait-il.

J'appris alors qu'Athénagoras avait embrassé le pape Paul VI comme un frère, autant dire qu'il avait vendu son âme au démon et attiré sur l'orthodoxie l'opprobre des saints pères... Suivit tout un discours auquel je ne compris rien, faisant l'inventaire de toutes les fautes graves de ce vieillard que j'avais trouvé paisible.

Sans attendre mon pain, je sortis du monastère, espérant atteindre Stravonikita avant le coucher du soleil. Je m'attendais à trouver des poux dans les monastères, mais pas de la haine.

Cette attitude je l'ai pourtant retrouvée plusieurs fois à l'Athos, mais aussi en Serbie lors de mon séjour auprès du père Justin Popovitch, un saint homme, sauf quand on lui parlait du Pape. Alors, avec des élans dostoïevskiens, il m'expliquait que c'était là l'origine et la cause de tous les maux de l'Occident. Dans son orgueil, l'Église de Rome s'était séparée des autres Églises, brisant ainsi l'unité souhaitée par le Christ. L'Église romaine, coupée de ses racines et de la communion avec les « Églises sœurs », ne pouvait qu'engendrer la « Réforme ». La Réforme ne pouvait que conduire à la sécularisation. La sécularisation conduisait à l'athéisme. L'athéisme engendra la stalinisme et ses goulags, dont lui, Justin Popovitch, avait réellement souffert. Invoquant les thèses les plus dures des slavophiles, il voulait me montrer « historiquement » que le pape était non seulement « le grand inquisiteur » dénoncé par Dostoïevski, mais l'Antéchrist dont parlent les Évangiles.

Mais le père Justin ne crachait pas, ne criait pas. Après avoir dénoncé « avec logique » « la cause de tous les maux de l'Occident », il partait en pleurant vers l'église, prier pour la conversion du pape, et surtout pour ces « pauvres catholiques romains », abusés et entretenus dans l'ignorance.

Donner à l'Église romaine sa juste place au sein de l'Église Une n'est pas si facile, mais ce n'était pas alors mon problème, je découvrais le Christ, la question de l'Église et des Églises ne m'intéressait guère.

En arrivant au monastère de Stravonikita je prévins tout de suite le portier que je venais ici pour savoir qui était Jésus, *O hon*, Celui qui Est, et que je ne voulais rien savoir du reste. Le portier dit à l'higoumène, alors le père Basile, que je devais être un protestant. Malgré cela l'higoumène, un homme encore jeune, accepta de me recevoir. En bon pédagogue, il m'invita à lire les Évangiles, particulièrement l'Évangile de Jean, et à y contempler Jésus, à la fois tourné vers les hommes et tourné vers Dieu. Il me précisa que la pratique des commandements, « aimer le Père, aimer les frères », vous rendait semblable à Lui, Lui l'Un de la Trinité.

J'entendais pour la première fois parler de « Trinité ». Le père Basile me fit remarquer qu'en Occident beaucoup de chrétiens étaient « jésuistes » (quelquefois jésuites), alors qu'être chrétien ce n'est pas seulement suivre Jésus comme un maître ou un gourou, mais que c'est participer à Sa vie, tourné vers le Père, dans l'Esprit. Il m'expliqua que le mot « christ » supposait à la fois celui qui est « oint » (c'est le sens du mot *christos* en grec, traduction de l'hébreu *messiah*), celui qui oint et l'onction : le Fils-le Père-l'Esprit.

Être chrétien, c'est devenir « christ », et ainsi vivre de vie trinitaire. J'étais frappé d'entendre, à l'Église, le retour incessant de la doxologie : « Gloire au Père, au Fils, à l'Esprit ». Ce n'était pas encore clair pour moi, la Trinité cela sonnait comme « trois dieux », et cela brisait l'Unité à laquelle on est tellement sensible chez les juifs et les musulmans. Le père Basile me rappela que le credo commence par ces paroles : « Je crois en un seul Dieu. » Dieu est Un, les chrétiens sont des monothéistes. Il serait plus juste de parler d'Uni-Trinité ou de Tri-Unité. Dire que Dieu est Trinité, c'est dire en langage théologique ce que dit saint Jean en langage évangélique : « Dieu est Amour. » La Trinité c'est l'intériorité du Dieu Un. Dieu n'est pas Un comme un « sublime célibataire » (Chateaubriand). Dieu est Un comme l'Amour. L'Amant et l'Aimée sont Un.

C'était un peu trop tôt pour moi, toutes ces subtilités sur le père inengendré, sur l'Esprit qui procède du Père : « Surtout ne dites pas, comme les Latins », « du Père et du Fils » (*filioque*), comme si l'Esprit-Saint était « le baiser du Père et du Fils ». Comment en est-on arrivé à faire l'apologie d'un tel inceste ?

L'Esprit est une Personne, une Présence, une Énergie divine à part entière, c'est Lui qui t'a conduit vers le Fils comme le Fils te conduira vers le Père...

Pour le moment le Fils seul m'intéressait, sa vie, ses actes, son comportement dans notre espace-temps. J'étais émerveillé par l'Évangile, le père Basile était un peu choqué que je le lise ainsi au premier degré sans soupçonner la richesse symbolique qui se cache derrière chaque phrase. J'étais pourtant sensible à la révélation de sa divino-humanité : il pleure son ami Lazare comme un homme, il le ressuscite par sa puissance divine ; il est fatigué par la route et il marche sur l'eau ; il demande à boire et il promet de l'eau vive ; il baisse les yeux devant la femme adultère, il ne la condamne pas et il lui pardonne comme un Dieu, « car qui peut remettre les péchés si ce n'est Dieu seul ». Il secoue les pharisiens, les traite de sépulcres blanchis : « Ils disent mais ils ne font pas. » Il est plein de patience avec les pauvres, les pécheurs, les estropiés. Il se laisse caresser par Marie-Madeleine, elle lui essuie les pieds avec ses cheveux et il lui dit, après sa résurrection : « Ne me touche pas, ne me retiens pas, va plutôt vers mes frères. »

Qu'Il est beau l'Amour incarné qui attache et qui libère en même temps, un amour fort, viril qui secoue, qui renverse les établis des marchands quand ils prennent la place des priants ; un amour tendre, patient, et l'aveugle voit et le boiteux marche. Je n'avais jamais rien vu d'aussi divin, d'aussi humain. Comme Marie-Madeleine, je pouvais l'appeler mon « rabbouni », mon doux maître, et, comme Thomas, « mon Seigneur et mon Dieu ».

Que c'est beau l'Évangile.

Depuis plus de vingt ans maintenant, je le lis toujours comme pour la première fois. Dieu sait si j'ai aimé les poètes, adolescent je m'endormais souvent en récitant des vers de Baudelaire, mais, à force de les réciter, de les relire, un je-ne-sais-quoi se fatigue, on arrive vite au bout de leur musique et de leur sens. Dans l'Évangile, il y a quelque chose de toujours neuf, des perles précieuses dont la clarté ne lasse pas et qui est à chaque fois nourriture pour l'âme.

Le père Basile aimait l'Évangile, bien sûr, mais il s'inquiétait de mon enthousiasme de néophyte, l'Évangile devait être lu à l'intérieur de la tradition qui nous l'avait transmis. La *scriptura sola*, « l'Écriture seulement », risquait de m'entraîner dans les méandres de ma subjectivité, et mes interprétations d'un « cœur non purifié » par l'Esprit et par l'ascèse risquaient de me conduire dans la présomption et dans l'erreur. Il m'apprit ainsi à aimer « les Pères », c'est-à-dire les Pères de l'Église. C'est vrai que leur interprétation élargissait ce que la mienne avait de trop étroit, je découvrais des profondeurs insoupçonnées, ma subjectivité s'ouvrait aux richesses de la tradition. Par la méditation des Évangiles non seulement je retrouvais le Christ, mais j'entrais aussi en communion avec toutes ces grandes intelligences qui avant moi avaient cru en Lui. Le père Basile aimait particulièrement Isaac le Syrien. Au moment où je le quittai pour continuer mon pèlerinage, il me glissa dans la main la traduction d'un des *Discours ascétiques*.

« Celui qui a trouvé l'amour se nourrit du Christ chaque jour et à toute heure, et il en devient immortel. Car il a dit : " Celui qui mange du pain que je lui donnerai ne verra jamais la mort. "

» Bienheureux celui qui mange du pain de l'Amour, qui est Jésus. Car celui qui se nourrit de l'Amour se nourrit du Christ, ce Dieu qui domine l'univers, ce dont Jean témoigne quand il dit : " Dieu est Amour. " Donc celui qui vit dans l'Amour reçoit de Dieu le fruit de la vie. Il respire dans ce monde l'air même de la résurrection, cet air dont font leurs délices les justes ressuscités. L'Amour est le Royaume. C'est de lui que le Seigneur a mystérieusement ordonné à ses apôtres de se nourrir. " Mangez et buvez à la table de mon Royaume. " Qu'est-ce d'autre que l'Amour ?

» Car l'Amour est capable de nourrir l'homme au lieu de tout aliment et de toute boisson.

» Tel est le vin qui réjouit le cœur de l'homme. Bienheureux celui qui boit de ce vin. Les débauchés en ont bu et ils ont eu honte. Les pécheurs en ont bu et ils ont oublié la voie des fautes. Les ivrognes en ont bu, et ils ont jeûné. Les riches en ont bu, et ils ont désiré la pauvreté. Les pauvres en ont bu et ils se sont enrichis d'espérance. Les malades en ont bu et ils sont devenus forts. Les ignorants en ont bu et ils sont devenus sages. »

J'avais bien peu bu, mais assez pour deviner ce que les Pères appellent « l'ivresse sobre » de la contemplation. Je quittai

Stravonikita non pas en titubant, mais d'un pas tranquille, le cœur moins exalté mais un peu plus intelligent.

Chemin faisant je rencontrai des visiteurs, des moines pèlerins sur leur âne, des moines pêcheurs affairés autour de leurs barques. Dans un beau silence vert nous échangions à peine un sourire, nous étions de passage sur la terre, pourquoi s'attarder, pourquoi se hâter, chaque chose avait « son temps » dans l'éternité. J'arrivai ainsi à Simonos Petras, un monastère impressionnant, construit sur des hauteurs difficiles d'accès et surplombant la mer ; quand on me raconta qu'il fut bâti avec l'aide des anges je n'eus aucune difficulté à le croire ! Je restais là de longues heures sur la terrasse de bois aux attaches fragiles avec ce grand vide bleu qu'on apercevait entre les planches, impression d'être suspendu entre la mer et le ciel dans un vol arrêté, le temps de se remplumer les ailes, de faire le plein d'Espace...

J'ai toujours aimé les terrasses un peu en hauteur au bord de la mer, j'ai retrouvé cette même sensation à Patmos, près de la grotte où saint Jean aurait composé son Apocalypse. On se tient sur terre comme sur un navire. Nous sommes « embarqués », c'est vrai, vers ces horizons qui fascinent, là où le ciel se couche sur la mer, cette horizontale de noces dont nous avons toujours rêvé et qui à mesure que le navire s'avance se révèle illusoire... Mais pourquoi dire illusoire : n'est-ce pas la réalité de ce que nos yeux peuvent percevoir ?

— Oui, regarde bien l'horizon, me dit un moine, la mer et le ciel ne sont pas séparés, ils ne sont pas confondus, dans le Christ c'est ainsi, le créé et l'incréé...

Et il continua la petite chanson de Chalcédoine que je commençais à connaître : « L'infini et le fini, le temps et l'éternel ne sont pas confondus, ils ne sont pas séparés, le Christ est l'horizon de l'homme... »

L'image me plut. Ainsi, lorsque je restais de longues heures fasciné par l'horizon, c'est encore Lui que je cherchais, c'est encore Lui que je voyais dans son icône faite de nuages et d'écume. Comment y échapper désormais ? De nouveau je cherchai un moine qui puisse m'instruire. Dans *Paroles du mont Athos*, j'ai raconté mon entretien avec le père Dionysos de ce même monastère, mais il s'agit d'un autre séjour, beaucoup plus récent. Lors de ce premier séjour je ne trouvai personne sauf un laïc. Son approche de la vérité me sembla trop négative. Il me disait plutôt tout ce qu'il ne fallait pas croire. Il me présenta un catalogue d'hérésies impressionnant et je m'émerveillais de tout ce que l'esprit humain peut inventer pour se compliquer la vie.

Je cherchais plutôt une vérité qui ne soit pas « contre », une vérité vaste, capable de contenir les tâtonnements et les errances de ceux qui s'en approchent ; une vérité patiente devant les formulations toujours inadéquates à ce qui en elle demeure ineffable ; une vérité océan, capable de contenir ses tempêtes, intégrant les eaux calmes de l'été à ses plus hautes vagues. Pour moi je vivais ces heures de vérité et de certitude comme des tempêtes apaisées, mais je gardais la barque de mon esprit prête, disponible pour tous les orages — eux aussi font partie de la vérité.

Ce monsieur — j'appris par la suite qu'il était un théologien assez connu en Grèce — voulait exclure tout mouvement de vagues ; la vérité, qu'il disait être la vérité de l'Église, ressemblait à un lac immobile, où à une mer morte. Je lui parlai alors d'un certain lac de Galilée dont les tempêtes étaient imprévisibles... De nouveau je fus étiqueté « protestant », comme si un orthodoxe n'avait pas le droit de citer l'Évangile.

Tout cela me donna envie d'aller visiter les ermites, et je me dirigeai vers le bout de la presqu'île. C'est là, non loin de la skite Sainte-Anne, que je rencontrai ce moine dont je parle dans l'introduction des *Écrits sur l'hésychasme*. Je le trouvai au terme d'une marche harassante. M'ayant à peine salué il me laissa seul, au seuil de l'anfractuosité de rocher qui lui servait d'ermitage. Tandis que je me morfondais d'impatience je le vis réapparaître une heure plus tard, une boîte de conserve à la main contenant un peu d'eau fraîche. Je compris qu'il avait dû marcher pendant tout ce temps sous un soleil brûlant pour m'apporter un peu de fraîcheur et de réconfort. C'était le même geste que celui du quai

de Rive-Neuve à Marseille avec le chocolat et les croissants.
C'était la même cathédrale, un acte simple d'amour gratuit où
Dieu est tout entier présent. Je n'avais pas vu le visage de
l'inconnue qui me visitait en enfer, je voyais le visage du moine,
avec ces yeux qui me donnaient le vertige plus que les précipices
qui nous entouraient — deux échardes d'eau et de lumière dans
l'opacité du temps, deux éclairs mais sans la foudre, un miroir où
on se découvre beau depuis toujours. Je ne crains pas le Jugement
dernier, je sais que nous serons jugés par un regard d'enfant...

Quand je me replace aujourd'hui devant ce terrible regard
innocent, comment pourrais-je encore garder des illusions sur
moi-même, et, en même temps, je ne peux plus désespérer.
Quand on a été regardé ainsi, on ne se sent plus à l'abri de
l'Amour, quelle que soit l'épaisseur de nos masques.

Comme je demandais à l'ermite si je pouvais rester la nuit dans
son ermitage, il me fit signe que non. En effet, il n'y avait pas là
place pour deux. Étant donné les difficultés du chemin, cela devait
faire longtemps qu'il n'avait pas vu de visiteur. De quoi pouvait-il
bien se nourrir, comment supportait-il une telle solitude, un tel
inconfort ? Il y a vraiment des êtres dont l'existence et la paix ne
peuvent s'expliquer sans l'existence et la paix que doit être Dieu.
Si je n'avais pas rencontré de tels êtres je ne pourrais pas croire
qu'ils existent.

Je redescendis d'un pas allégé à la recherche d'un monastère où
passer la nuit. J'en trouvai un que je préfère ne pas nommer, en
assez mauvais état. Les attitudes négligées des moines durant
l'office auraient pu me choquer, ou tout au moins me sembler
médiocres, après cette rencontre d'un ermite dont on pouvait
ressentir « physiquement » la qualité et la noblesse. Mais justement je ne jugeais pas, me sentant incapable de la moindre
comparaison — « Ce qui est est ; ce qui n'est pas n'est pas ».
C'est cette attitude qui me permit de ne pas être scandalisé
lorsque, à peine endormi, je sentis le corps épais d'un moine à
mes côtés. Je le repoussai avec une force qui m'étonna. Il ne
revint pas à la charge ni ne tenta de se justifier, comme cela devait

malheureusement se produire dans d'autres monastères. Je me rendormis sans inquiétude. Tout était bien. L'Église n'était pas seulement l'Église des saints, c'était aussi l'Église des pécheurs. Il y avait de la place pour tous, l'ascèse des uns compensant les faiblesses des autres.

Le regard de l'ermite avait mis en moi une telle espérance que je ne croyais plus à l'enfer éternel. Tous finiront bien un jour à accepter l'Amour de Dieu. Accabler d'un châtiment infini ces pauvres libertés dont on éprouve à chaque instant la finitude aurait quelque chose de disproportionné et de métaphysiquement impossible : il ne sort pas d'effet infini d'une cause limitée. J'appris également qu'à l'Athos tous n'avaient pas eu « la vocation ». Certains, de famille pauvre, avaient été laissés par leurs parents au service d'un monastère. Ils étaient devenus moines par nécessité ou par habitude. De temps en temps l'animal en eux se réveillait, peut-être aussi une soif inassouvie de tendresse. Peut-être par ce geste évitait-il un mal plus grave, un plus profond désespoir ?

En tout cas je me sens mal placé pour juger. Un vieux moine me dira par la suite que « ce n'est pas le péché le plus grave ».

— Ce n'est rien à côté de l'orgueil ou d'une certaine façon de juger ses frères. Cela ne nous coupe pas de Dieu, cela ne nous sépare pas de l'amour. Dans certains cas, cela nous maintient même dans l'humilité au cas où nous nous prendrions pour des anges. Mais c'est le péché le plus " enténébrant ", il en sort de la tristesse et un je-ne-sais-quoi de trouble et d'obsessionnel dans l'esprit, qui empêche d'obtenir l'*hesychia,* la paix du cœur.

Je ne m'attardai pas dans ce monastère et parcourus une assez longue distance pour arriver à Saint-Panteleimon — le Roussikon, comme disent les Grecs —, un grand monastère qui abritait avant la révolution d'Octobre de nombreux moines russes. A mon arrivée, la communauté m'apparut, malgré les efforts de l'higoumène, comme divisée en deux clans. Il y avait ceux d'avant la Révolution, les purs qui vénéraient le tsar comme un saint, et les nouveaux, que les anciens avaient tendance à considérer comme des espions soviétiques. C'est vrai que le comportement de ces derniers n'était pas toujours très « religieux » et j'eus à apprendre à mes dépens le sens du mot « moujik ».

Mais peu importe, les offices en slavon étaient beaux et je rencontrai là un vieux moine qui avait bien connu le starets Silouane. Il parlait le français et semblait, derrière ses apparences modestes, être un homme noble et cultivé. Comme je lui racontais ma vie et les expériences qui avaient précédé ma venue au mont Athos, il me dit :

— Je n'ai jamais vu quelqu'un d'aussi orgueilleux que toi. Demande à Dieu l'humilité, sinon tu es perdu. L'orgueil est la racine de tous les maux, il est surtout à la racine du désespoir. Tant que tu te prends pour quelque chose, tu es dans l'attente ; « on te doit » de la reconnaissance, tu n'es jamais en paix, jamais heureux. Si tu es humble, si tu sais que tu n'es rien, il n'y a plus de place pour l'inquiétude, tu es heureux.

Et il me raconta que le starets Silouane, un jour qu'il était tenté et « privé de louange » par toute sorte de démons, pria ainsi :

— Seigneur, tu vois que je tâche de prier avec un espoir pur, mais les démons m'en empêchent. Apprends-moi ce que je dois faire pour qu'ils ne me dérangent pas.

Une réponse lui vint des profondeurs de sa psyché :

— Les orgueilleux ont toujours à souffrir ainsi de la part des démons.

— Seigneur, dit Silouane, apprends-moi ce que je dois faire pour que mon âme devienne humble.

— Tiens ton esprit en enfer, lui dit Jésus, et ne désespère pas.

Quel étrange conseil !

Être en enfer, c'est être sans Dieu, sans Amour. Comme l'a bien dit Bernanos : « L'enfer c'est de ne pas aimer. »

Se tenir là, enfermé en soi-même, sans ouverture à l'autre, sans présence au Tout Autre. N'est-ce pas « s'asseoir à la table des pécheurs » comme le fit un peu à la même époque Thérèse de Lisieux ? Vivre dans le cœur et dans l'esprit les tourments de celui qui se révolte, qui dit non à l'amour, qui refuse Dieu et s'enferme dans son autosuffisance ? N'être qu'un ego, qu'un moi séparé de sa source, un individu contre tous les autres individus : incommunicabilité, mauvaise et douloureuse solitude de l'homme contemporain. Et dans cette situation de désespoir, ne pas désespérer, ne pas se laisser engouffrer par l'abîme, ne pas se suicider.

Silouane me devint tout à coup très proche et je compris que ces moines n'étaient, dans leur solitude, pas coupés du monde mais ils le rejoignaient par le dedans, dans leur propre cœur. Ils connaissaient la souffrance, le désespoir des hommes et des femmes dont la vie n'a pas de sens. Silouane m'avait rejoint dans cet orgueil, dans cet ego où je me tenais enfermé. Mystérieusement il m'avait peut-être communiqué de son humilité pour ne pas désespérer. S'il y a désespoir, c'est qu'il y a encore un « moi » qui désespère, qui se savoure dans la douleur et qui se prend trop au sérieux. Si je renonce à ce moi, je renonce du même coup au désespoir.

Être « en enfer » et « ne pas désespérer », c'est se tenir dans les limites du moi (les transgresser serait de l'orgueil), et garder ce moi vulnérable ouvert à la grâce.

Cette grâce que le starets Silouane demandait sans cesse pour tous les hommes et qui n'est autre que le don du Saint-Esprit :

« Seigneur miséricordieux, donne ta grâce à tous les peuples de la terre, afin qu'ils Te connaissent ; car, privé de ton Esprit saint, l'homme ne peut Te connaître et comprendre ton amour. Seigneur, envoie sur nous ton Esprit saint, car on ne te connaît Toi, et tout ce qui est à Toi, que par le Saint-Esprit que tu as donné au commencement à Adam, puis aux saints prophètes et ensuite aux chrétiens.

» Seigneur, fais connaître à tous les peuples ton amour et la douceur du Saint-Esprit, pour que les hommes oublient la douleur de la terre, qu'ils abandonnent tout mal et s'attachent à Toi avec amour et qu'ils puissent vivre en paix... Dans le Saint-Esprit on reconnaît le Seigneur, et le Saint-Esprit remplit l'homme tout entier : l'âme, l'intelligence, le corps. C'est ainsi que l'on connaît Dieu au ciel et sur la terre. »

Saint Séraphim de Sarov, qu'on vénérait beaucoup dans ce monastère, insistait lui aussi sur l'accueil et l'acquisition du Saint-

Esprit comme but de la vie chrétienne. Sans l'Esprit saint il n'y a pas de chrétien, pas d'Église ; des hommes vertueux peut-être, une institution humaine sans plus. C'est l'Esprit-Saint qui nous rend vivants d'une vie non mortelle et nous rend capables de connaître « Celui qui est ».

— C'est pourquoi, me dit le vieillard, quoi que tu fasses, demande toujours à l'Esprit-Saint de t'accompagner, c'est lui qui transforme tous les éléments de notre vie quotidienne en « corps et sang de Jésus-Christ » en présence du Ressuscité.

Comme je lui demandais comment être sûr que je sois bien dans l'Esprit saint, il me répondit :

— Si tu aimes tes ennemis, tu es dans l'Esprit saint.

Le démon ou simplement la science et les pouvoirs humains peuvent faire des miracles, guérir des malades, s'élever dans les airs, marcher ou rouler sur les eaux... Mais aimer est d'un autre ordre. Aimer ses amis, cela est encore possible — donnant donnant —, mais aimer ses ennemis, ça ce n'est pas naturel, c'est surnaturel, c'est gratuit, c'est la grâce : le Saint-Esprit. Dieu.

Quelques années plus tard, je retrouverai dans la bouche du père Sophrony, qui fut lui aussi disciple de Silouane, un écho de ces paroles :

Ma préoccupation, alors, était de savoir où était « la véritable Église du Christ ». J'avais rencontré des catholiques romains, des protestants et des orthodoxes affirmer, textes scripturaires ou textes de la tradition à l'appui : « C'est nous. »

— La véritable Église du Christ, me dit le père Sophrony, est là où on aime le plus ses ennemis...

Là où est l'Esprit saint là est l'Église... Paroles précieuses qui ne résolvent pas tous les problèmes dogmatiques, mais qui nous rappellent dans quelle attitude de cœur et d'esprit nous deviendrons capables de les résoudre.

Je restai encore plusieurs semaines au monastère Saint-Panteleimon. J'avais trouvé près du moulin en ruine une fourchette rouillée et je me disais qu'elle avait dû appartenir à Silouane. Mais, plus important, je me répétais les paroles du vieux starets, particulièrement ce chant étrange et naïf qu'il avait intitulé *Les Lamentations d'Adam.*

« Chassé du paradis, Adam souffrait dans son âme, et, dans sa douleur, il versait d'abondantes larmes. De même, toute âme qui a connu le Seigneur languit après lui et s'écrie : " Où es-tu, Seigneur ? où est-tu, ma lumière ? Pourquoi m'as-tu caché ton visage ? Depuis longtemps mon âme ne Te voit plus ; elle aspire à Toi et te cherche en pleurant. Où est mon Seigneur ?

» Pourquoi mon âme ne le voit plus ?

» Qu'est-ce qui l'empêche de vivre en moi ?

» Voilà : je n'ai pas l'humilité du Christ, ou l'amour des ennemis. " »

C'est au monastère Saint-Panteleimon que j'entendis parler pour la première fois d'un certain fol en Christ : le père Seraphin, qui allait devenir mon père spirituel et m'initier à la prière du cœur. Mais ce n'était pas encore l'heure de la rencontre, je continuais ma route passant non loin de son ermitage vers un monastère de zélotes, moines intégristes qui vivaient dans un respect total des plus anciennes traditions, refusant tout compromis avec « le siècle ». Ils vivaient selon l'ancien calendrier Julien, d'où leur nom de « vieux calendaristes ». Me voyant docile et intéressé par tout ce qu'ils m'apprenaient sur les Pères, les symboles, la tradition, ils voulurent me baptiser.

— Ensuite tu deviendras moine.

Je ne me sentais pas prêt.

— Ce sont les démons qui te retiennent, tu manques de ferveur, tu ne pleures pas assez tes péchés, me disait-on.

Je me confessais bien volontiers, mais pour le baptême j'avais quelques réticences. Entrer dans l'Église des vieux calendaristes n'allait-il pas me couper des autres Églises où j'avais rencontré de saints personnages ? Je n'arrivais pas à considérer, malgré ce qu'on me disait, le patriarche Athénagoras comme un « répugnant hérétique ». « Et même si c'est un traître, disais-je, encore tout échauffé des leçons de Silouane, nous devons prier pour lui et non le condamner. »

Un moine inquiet pour le salut de mon âme insista pour que je sois baptisé au plus vite. Au moment où nous étions au bord de la mer, il prit de l'eau, me la versa sur la tête en disant : « Au nom du Père, du Fils et du Saint-Esprit. »

— Maintenant, tu peux partir, me dit-il.

Le saura-t-il ? une dizaine d'années plus tard, lors de mon séjour aux États-Unis, le jour de Pâques dans l'Église russe hors frontières de Jordanville, je recevais de nouveau le baptême — l'Église russe hors frontières est en communion avec les vieux calendaristes. Le saura-t-il, cette âme ardente et un peu fanatique ? une vingtaine d'années plus tard, j'étais ordonné prêtre dans l'Église orthodoxe française, cette Église était alors en communion avec l'Église des vieux calendaristes, les « vrais chrétiens orthodoxes de Grèce »… On ne prononce pas en vain le nom de Dieu, même sur une tête rétive.

CHAPITRE VII

De l'abbaye de Saint-Maur
à la rue Brizeux

De retour en France, ma famille ne dut pas trouver évidentes les grâces que je venais de vivre à Istanbul et au mont Athos. On ne s'était pas inquiété outre mesure de ma longue absence : « Plutôt que d'être angoissés ou dans l'attente de ses nouvelles, mieux vaut penser à lui comme s'il était mort. » Cela avait bien failli arriver en effet et je comprends tout à fait cette attitude.

Il me fallait maintenant trouver du travail, mais trouver un travail qui me laisse suffisamment d'espace pour poursuivre ma quête intérieure, ce n'était pas évident. Je me rendis alors chez un ami qui restaurait, à côté de l'abbaye de Saint-Maur, une vieille maison et ce qui dut être des dépendances de l'abbaye. Gratter des poutres, remuer du ciment, c'est ce qui me convenait. Le soir, bien fatigué physiquement, je pouvais apprécier la beauté des lumières au bord de la Loire. Fleuve à mystère, ses douceurs apparentes cachent de dangereux sables mouvants. Non loin de Saint-Maur tout un groupe d'enfants y fut un jour englouti. Plusieurs fois, tandis que je m'y baignais, j'ai senti le terrifiant appel de ses tourbillons de vase...

J'appris auprès de Michel Pastore le métier de tisserand. Il était lui-même potier et nous vivions de notre artisanat. J'ai beaucoup apprécié cet apprentissage d'un métier où les mains, les pieds, le cœur et la tête travaillaient ensemble à la réalisation d'une œuvre sans autre prétention que celle d'une beauté utile. Ce n'était pas un tableau à encadrer dans un musée, mais un vêtement à porter le dimanche ou un jour de fête... Les plats ne s'accrochaient pas aux murs, ils servaient la table. La beauté était là pour éclairer le quotidien.

Mais, plus encore que tout cela, le tissage était pour moi une méditation, ce travail n'était pas séparé de la quête intérieure. René Guénon nous aidait à mieux comprendre le symbolisme de nos métiers et de nos actes :

« Il faut remarquer que la chaîne, formée de fils tendus sur le métier, représente l'élément immuable et principiel, tandis que les fils de la trame, passant entre ceux de la chaîne par le va-et-vient de la navette, représentent l'élément variable et contingent, c'est-à-dire les applications du principe à telles ou telles conditions particulières. D'autre part, si l'on considère un fil de la chaîne et un fil de la trame, on s'aperçoit que leur réunion forme la croix, dont ils sont respectivement la ligne verticale et la ligne horizontale. Tout point du tissu, étant ainsi le point de rencontre de deux fils perpendiculaires entre eux, est par là même le centre d'une telle croix...

» La manifestation d'un être dans un certain état d'existence est, comme tout événement quel qu'il soit, déterminée par la rencontre d'un fil de la chaîne avec un fil de la trame. Chaque fil de la chaîne est alors un être envisagé dans sa nature essentielle... Dans ce cas, le fil de la trame que ce fil de la chaîne rencontre en un certain point correspond à un état défini d'existence, et leur intersection détermine les relations de cet être quant à sa manifestation dans cet état avec le milieu cosmique dans lequel il se situe sous ce rapport. La nature individuelle d'un être humain, par exemple, est la résultante de la rencontre de ces deux fils. »

J'étais heureux de découvrir en tissant que j'étais moi-même tissé, que la croix structurait mon être et que le cœur de l'homme devait se tenir au point d'intersection de l'horizontal et du vertical, tenir ensemble l'immanence et la transcendance, l'humain et le divin.

C'est Henri Montaigu, un ami de Michel Pastore, qui nous avait fait connaître les œuvres de Guénon et de Schuon. Après ce que je venais de vivre au mont Athos, j'étais particulièrement attentif au sens donné au mot « tradition ». Il pensa me rassurer en me citant son auteur favori :

« Loin de n'être que la religion ou la tradition exotérique que l'on connaît actuellement sous ce nom, le christianisme à ses origines avait, tant par ses rites que par sa doctrine, un caractère essentiellement ésotérique, et par conséquent initiatique. On peut en trouver une confirmation dans le fait que la tradition islamique considère le christianisme primitif comme ayant été proprement une *tariqah*, c'est-à-dire en somme une voie initiatique, et non une *shariyah*, ou une législation d'ordre social et s'adressant à tous ; et cela est tellement vrai que, par la suite, on dut y suppléer par la constitution d'un droit " canonique ", qui ne fut en réalité qu'une adaptation de l'ancien droit romain, donc quelque chose qui vint entièrement du dehors, et non point un développement de ce qui était contenu tout d'abord dans le christianisme. »

Il m'apparaissait ainsi évident que l'Église orthodoxe avait gardé la vraie tradition chrétienne et que l'Église romaine avait succombé au droit canon. Je découvrirai plus tard que ce n'est pas si simple.

Henri Montaigu, qui a écrit depuis notre rencontre une vingtaine d'ouvrages, demeure malgré tout un inconnu. Jean Borella note qu'il appartient à la race des écrivains témoins ; témoins non de leur temps, mais d'un contretemps, dans cette lignée où s'illustrèrent Barbey d'Aurevilly, Villiers de L'Isle-Adam, Léon Bloy, Bernanos... Je le trouvais dur, avec ses jugements sans appel, Christ justicier auquel on aurait arraché l'œil de miséricorde. Cela me changeait de l'humilité et de l'amour des ennemis chers à Silouane, et pourtant il y avait, dans ses imprécations et dans ses analyses, des éclats de vérité que j'avais besoin d'entendre :

« L'impérialisme de la modernité n'est autre qu'une contre-culture, une contre-religion, et ne peut aboutir qu'à une catas-trophe : la situation est " humainement irréversible ". Tandis que le Moyen Âge se voulait une mise en forme de l'âme par l'esprit, un monde harmonisé par le haut dont les rythmes et les structures qualitatifs ne peuvent être compris des historiens

modernes (étrangers à tout ce qui dépasse le monde sensible), la
Renaissance, multiple, brouillonne, horizontale, tournée vers le
formel, a créé des ruptures dont l'aboutissant est un intérêt
croissant pour les choses de la terre et conduit au triomphe de la
technocratie concentrationnaire... C'est par la poésie que les
civilisations se construisent ; c'est par son absence qu'elles cessent
de briller. »

Ses polémiques contre l'Église romaine étaient fréquentes.

« Le mal vient de loin. En développant le criticisme analytique
et discursif hérité d'Aristote, le thomisme a fermé les portes à la
" spiritualité intellective directe " et préparé les voies au scien-
tisme. Cette Église n'a pas su saisir la perche tendue par Guénon
en vue de restaurer une intellectualité véritable : elle a préféré
recourir au réductionnisme ; et maintenant elle n'est plus qu'un
vaste château dont le propriétaire ruiné a renoncé à occuper les
chambres hautes, il a obturé les ouvertures. La patience du Christ
est le seul mystère réellement incompréhensible du christianisme. »

Pour moi c'était le seul mystère réellement évident, si le Christ
est l'incarnation de l'Amour... J'aurais aimé lui citer alors l'Épître
aux Corinthiens :

« Aspirez aux dons supérieurs... Quand j'aurais le don de
prophétie et que je reconnaîtrais tous les mystères et toute la
science... si je n'ai pas l'amour je ne suis rien. L'Amour est
patient... il excuse tout, croit tout, espère tout, supporte tout. »

« Tout », c'est sans doute trop pour l'homme. Seul celui qui
est un avec le Tout peut Tout supporter.

Je dois néanmoins être reconnaissant à Henri Montaigu de
m'avoir communiqué les œuvres de Guénon et d'exiger ainsi à
travers lui que ma foi devienne intelligente, et même plus
qu'intelligente : contemplative, comme le disait Nicolas de Cues
dans La Docte Ignorance :

« La foi nous entraîne dans sa simplicité... au-dessus de toute
raison et de tout entendement, dans le ciel de l'intelligibilité
absolument parfaite. »

Ce ciel de l'intelligibilité ne se révèle pas à une pratique religieuse seulement affective ou émotionnelle. Guénon et Schuon réveillaient en moi un certain goût pour la métaphysique et en rappelaient la nécessité. On devient ce qu'on aime, on devient aussi ce qu'on connaît... Je priais Dieu qu'en moi ne soient jamais séparés la connaissance et l'amour, et que mon intelligence et mon cœur, unis à l'unique logos, demeurent tournés vers « Lui qui est », vers « Lui qui aime ».

« Être homme c'est aimer. » J'en avais une petite expérience, je découvrais maintenant qu' « être homme c'est connaître ». Schuon me montrait ce qu'il y avait de divin dans cette connaissance.

« Toute la discussion sur la capacité ou l'incapacité de l'esprit humain de connaître Dieu se résout en ceci : notre intelligence ne peut connaître Dieu que par Dieu, c'est donc Dieu qui se connaît en nous ; la raison peut participer, instrumentalement et providentiellement, à cette connaissance dans la mesure où elle demeure unie à Dieu : elle peut participer à la Révélation d'une part et à l'intellection d'autre part, la première relevant de Dieu " au-dessus de nous ", et la seconde de Dieu " en nous ". Si on entend par " esprit humain " la raison coupée de l'intellection ou de la Révélation, celle-ci étant en principe nécessaire pour actualiser celle-là, il va de soi que cet esprit n'est capable ni de nous illuminer ni *a fortiori* de nous sauver. Pour le fidéiste, il n'y a que la Révélation qui soit " surnaturelle " : l'intellection, dont il ignore la nature et qu'il réduit à la logique, est pour lui " naturelle ". Pour le gnostique, au contraire, et la Révélation et l'intellection sont surnaturelles, étant donné que Dieu ou le Saint-Esprit opère dans l'une comme dans l'autre. »

Au milieu de ces hautes considérations venait parfois brouter Philomène. Je ne sais pas si elle trouva « l'homme et son devenir selon le *Védanta* » à son goût. Philomène était une chèvre très impertinente, il lui arrivait de monter sur la table où nous prenions nos repas, une belle et longue table de ferme face à la cheminée, et là elle récitait dans mon assiette le chapelet de ses crottes impeccables. La considération attentive de ces crottes éveilla en moi un étonnement — je n'ose pas dire une extase ou une intuition métaphysique — qui me donne encore aujourd'hui non seulement à sourire, mais aussi à penser, peut-être à adorer. Une crotte de chèvre, c'est « presque parfait ». La perfection dans un excrément... Si on s'attarde à contempler cela, on n'est pas loin du « nirvāna dans le samsara » qu'ont contemplé les bouddhas, l'infini dans le fini, le sans-forme dans la forme qu'évoquent les mystiques rhénans...

Les grands ascètes sont souvent assis sur une peau de chèvre (Marpa-Milarepa). Dans le Cantique des Cantiques, c'est un grand compliment de dire à sa bien-aimée qu'elle a une « peau de chèvre », car c'est de peau de chèvre qu'était revêtu le tabernacle. YHWH, en effet, s'était manifesté à Moïse au Sinaï au milieu des éclairs et du tonnerre. C'est en souvenir de cette manifestation que la couverture couvrant le tabernacle est tissée de poils de chèvre...

Comme la chèvre Amalthée qui fut la nourrice de Zeus, la chèvre Philomène déposa dans mon assiette des graines métaphysiques et guénoniennes qui encore aujourd'hui nourrissent mon esprit de sourire et de paix...

Quand on parle de la chèvre, on appelle le loup. Michel Pastore (!), toujours épris de symbolisme, me révéla que cet animal n'était pas le « grand méchant loup » dont on parle aux enfants d'une société décadente. Le loup, dans la tradition, est souvent lié à des divinités lumineuses, comme Apollon dit Lukogènes, « né du loup ». Zeus est parfois nommé Lukios, « à forme de loup ». Le mot grec désignant le loup, *lukos*, est très proche de *lyke*, « lumière ».

Un chant mortuaire roumain recommande :

> « *Paraîtra encore*
> *le loup devant toi.*
> *Prends-le pour ton frère*
> *car le loup connaît*
> *l'ordre des forêts*
> *Il te conduira*

par la route plane
vers un fils de roi,
vers le paradis. »

Gengis Khān prétendait descendre d'un loup bleu, la demeure de ce loup se trouve dans le ciel et la lumière... La foudre du ciel est un loup bleu, dit-on en Turquie, loup céleste d'une virilité de couteau qui pourfend la biche de la terre et l'ensemence pour qu'elle accouche de héros...

Le loup a la réputation de voir la nuit, de posséder un regard qui perce les ténèbres.

Michel acheva son tour du monde des symboles du loup avec le dieu des Gaulois, le dieu Loug, c'est-à-dire « lumière », mais qu'on peut rapprocher aussi du grec *logos!* La boucle était bouclée : Jean-Yves Leloup, la « lumière », le « logos »... De quoi rêver ! Mais si vous rêvez du loup, votre psychanalyste interprétera l'animal d'une tout autre façon...

Je répondis à mon ami par une phrase de Buffon, qui ne s'encombre guère de symbologie : « Le loup est nuisible de son vivant, inutile après sa mort. »

En tout cas voilà un animal dont il n'est pas si facile de porter le nom. Lumineux, ténébreux, l'ambivalence de sa réputation m'aidera sans doute à porter la mienne...

Tel était le climat de nos soirées à l'abbaye de Saint-Maur, où après une rude journée de travail nous aimions nous retrouver au coin du feu pour lire Henri Bosco ou nous interroger sur les grandes traditions du monde. C'est là sans doute que s'est éveillé en moi un certain esprit critique, une exigence de rigueur pour traiter des questions métaphysiques et une saine horreur du syncrétisme. Je ne renonçais pas pour autant au désir de synthèse — cette synthèse qui pour moi avait désormais le beau visage du Théandros, Dieu homme, Verbe incarné.

Je pense à ce propos à un texte de Guénon qui me sera utile par la suite :

« Il nous faut insister sur la différence capitale qui existe entre

" synthèse " et " syncrétisme ". Le syncrétisme consiste à rassembler du dehors des éléments plus ou moins disparates et qui, vus de cette façon, ne peuvent jamais être unifiés ; ce n'est en somme qu'une sorte d'éclectisme, avec tout ce que celui-ci comporte toujours de fragmentaire et d'incohérent. C'est là quelque chose de purement extérieur et superficiel ; les éléments pris de tous côtés et réunis ainsi artificiellement n'ont jamais que le caractère d'emprunts, incapables de s'intégrer effectivement dans une doctrine digne de ce nom.

» La synthèse, au contraire, s'effectue essentiellement du dedans ; nous voulons dire par là qu'elle consiste proprement à envisager les choses dans l'unité de leur principe même, à voir comment elles dérivent et dépendent de ce principe, et à les unir ainsi, ou plutôt à prendre conscience de leur union réelle, en vertu d'un lien tout intérieur, inhérent à ce qu'il y a de plus profond dans leur nature.

» Pour appliquer ceci à ce qui nous occupe présentement, on peut dire qu'il y aura syncrétisme toutes les fois qu'on se bornera à emprunter des éléments à différentes formes traditionnelles, pour les souder en quelque sorte extérieurement les uns aux autres, sans savoir qu'il n'y a au fond qu'une doctrine unique dont ces formes sont simplement autant d'expressions diverses, autant d'adaptations à des conditions mentales particulières, en relation avec des circonstances déterminées de temps et de lieux. Dans un pareil cas, rien de valable ne peut résulter de cet assemblage ; pour nous servir d'une comparaison facilement compréhensible, on n'aura, au lieu d'un ensemble organisé, qu'un informe amas de débris inutilisables, parce qu'il y manque ce qui pourrait leur donner une unité analogue à celle d'un être vivant ou d'un édifice harmonieux ; et c'est le propre du syncrétisme, en raison même de son extériorité, de ne pouvoir réaliser une telle unité.

» Par contre, il y aura synthèse quand on partira de l'unité même, et quand on ne la perdra jamais de vue à travers la multiplicité de ses manifestations, ce qui implique qu'on a atteint, en dehors et au-delà des formes, la conscience de la vérité principielle qui se revêt de celles-ci pour s'exprimer et se communiquer dans la mesure du possible. Dès lors, on pourra se servir de l'une ou de l'autre de ces formes suivant qu'il y aura avantage à le faire, exactement de la même façon que l'on peut, pour traduire une même pensée, employer des langages différents selon les circonstances, afin de se faire comprendre des divers interlocuteurs à qui l'on s'adresse[2]. »

C'est à Saint-Maur que je lus aussi pour la première fois Maître Eckhart. Ce fut un éblouissement. Je ne pouvais plus me séparer de ses *Traités et sermons*. Non seulement ils me semblaient récapituler les enseignements des Pères, Origène, Grégoire de Nysse et surtout Denys, mais ils me parlaient dans une langue qui m'était familière, comme pour confirmer et éclairer mes expériences les plus intimes.

« Je suis, cela signifie d'abord que Dieu est son Être-lui, que seul Dieu est, car toutes choses sont en Dieu et par lui ; hors de lui et sans lui, rien n'est en vérité, toutes les créatures sont relatives et pur néant par rapport à Dieu. C'est pourquoi ce qu'elles sont en vérité, elles le sont en Dieu, donc Dieu seul est, en vérité. Et ainsi le mot " Je suis " désigne l'Être-lui (*Isticheit*) de la vérité divine, car c'est l'attestation d'un " Il est ". C'est la preuve que seul " Il est "... " Je suis " veut dire qu'il n'existe pas de séparation entre Dieu et toutes choses, car Dieu est en toutes choses ; il leur est plus intime qu'elles ne le sont à elles-mêmes. »

Intimior intimo meo, disait déjà saint Augustin. Dans un langage plus abrupt, plus métaphysique que les Pères, Maître Eckhart rappelait la fin de la vie humaine comme possibilité de divinisation.

« Dieu doit absolument devenir moi, et moi absolument devenir Dieu, si totalement un que ce " lui " et que ce " moi " deviennent un " est " et opèrent éternellement une seule œuvre dans l'Être-lui. »

A ce « Je Suis », Eckhart donnait des appellations différentes, parfois contradictoires, ici « l'abîme de la Déité », là « l'Être », là « le fond » ou « le néant ». Ces appellations différentes pour nommer « l'innommable » me gardaient le cœur ouvert au

dialogue avec les grandes traditions de l'humanité, plus particulièrement avec Sankara et les maîtres zen, qui parlent plus
volontiers en termes négatifs de la Réalité ultime — « *Neti,
neti* », ce n'est pas cela, pas cela.

Saint Jean de la Croix, que j'allais bientôt découvrir, disait lui
aussi « *nada nada* », « rien, rien », rien de ce qu'on peut sentir,
rien de ce qu'on peut penser, « Celui qui est » demeure toujours
« l'au-delà de Tout » que priait Grégoire de Naziance.

C'est en lisant Maître Eckhart que naquit en moi le désir de
devenir dominicain. Je me sentais incapable de m'intéresser à
autre chose qu'à « ce je-ne-sais-quoi » de tout à fait secret au-
dessus de la première diffusion d'où sont issus l'intellect et la
volonté.

J'en oubliais même de manger, Philomène m'ennuyait, Guénon me semblait lourd, la Loire Loire, j'en perdais même le sens
de la Trinité :

« Quand l'homme se détourne de lui-même et de toutes choses
créées — autant tu agis ainsi, autant tu es uni et bienheureux en
l'étincelle dans l'âme qui ne touche jamais ni le temps ni l'espace.
Cette étincelle refuse toutes les créatures et ne veut que Dieu dans
sa nudité, tel qu'il est en lui-même. Ne lui suffit ni le Père, ni le
Fils, ni l'Esprit saint, ni les Trois Personnes dans la mesure où
chacune d'elles demeure dans sa particularité. Je dis en vérité qu'à
cette lumière ne suffit pas l'unicité de la nature divine en tant que
féconde.

» Je dirai davantage qui rendra un son plus étrange encore ; je
le dis en bonne vérité et en éternelle vérité et en perdurable
vérité : à cette même lumière ne suffit pas l'Être divin simple et
impassible qui ne donne ni ne reçoit ; elle veut savoir d'où vient
cet Être, elle veut pénétrer dans le Fond simple, dans le désert
silencieux où jamais distinction n'a jeté un regard, ni Père, ni Fils,
ni Esprit, ce plus intime où nul n'est chez soi. C'est là seulement
que cette lumière trouve satisfaction et, là, elle est plus intimement qu'elle n'est en elle-même, car ce Fond est un silence
simple, immobile en lui-même, et par cette immobilité toutes
choses sont mues. »

Mme Vailland, avec qui j'avais gardé un bon contact, m'indiqua alors l'adresse des pères dominicains, rue de Brizeux à Rennes, et le nom du père Laure, qu'elle jugeait remarquable. Après l'échange de quelque courrier et un mot du père dominicain : « Venez, il est évident que Dieu vous appelle. Ne résistez pas à sa grâce », je laissai là tout mon bien, l'abbaye de Saint-Maur, notre maison si joliment restaurée, la Loire, Philomène, Michel Pastore et une douce amie, bien décidé à ne jamais revenir et à me laisser « engouffrer dans l'abîme divin ».

Arrivé rue de Brizeux, je m'adaptai rapidement au rythme de la vie dominicaine. Malgré des odeurs de garçonnière, on y respirait un air d'intelligence, de liberté fraternelle et de prière.

Le père Laure ne ressemblait pas à Maître Eckhart tel que je l'avais rêvé, mais plutôt à l'un de ses inquisiteurs. La tête ronde et le nez pointu, quand il riait il montrait ses gencives et nous enveloppait d'une haleine grise qui sentait l'ail. Il faisait des plaisanteries comme seuls les ecclésiastiques peuvent en faire, avec des jeux de mots dont je n'ose pas me souvenir. Il était par ailleurs réputé pour sa doctrine, un « thomiste pur », me disait-on. Pour moi c'était un merveilleux homme du Moyen Âge, un paysan qui sait parler aux bêtes et aux anges, un chevalier prêt à se battre pour sa dame « Notre Dame » et pour son seigneur Christ, « Roi de l'univers ». Sous une enveloppe assez grossière il cachait un cœur d'enfant et l'intelligence vive et mesurée d'un sage.

Chaque matin, après la messe, il venait me rendre visite. Avec patience il répondait à mes questions qui visiblement l'étonnaient. Comment peut-on, à vingt ans, préférer ainsi la mystique de l'Un de Plotin, auquel il rattachait Maître Eckhart, à la saine philosophie d'Aristote, à ces enchaînements de causes et d'effets qui délivrent la raison de tous phantasmes et la lient de manière indéfectible à sa cause première, qui est cause de tout et cause de soi ? *causa sui*, murmurait-il. Je me souviens qu'il faillit s'étouffer lorsqu'un de ses confrères parisiens lui dit pendant la récréation, après le déjeuner : « Ton bon Dieu de Cause première, il n'a jamais fait bander personne. »

Ce franc-parler entre dominicains me ravissait, on avait le droit de penser différemment et de se le dire... Je ne savais pas encore les jalousies, les rivalités, les haines secrètes qui parfois pouvaient se tramer entre eux. Contrairement à ce qu'on pourrait croire, je suis très reconnaissant au père Laure de m'avoir fait connaître saint Thomas d'Aquin. Chaque jour je passais plusieurs heures dans la *Somme* ou dans le *Contra gentiles*. J'appréciais beaucoup la méthode de la somme théologique : poser les questions, les difficultés, les contradictions, avant de poser un argument d'autorité, puis chercher à comprendre. Si Dieu demeure au-delà de la raison, il n'est pas contre.

A côté de saint Thomas, je découvris saint Jean de la Croix, Thérèse d'Avila, un passage de sa *Vie* par elle-même me consola beaucoup :

« Des hommes peu instruits me disaient que Dieu n'est présent que par sa grâce, et je ne pouvais le croire, tant j'avais le sentiment qu'il était là lui-même. Je me trouvais donc assez en peine à ce sujet. Un grand théologien de l'ordre du glorieux patriarche Dominique me tira d'incertitude : il me dit que Dieu est véritablement présent et m'expliqua comment il se communique à nous. »

J'étais heureux de découvrir dans les œuvres de saint Thomas la réponse du théologien dominicain à Thérèse :

« Il ne faut pas croire que Dieu soit partout en se divisant dans l'espace, de telle sorte qu'une partie de sa substance soit ici et une autre ailleurs, mais il est tout entier partout car étant absolument simple il n'a point de parties... N'ayant pas d'étendue, il n'est point déterminé par la nécessité de sa nature à occuper un lieu quelconque, grand ou petit, comme s'il devait nécessairement être localisé quelque part, lui qui existait de toute éternité, lorsqu'il n'y avait encore aucun lieu. Mais grâce à l'infinité de sa puissance il atteint tout ce qui est localisé, étant la cause universelle de l'être. Ainsi il est tout entier partout où il se trouve, parce qu'il atteint toutes choses par sa force qui est très simple. »

« Tout entier partout », ces mots ne me faisaient pas seulement rêver mais adorer. Il m'arrivait de me mettre à genoux devant une fourmi ou un grain de sable, mais aussi de mieux comprendre la parole des Pères du désert : « Tu vois ton frère, tu vois ton Dieu. »

Saint Jean de la Croix complétait cet enseignement sur « Dieu tout entier partout » par « tout entier présent toujours ». Comme me le dira Gustave Thibon plus tard : La lumière est toujours là, ce sont nos yeux qui manquent à la lumière... « Lorsque l'âme aura achevé de se purifier et de se vider de toutes les formes et images saisissables, elle demeurera dans cette pure et simple lumière, se transformant en elle en état de perfection. En effet cette lumière n'est jamais absente de l'âme : ce qui fait obstacle à son infusion, ce sont les formes, les voiles des créatures qui enveloppent et embarrassent l'âme. Enlevez au contraire totalement ces empêchements et ces voiles... faites en sorte que l'âme soit établie dans la pure nudité et pauvreté d'esprit, aussitôt cette âme, devenue pure et simple, se transformerait en la pure et simple sagesse divine qui est le fils de Dieu, car alors le naturel étant absent de l'âme déjà livrée à l'amour le Divin. Il s'y répand aussitôt naturellement et surnaturellement. »

Si tout cela est vrai, pourquoi courir, que faut-il chercher ailleurs ? Tout existe par Lui, avec Lui, en Lui. Sans Lui : Rien.

« Indice de la possession du Tout : En cette nudité l'esprit trouve la quiétude et le repos ; comme en effet il ne convoite rien, rien ne le pousse, vers le haut, ni rien ne l'enfonce, vers le bas, parce qu'il est au centre de l'humilité. Car lorsqu'il convoite quelque chose, en cela même il se fatigue. »

Saint Jean de la Croix ne rejoint-il pas ici l'ataraxie des stoïciens, l'état sans désir des bouddhas, l'humilité de Silouane, la « pauvreté d'esprit » de Maître Eckhart et des béatitudes ? N'est-ce pas une expérience universelle que, dans l'infini de cet Espace, il n'y a pas lieu où planter son drapeau, la lumière se donne aux yeux de tous, elle n'est la propriété de personne ?

La fréquentation de saint Thomas et de saint Jean de la Croix ne me donnait guère envie de sortir de ma chambre. Le père Laure, en bon pédagogue, m'invitait à faire de la mystique à bicyclette et à pédaler énergiquement à l'intérieur du Tout. Il voulait aussi que je mange de la viande. « Ça t'empêchera de décoller », me disait-il.

Voulant me réconcilier avec ma famille, il arriva un jour avec un paquet d'archives. « Ton vrai nom c'est Jean-Yves Leloup de la Biliais, tu es apparenté avec madame de Sévigné, Descartes, Philippe II d'Espagne. » Il me montra des documents où on racontait comment, pendant la Révolution, on avait massacré ma famille et incendié nos châteaux... « Je comprends maintenant tes aspirations à la vie mystique, il y a des martyrs dans ta famille. » Toujours Aristote, la cause et l'effet (*karma* en sanscrit) !

J'osais à peine en parler à mes parents. Mais le père Laure insistait. Passionné de généalogie, il avait découvert que, dans sa famille, un certain Félicien Laure avait été au service d'un certain seigneur de la Biliais à Vallet... Aristote de nouveau, la loi de la cause et de l'effet, autrement dit le *karma :* tout cela expliquait bien pourquoi on avait l'impression, dès notre première entrevue, de nous connaître depuis si longtemps !

C'est vrai que notre amitié, malgré la différence d'âge, ne faisait que croître de jour en jour. Il était pour moi comme un père, j'étais pour lui comme un fils. Il m'emmenait parfois en « tournée » de prédications et de conférences. Je découvris alors une France pour moi inconnue, une « vieille France » encore barrésienne, fièrement catholique, assez peu évangélique, me sembla-t-il (n'est-ce pas Barrès qui a dit : « L'Évangile sans l'Église est un poison » ?). C'est toute une façon de se tenir à table, d'égrener son chapelet. C'est là que pour la première fois on m'appela « cher père ».

Toutes ces personnes ont sans doute aujourd'hui rejoint Mgr Lefebvre, à l'époque on se contentait de commenter les « effets néfastes du Concile ».

Le père Laure, par sa sensibilité, était sans doute proche de ce milieu, mais par sa doctrine et sa fidélité à Rome il s'en éloignait. Il m'apprit à discerner et à ne pas trop mélanger la religion et la politique, qu'elle soit de gauche ou de droite. Je me souviens d'une paroisse de Nantes où il prêchait le Carême. Le curé et le vicaire, ayant des opinions politiques différentes, ne partageaient plus la même table et ne pouvaient plus célébrer l'eucharistie ensemble. Deux Églises sous le même toit, qui se servaient du même Évangile pour se justifier et envoyer l'autre en enfer. Ayant voulu réconcilier les deux prêtres, le père Laure se retrouva l'ennemi des deux. Il lui fut difficile de célébrer dans la joie la victoire du Christ sur la bêtise, la violence et la mort. « Le Christ n'est-il pas ressuscité pour tous, l'amour n'est-il pas vivant et vainqueur dans le cœur de tous ? » me disait-il, les yeux pleins de larmes.

Ce saint homme dut également beaucoup souffrir lorsqu'il se sentit obligé de me dire que, dans la situation actuelle, je ne serais pas heureux chez les dominicains.

— Tu es venu frapper à notre porte, pensant trouver derrière elle des contemplatifs comme Maître Eckhart ou des saints comme Thomas, comme Jean de la Croix, ou comme « ton » Silouane... Qu'as-tu trouvé ? de bons historiens, des psychologues, des professeurs en sociologie, des gens bien... Tu as rencontré aussi un ou deux théologiens et quelques prédicateurs... L'ordre est actuellement divisé, déchiré même, on n'entre pas dans un ordre en décadence. (Visiblement ces mots lui faisaient mal.) Mais je dois être honnête devant toi et devant Dieu. Si tu veux être moine, hélas ! ce n'est plus chez nous qu'il faut chercher.

Et il me proposa de passer quelques mois pour réfléchir et prier chez des sœurs dominicaines au château de Beaufort, non loin de Dol-de-Bretagne. Le père Mellet, un de ses amis, était là et pourrait m'aider à cheminer spirituellement et à discerner quelle était ma vocation.

C'est ainsi qu'un beau jour d'octobre il me conduisit dans un château qui aurait pu être celui de Merlin l'Enchanteur ou de la fée Viviane. Là vivaient sobrement quelques femmes, leurs chants s'élevaient au milieu des arbres, non loin une cascade grégorienne, et plus haut le roucoulement d'une colombe qui a trouvé son nid.

CHAPITRE VIII

Du château de Beaufort
à la Grande Chartreuse

C'était mon premier contact avec des moniales. D'abord je les trouvai belles. La guimpe, ce torchon blanc qui leur entourait le visage, ne laissait pas voir les rides et le double menton, elles étaient sans âge, leurs yeux, quand ils n'étaient pas baissés, avaient des teintes de perles noires ou bleues. Ayant vécu au milieu de femmes qui se jalousaient et s'entre-déchiraient, particulièrement à la Maison de la presse à Angers, c'était pour moi une véritable preuve de l'existence de Dieu que des femmes puissent vivre ainsi en paix, amicalement, dans un espace aussi réduit, à longueur de vie.

Dans les jours qui suivirent mon arrivée, j'eus la chance d'assister à la « consécration d'une vierge ». La cérémonie m'apparut délicieusement ambiguë. Les cheveux coupés, le long voile blanc sur un visage d'ange, l'anneau que l'évêque lui glisse au doigt, *Sponsa Christi*, elle devenait « épouse du Christ ». Cela me semblait incroyable, fou, malsain. Pour qui se prend-elle ? « Épouse du Christ » ! Et pourtant je ne pouvais nier la réalité, j'avais devant moi la plus belle épousée, la plus rayonnante que j'aie jamais vue, c'était bien un jour de noces. A cet instant, ce sont les mariages auxquels j'avais assisté qui me semblaient ridicules. Je n'avais jamais vu un tel amour, une telle joie de se donner corps et âme pour toujours à son bien-aimé. Malgré mes réticences, j'étais bien obligée de reconnaître qu'un phantasme ne pourrait pas susciter une telle passion, ni surtout une telle fidélité, car cet amour la femme épousée avait à le vivre au quotidien, un quotidien austère, fait de discipline et de détails. Les noces ne faisaient que commencer. Il faudra bientôt nettoyer les planchers, cultiver la terre, cirer les bottes de l'Époux plus souvent que contempler Son visage.

Je lus alors dans les écrits de Béatrice de Nazareth :

« C'est une vie de grands labeurs que celle-ci où l'âme repousse toute consolation et n'admet nulle trêve en sa recherche. L'amour l'a appelée et conduite, lui a montré ses voies qu'elle a tenues fidèlement en de lourdes peines, en de pesants travaux, avec ardente langueur et puissants désirs, grande patience et grande impatience, dans les douceurs et les douleurs et maintes meurtris-sures, dans la quête et la prière, dans la disette et la possession, dans la montée et le suspens et la poursuite et l'étreinte, dans le besoin et l'inquiétude, dans l'angoisse et le souci, dans la fièvre mortelle, dans la foi pure et dans le doute aussi bien souvent.

» Joie ou douleur, elle est prête à tout porter ; morte ou vive, elle veut se livrer à l'amour, elle endure en son cœur d'immenses souffrances et c'est pour l'amour seul qu'elle veut gagner la Terre promise. Lorsqu'elle s'est bien éprouvée en tout ceci, la gloire est son unique refuge, car telle est par-dessus tout l'œuvre de l'amour : il veut l'union la plus étroite et l'état le plus haut, où l'âme se livre à l'union la plus intime. »

La Bien-Aimée ne cesse donc point de chercher l'amour, elle voudrait le connaître et en jouir toujours, mais c'est chose qui ne peut être en cet exil : elle veut donc migrer vers ce pays où elle a fondé sa demeure et fixé son cœur, où déjà elle repose avec l'amour, car elle le sait bien, c'est là que tout obstacle cessera et que l'Aimé tendrement l'embrassera. Elle y contemplera passion-nément ce qu'elle a si tendrement aimé ; elle possédera pour son salut éternel celui qu'elle a si fidèlement servi ; elle jouira en toute plénitude de celui que par l'amour elle a si souvent embrassé dans son âme.

Ainsi elle entrera dans la joie de Son Seigneur, comme le dit Saint Augustin :

« *Qui in te intrat, intrat in gaudium Domini sui...* , Celui qui entre en vous entre dans la joie de son Seigneur et n'aura plus de crainte, mais sera bienheureux dans le Bien souverain. »

Ce langage « nuptial » me gênait un peu, étant plus familier avec la « mystique de l'essence » de Maître Eckhart. Pourtant j'allais découvrir tout ce que Maître Eckhart devait à la fréquentation des béguines et des moniales. Il avait eu à traduire dans un langage plus métaphysique ce que ces femmes avaient vécu et exprimaient en termes psychologiques. Après tout, les métaphores de l'étreinte avec son désir, ses jouissances, valent bien les métaphores de la raison avec sa quête et ses substances. Comme le disait Thérèse, en « septième demeure », c'est le « merveilleux silence ».

La mère prieure, « dans le monde », avait été une artiste. L'affinement de sa sensibilité par les ascèses du cloître l'avait rendue voyante, elle me devinait de loin, je n'avais pas le temps d'ouvrir la bouche elle avait déjà répondu à mes questions, non pas tant par des mots que par un certain regard, et je m'émerveillais que dans la proximité de Dieu la femme devienne tellement femme, sans cesser d'être vierge, sans oublier d'être mère.

Les moniales ne volaient pas seulement dans les hauteurs, leur affection se manifestait dans la concrétude de ces repas que je prenais seul dans une cellule à l'écart, les pâtes et le fromage étaient toujours accompagnés d'une ou trois fleurs qui tenaient conversation à mon âme et me rappelaient la tendresse de mes sœurs. J'étais touché aussi par leur discrétion, le respect de mon cheminement — on ne force pas l'Amour, être appelé par le Christ c'est être appelé à la liberté. Un jour la mère prieure me fit passer un billet où était écrit un poème d'Hadewijch d'Anvers :

> « Que Dieu soit avec vous et vous donne
> Vraie connaissance des mœurs de l'Amour !
> Qu'il vous fasse éprouver ce que signifie
> la parole de l'Épouse du Cantique :
> " Je suis à mon Bien-Aimé et il est à moi. "
> Qui céderait comme il sied à l'Amour
> ferait de l'Amour parfaite conquête.

J'espère que ceci vous adviendra,
et bien que le temps nous dure,
remercions de toutes choses l'Amour!
Qui veut goûter cet amour véritable
dans la quête ou la découverte
ne doit suivre ni voie ni sentier.
Errant à la recherche de la victoire d'Amour,
par monts et par vaux, au-delà
des vaines consolations, des peines, des tourments,
hors des chemins de la pensée humaine,
le puissant cheval d'Amour l'emporte.
Car la raison ne peut comprendre
comment l'amour par l'Amour voit au fond
de l'Aimé,
et comme il vit libre en toute chose.
Ah! lorsque l'âme arrive
à cette liberté que donne l'Amour,
elle n'épargne ni vie ni mort,
elle veut l'Amour, elle ne veut rien de moins. »

Je me souviens d'une moniale disant à une de ses anciennes amies de collège :

— Toi tu aimes les hommes, moi j'aime l'Amour qui rend les hommes aimables.

L'amie en question partit furieuse du monastère et me demanda ce qu'un « mec » comme moi pouvait bien faire avec ces idiotes qui rêvent d'un amour fantasmatique, sans mains, sans épaules, qui n'existe pas....

— Vous êtes dans l'irréel...

Dois-je le dire ? je trouvais celle qui aimait l' « Amour qui n'existe pas » infiniment plus belle et surtout plus heureuse que celle qui aimait les « hommes qui existent ». L'accusation de vivre dans l'irréel ne me semblait pas juste, notre vie était rude. Je me levais à 6 heures le matin et, après l'office et un temps d'oraison, j'allais travailler à la ferme du château dans un petit élevage de porcs qui devait assurer aux sœurs le revenu nécessaire à leur subsistance. Mon travail consistait à déplacer des charges trop lourdes pour les sœurs. Principalement, je devais mettre le fumier produit par les porcs au pied des framboisiers.

Ce fut l'occasion d'une leçon de métaphysique concrète. Décidément, je restais l' « étudiant en scatologie » que la police arrêtait sur la Canebière. Dieu ne me parlait pas seulement par la bouche de ses saints et de ses saintes Écritures, il m'enseignait par les cornes de Philomène et par le groin des porcs. Je m'interrogeais alors sur l'âme « forme du corps » selon saint Thomas, quand je pris tout à coup conscience qu'entre le fumier que je déposais soigneusement au pied des framboisiers et cette armée de cochons tonitruants il n'y a pas de différence. De la matière, tout ça ! rien que de la matière ! Le fond de l'être est puant.

A ce moment précis de mes considérations, je fus attiré par un porcelet dont les grognements se faisaient inquiétants, je fus plus précisément attiré par la queue de ce porcelet, son tire-bouchon rose était en train de me narguer. Alors je compris : l'âme c'est ce qui informe, ce qui anime ce fumier, sans âme ce tire-bouchon ne resterait pas longtemps rose, il ne passerait pas son temps à me narguer.

Étrange vision, dans le même instant contempler le vivant et l'inanimé, saisir cette vie qui ne tient qu'à un souffle... je sentis en moi l'épaisseur infinie de mon âme.

Je me souviendrai de cette leçon lorsqu'à Moscou, passant devant un cimetière, un jeune philosophe soviétique me demanda :

— Où est l'âme dans tout ça ?

Je lui répondis :

— L'âme c'est la différence qu'il y a entre ce tas de poussière et vous qui êtes debout ici maintenant.

J'avoue même avoir eu une pensée « cochonne » faisant mémoire d'une certaine queue et de son tire-bouchon rose...

Mais la porcherie n'était pas mon seul lieu de spéculation. La forêt aussi était mon oratoire. Je comprends que saint Bernard ait dit qu'il avait appris autant des arbres que des hommes, le livre de la nature est aussi précieux que le livre des Écritures ou que le livre du cœur.

Le père Mellet me suivait dans mes études. Autant le père Laure était thomiste, autant lui était augustinien. Il avait d'ailleurs écrit un bon livre de vulgarisation sur *L'Itinéraire et l'idéal monastique de saint Augustin*. Lui aussi déplorait l'état de décadence de l'ordre dominicain actuel. Il faisait partie de cette génération qui, avec le père Paissac, le père Bernier, après mai 68, avait été balayée du couvent de l'Arbresle (couvent Le Corbusier près de Lyon), pour faire place à un courant plus soucieux des difficultés sociales de nos contemporains que de contemplation ou de rigueur métaphysique — à juste titre parfois... Maître Eckhart ne disait-il pas à celui qui est en extase de descendre de sa plus haute branche si un pauvre vient frapper à sa porte ? Dieu est au-delà de toute « Trinité suressentielle », il est aussi dans le bol de soupe qu'on donne à celui qui a faim. Comme le dit l'Évangile : « Il faut faire ceci sans omettre cela. »

Pour le père Mellet, il y avait un ordre à respecter, il fallait faire ceci (la contemplation) avant de faire cela (l'action). Il ne faisait qu'appliquer le but et la finalité de la vie dominicaine telle que la définit saint Thomas : *Contemplata aliis tradere*, qu'il traduisait par : « Contempler et partager avec les autres les fruits de sa contemplation ». Il précisait bien que, pour moi, l'heure n'était pas encore venue de passer à l'action et au partage.

— Partager quoi ? votre ignorance, votre immaturité, une subjectivité qui n'a pas encore été suffisamment purifiée par les grands textes de la Tradition afin que vous puissiez accéder à cette « subjectivité objective », qui n'est pas celle de votre petite expérience, mais celle de l'expérience de l'Église, de tous les saints qui nous ont précédés dans la foi ?

Il me conseilla vivement de faire miennes sans les séparer les prières du Philosophe et du Théologien selon saint Augustin :

« Dieu, par qui toutes les choses qui n'auraient pas " l'être " par elles-mêmes tendent à " l'être " ; Dieu, qui ne laisse pas périr les choses qui se détruisent réciproquement ; Dieu, qui a créé de rien ce monde dont tous les yeux sentent la souveraine beauté ; Dieu, qui n'est pas l'auteur du mal, et qui permet qu'il existe pour prévenir un plus grand mal ; Dieu qui, au petit nombre des esprits capables d'accéder à ce qui " est " réellement, décèle que le mal n'a aucune substance ; Dieu grâce à qui l'univers, même avec ses éléments fâcheux, est parfait tout de même ; Dieu, qui ne permet aucune dissonance, même au plus humble de cet univers, puisque le pire s'harmonise avec le meilleur ; Dieu, qu'aime tout ce qui, consciemment ou inconsciemment, peut aimer ; Dieu qui contient tout, mais qui ne reçoit de l'ignominie de la créature aucune ignominie, de sa malice aucun dommage, de ses erreurs aucune erreur ; Dieu qui n'a pas donné qu'aux cœurs purs de connaître le Vrai ; Dieu, Père de la Vérité, Père de la sagesse, Père de la vie véritable et suprême, Père du bonheur, Père du bon et du beau, Père de la lumière intelligible, Père de notre réveil et de notre illumination, Père du gage qui nous avertit de retourner à toi ; c'est toi que j'invoque, ô Dieu, source, principe, auteur de la vérité de tout ce qui est vrai ; Dieu Sagesse, principe, auteur de la sagesse de tout ce qui est sage ; Dieu, qui es la véritable, la suprême vie de tout ce qui vit véritablement et souverainement ; Dieu Béatitude, source, principe auteur du Bien et du Beau dans tout ce qui est bon et beau ; Dieu lumière intelligible... Sortir de toi c'est mourir, revenir à toi c'est revivre, habiter en toi c'est vivre... Dieu vers qui la foi nous pousse, vers qui l'espérance nous dresse, à qui la charité nous unit : Dieu par qui nous triomphons de l'ennemi, c'est à Toi que j'adresse ma prière. »

J'avoue que je ne pouvais pas dire cette prière du Philosophe sans distractions.

« Dieu, grâce à qui l'univers, même avec ses éléments fâcheux, est parfait tout de même »... Ce « tout de même » réveillait en moi le Candide de Voltaire. « Dieu qui ne reçoit de l'ignominie de la créature aucune ignominie » appelait en moi le quiétiste et me provoquait à « pécher fortement ». Luther avait bien lu saint Augustin !

Je continuais vite par la prière du Théologien, qui me semblait moins un catalogue des opinions d'Augustin sur ce que Dieu doit être et davantage un élan du cœur :

« Seigneur notre Dieu, Père, Fils et Saint-Esprit... je t'ai cherché et j'ai désiré voir des yeux de l'intelligence ce que j'ai cru ; j'ai beaucoup discuté et beaucoup travaillé, Seigneur mon Dieu, mon unique espérance, exauce-moi, pour que je ne cède pas à la fatigue en renonçant à te chercher, mais qu'au contraire je cherche toujours ardemment ton visage (Ps. 140,4). Donne-moi la force de te chercher, toi qui as permis qu'on te trouve, et qui as donné l'espérance de te trouver sans cesse davantage. Ma force et ma faiblesse sont en ta présence : soutiens l'une, guéris l'autre. En ta présence sont ma science et mon ignorance : là où tu m'as ouvert la porte, reçois-moi à l'entrée ; la porte que tu as fermée, ouvre-la à celui qui frappe ; que je me souvienne de toi, que je te comprenne, que je t'aime. Augmente en moi ces dons, jusqu'à mon entier renouvellement.

» Je sais qu'il est écrit : " Abondance de paroles ne va pas sans péché " (Prov. 10,19). Mais qu'il te plaise que je ne parle que pour prêcher ta parole et que pour dire tes louanges ; alors non seulement j'échapperai au péché, mais j'acquerrai de bons mérites, malgré le nombre de mes discours. Et en effet un homme devenu bienheureux par toi n'aurait point ordonné un péché à celui qui fut son vrai fils dans la foi, en lui écrivant : " Annonce la Parole ; prêche à temps et à contretemps. "

» Faut-il dire qu'il ne parlait pas beaucoup, celui qui non seulement à temps, mais aussi à contretemps, ne taisait pas ta Parole, Seigneur ? Mais ce n'était pas beaucoup, parce qu'il était nécessaire qu'il parlât autant. Délivre-moi, ô Dieu, de ce flot de paroles que je supporte intérieurement en mon âme misérable, qui se tient en Ta présence et qui se fie en Ta miséricorde. Car mes pensées ne se taisent pas, même si ma voix se tait. Encore si je n'avais pensé que celles qui te plaisent, je ne te prierais point de me délivrer de ce flot de paroles. Mais beaucoup de mes pensées sont, tu les connais, des pensées d'hommes, des pensées vaines (Ps. 93,11).

» Donne-moi de n'y pas consentir, de les réprouver du moins

quand elles me charment ; qu'en elles je ne sombre pas comme un dormeur. Il ne m'importe pas tellement que rien, dans mes actes, n'en découle ; mais que du moins, vis-à-vis d'elles, soient en sécurité ma pensée et ma conscience, grâce à Ton secours. Un sage en parlant de Toi dans son livre, qui a pour titre l'Ecclésiastique, a dit : " Nous multiplions les discours, et nous ne parvenons à rien ; l'abrégé de toutes les paroles, c'est Lui. "

» Lorsque nous serons parvenus à Toi cesseront tous ces discours en lesquels nous ne parvenons à rien ; tu demeureras seul pour être tout en tous (I Cor. 15,28) ; et sans fin nous proclamerons ton unique louange à l'unisson, devenus un seul en Toi. Seigneur, Dieu unique, Dieu Trinité, tout ce que j'ai dit en ton nom, dans ces livres, que les tiens le reconnaissent ; si quelque chose vient de moi, que Toi et les tiens me le pardonnent. Amen[3]. »

Saint Augustin, Maître Eckhart, l'exemple des moniales, mes souvenirs du mont Athos, les bavardages polémiques de certains dominicains de passage au monastère, tout semblait m'inviter à davantage de silence et de solitude. Le père Laure avait raison, la vie dominicaine était trop « mondaine ». J'étais fait pour être moine, mon existence à Beaufort n'était-elle pas celle d'un moine, travail manuel, participation aux offices, toujours en silence et en solitude, sauf durant les visites, de plus en plus rares, du père Mellet et de la mère prieure ? Je dormais à même le sol, je me levais la nuit pour prier, si les sœurs l'avaient accepté je me serais passé volontiers de manger, mais avec sagesse, elles tempéraient mon zèle juvénile et excessif.

Un jour, mère Marie Dominique me dit :
— Vous menez une vraie vie de chartreux !
Cela fut pour moi comme une confirmation, je venais en effet de méditer la lettre de saint Bruno à son ami Raoul de Verd et l'avais ressentie comme un appel à tout quitter de nouveau et à m'en aller plus « avant dans l'épaisseur »... au désert !

« Ce que la solitude et le silence du désert apportent d'utilité et de divine jouissance à ceux qui les aiment, ceux-là seuls le savent qui en ont fait l'expérience. Là en effet les hommes forts peuvent se recueillir autant qu'ils le désirent, demeurer en eux-mêmes, cultiver assidûment les germes des vertus et se nourrir avec bonheur des fruits du paradis. Là on s'efforce d'acquérir cet œil dont le clair regard blesse d'amour le divin Époux, et dont la pureté donne de voir Dieu. Là on s'adonne à un loisir bien rempli et l'on s'immobilise dans une action tranquille. Là Dieu donne à ses athlètes, pour le labeur du combat, la récompense désirée : une paix que le monde ignore et la joie dans l'Esprit saint... Qu'as-tu l'intention de faire, mon ami très cher ? Quoi donc, sinon croire aux conseils divins, croire à la vérité qui ne peut tromper ? car elle donne ce conseil à tous : " Venez à moi, vous tous qui peinez et ployez sous le fardeau, et moi je vous soulagerai. " »

Ce langage de saint Bruno était proche de celui des Pères du désert et des moines de l'Athos. Le but de la vie chrétienne c'était bien l'acquisition du Saint-Esprit et la connaissance de l'*hesychia*, de la paix béatitude, du repos en Dieu, et dans ce repos Dieu pouvait agir « pour le salut et la vie du monde ». Par ailleurs, étant donné la date de sa fondation (1084), la Grande Chartreuse m'apparaissait comme étant encore de l'Église indivise. La séparation de l'Église de Rome avec l'Église orthodoxe, inaugurée le 15 juillet 1054 par les excommunications réciproques du Pape et du Patriarche, ne devint en effet vraiment irréparable qu'en 1204, lorsque la quatrième croisade se rue sur Constantinople, profane les églises, brise les icônes et place une prostituée sur le trône patriarcal. D'un point de vue dogmatique, on pourrait faire dater cette séparation du concile de Lyon en 1274, où est confirmée la doctrine jugée hétérodoxe du *filioque* : « L'Esprit procède du Père et du Fils comme d'un seul principe », qui amoindrit au profit de l'unité d'essence (le « seul principe ») la mystérieuse antinomie trinitaire de l'unité et de la diversité, révélation et racine du mystère de la personne et de l'amour.

Il est intéressant de noter que, quelques jours avant sa mort, saint Bruno propose à ses frères une confession de foi qui reprend mot pour mot un passage du symbole du concile de Tolède

(7 novembre 675), où la doctrine exposée est tout à fait en résonance avec la tradition orthodoxe :

« Sachant que l'heure était venue pour lui de passer de ce monde au Père, Bruno convoqua ses frères, passa en revue toutes les étapes de sa vie depuis son enfance, et rappela les événements remarquables de son temps. Puis il exposa sa foi en la Trinité dans un discours détaillé et profond... Je confesse et je crois la sainte et ineffable Trinité, Père, Fils et Saint-Esprit, un seul Dieu naturel, d'une seule substance, d'une seule nature, d'une seule majesté et puissance. Nous professons que le Père n'a pas été engendré ni créé, mais qu'Il est inengendré. Le Père lui-même ne tire son origine de personne ; de lui le Fils reçoit la croissance et le Saint-Esprit la procession. Il est donc source et origine de toute la Divinité. Et le Père, ineffable par essence, a engendré le Fils ineffablement de sa substance ; mais il n'a pas engendré autre chose que ce qu'il est lui-même ; Dieu a engendré Dieu, la lumière a engendré la lumière ; c'est donc de Lui que découle toute Paternité dans le ciel et sur la terre. Amen. »

J'étais heureux de découvrir en Occident ces signes d'une pérennité de l'Église indivise. Je pouvais entrer dans un ordre catholique romain sans renier la tradition chrétienne que m'avait révélée l'orthodoxie. Le père Laure approuva mon désir d'être chartreux ; il écrivit une lettre au prieur et, ayant reçu une réponse favorable, il décida de m'accompagner jusqu'à la Grande Chartreuse.

M'étant recommandé à leurs prières, je quittai les sœurs, non sans quelques regrets. Pour la première fois j'avais eu l'impression, malgré le respect farouche de nos solitudes, d'appartenir à une famille.

Au moment de partir, Marie Dominique me remit deux billets, où elle avait noté des extraits de Runsbroek et de Maître Eckhart, proches de l'expérience des béguines et des moniales qu'ils avaient connue. Elle avait ajouté aux textes cette petite phrase : « Il y a peu de frères qui savent ce que nous sommes. Ne nous oubliez pas là où nous sommes tous un seul Feu d'Amour. »

Je l'appris plus tard, le traducteur et le commentateur de ces textes, de ceux d'Hadewijch et de Béatrice de Nazareth, était un chartreux : Dom Jean Baptiste Porion.

« Les hommes intérieurs et contemplatifs doivent sortir selon le mode de la contemplation, au-dessus de la raison et de toute distinction : au-dessus de leur être créé dans un regard éternel, immobile, grâce à la lumière innée du Verbe, ils sont transformés et deviennent une seule chose avec cette lumière même par laquelle ils voient et ils contemplent. C'est ainsi que les voyants rejoignent leur image éternelle, d'après laquelle ils ont été créés, contemplant Dieu en toute chose sans distinction, en une vue simple dans la divine clarté. C'est la contemplation la plus noble et la plus utile qu'on puisse atteindre en cette vie. Car l'homme y demeure parfaitement maître de lui-même et libre ; et il peut croître en vie spirituelle à chaque retour amoureux qu'il accomplit, au-dessus de tout ce que l'homme peut entendre. Il demeure libre et maître de soi, à la fois dans l'intériorité et dans les verbes. Car ce regard fixé dans la lumière divine le tient au-dessus de tout exercice intérieur, au-dessus de toute vertu et de tout mérite ; c'est bien la couronne et la récompense à laquelle nous aspirons, que nous possédons dès maintenant de cette façon. Ainsi la vie contemplative est une vie céleste » (Runusbroek, *L'Ornement des noces*).

« Lorsque le détachement atteint le degré suprême, l'âme devient par perfection de connaissance sans connaissance, par pureté d'amour sans amour, et par excès de clarté, obscure. Là nous devons convenir de ce que dit un maître : bien heureux les pauvres d'esprit, qui ont laissé à Dieu toutes choses comme Il les avait en lui avant que nous fussions. C'est ce que nul en vérité ne peut réaliser, sinon un cœur purement détaché. Que Dieu se plaise davantage en un tel cœur qu'en tout autre, nous le voyons en ceci : à la question, que cherche Dieu en toute chose ? Lui-même répond dans le livre de la sagesse : en toute chose, j'ai cherché le repos » (Eckhart, *Von Abgescheidenheit*, Du détachement).

Ayant lu cela, j'allais prier un instant devant la croix de granit qui se trouvait à l'entrée du monastère, une croix bretonne un peu naïve où on pouvait voir en même temps représentées la mort et la résurrection. Le visage du Christ en croix souriait. C'est ce que le bon larron avait dû voir en cet homme de douleur pendu à ses côtés. Il y avait une puissance, un amour plus fort que la souffrance, l'absurde et la mort ; au fond de l'enfer il avait semé le sourire de l'Espérance. « Souviens-toi de moi, Seigneur, dans ton Royaume... Là où règne l'Amour subsiste l'Être que tes bourreaux n'ont pu détruire. »

Et je partis le cœur en paix vers la Grande Chartreuse.

Après une nuit passée dans l'hostellerie située à proximité, le père Laure me conduisit à la porte du monastère, sobrement nous nous sommes dit « A Dieu ». Je ne pensais plus jamais le revoir et j'espérais n'avoir jamais à sortir de ces murs qui m'accueillaient dans leur miséricorde. « Mon Dieu, ma citadelle et mon libérateur ! » Malheureusement je ne devais y rester qu'un peu moins de trois mois.

Le postulant, dès le premier jour, expérimente la même vie que les chartreux les plus anciens. Le même rythme des offices à dire en cellule, les mêmes repas, le même lever de nuit, et les offices en commun dans l'église.

Le père maître des novices venait me visiter chaque jour quelques minutes, comme pour prendre la température. Il s'appelait dom Laporte. Très âgé, mais droit et fort, je l'entendais la nuit couper du bois pour se réchauffer. C'est vrai qu'il faisait froid, et je passais beaucoup de temps à scier du bois en petites bûches pour qu'elles puissent entrer dans le poêle. La vie des chartreux m'étonna par son équilibre : travail manuel, étude (*lectio divina*), oraisons, offices, seul ou à l'église. Pas de fantaisie, horaire strict, temps d'oraison minuté. Cela me sembla difficile au début, mais je compris que pour tenir dans la solitude il fallait avoir ainsi une vie très structurée.

J'appris que beaucoup de chartreux avaient été polytechniciens ou ingénieurs, ce mode de vie devait convenir à leur caractère. Pour moi qui suis un peu bohème et dont la montre est un peu molle, je me demandais parfois si la règle en chartreuse n'avait pas remplacé le Saint-Esprit. En tout cas il y avait peu de place pour ses inspirations.

Dom Laporte me fit comprendre que le Saint-Esprit était dans l'amour que l'on mettait à suivre la règle... N'était-ce pas demander ainsi au Saint-Esprit d'obéir à la règle ? Mais je ne me posais pas de questions. On me disait que ma cellule était le paradis, j'étais donc au paradis. La lettre d'or de Guillaume de Saint-Thierry me confirmait dans cette impression :

« Qui d'entre vous ne possède pas la piété (l'adoration de l'amour) en son cœur, ne la manifeste pas dans sa vie, ne la cultive pas dans sa cellule, ce n'est pas " solitaire " mais " seul " qu'il faut l'appeler. La cellule pour lui n'est point cellule mais lieu de réclusion, mais prison. Il est en effet vraiment seul, lui qui n'a pas Dieu avec lui ! Vraiment prisonnier : lui qui n'est pas libre en Dieu ! Isolement, réclusion, noms de misère ! La cellule en aucun cas ne doit être réclusion forcée, mais séjour de paix ; la porte close n'est point cachette, mais retraite. Car qui a Dieu pour compagnon n'est jamais moins seul que quand il est seul. Alors il jouit librement de sa joie ; alors il est à lui-même pour jouir de Dieu en soi et de soi en Dieu. Alors encore, dans la lumière de la vérité, dans la sérénité d'un cœur sans tache, un mouvement spontané révèle à elle-même la conscience pure ; et librement se fond en soi la mémoire pleine de Dieu ; tantôt l'intellect s'illumine et le cœur jouit de son bien ; tantôt l'humaine fragilité pleure sans contrainte sur ses défaillances.

» C'est dans ces perspectives que, conformément à votre profession, habitant de cieux plutôt que de cellules, vous avez exclu de chez vous le monde entier pour tout entiers vous enfermer avec Dieu. Cellule et ciel, demeures parentes[4] ! »

La cellule était le ciel, c'était aussi une échelle, l'échelle du paradis. L'analogie de l'échelle ou de l'escalier pour signifier la montée intérieure de l'homme vers Dieu est ancienne. Guigues II le chartreux distingue quatre barreaux de cette échelle qui sont autant de degrés ascendants vers l'union à Dieu : la lecture, la méditation, l'oraison et la contemplation. Il reprend ainsi certains thèmes évoqués par Hugues de Saint-Victor qui enseignait que l'âme avait trois modes de vision : *cogito, meditatio, contemplatio.*

J'aimais ces distinctions qui m'apprenaient à mieux lire les Écritures. Il ne suffit pas de les « cogiter », de les scruter, de les analyser. C'est pourtant le point de départ : apprendre à lire. La *lectio,* puis méditer, passer de l'exégèse à l'herméneutique, casser l'écorce pour découvrir l'amande derrière les épaisseurs de la lettre, découvrir le sens, puis enfin contempler, devenir un avec ce que l'on a découvert, adorer ce qui demeure inconnaissable : cette pratique de l'échelle m'accompagnera lorsqu'il me sera demandé de traduire et d'interpréter l'Évangile de Jean et l'Évangile de Thomas.

Ken Wilber, dans sa quête d'un nouveau paradigme, reprendra ce thème des trois modes ou des trois yeux de la connaissance en élargissant les intuitions de Hugues de Saint-Victor, de Guigues le chartreux et de saint Bonaventure.

Actualité étonnante de ces grands textes traditionnels ! Mais je ne ferai le rapprochement que lors de mes recherches en psychologie transpersonnelle à New York. Pour le moment j'essayais de monter et de descendre cette échelle.

Un matin, Dom Laporte remarqua que j'avais mauvaise mine. Je dus lui avouer que je ne supportais pas les œufs. Ma vie et mes débauches d'adolescent avaient rendu mon foie particulièrement fragile, or les œufs constituaient la partie essentielle de nos repas. Par ailleurs le rythme de vie de la chartreuse, tout mesuré et équilibré qu'il soit, avait tendance à me déséquilibrer. Se coucher à 19 heures était pour moi très inhabituel, aussi ne dormais-je pas avant 23 heures, l'heure du lever de nuit. De 23 heures à 2 heures du matin, je vivais les plus beaux moments de mon séjour ; il y a une grâce particulière de silence et d'intercession durant ces prières nocturnes. A 2 heures du matin, j'avais du mal à m'endormir et le lever à 6 heures était particulièrement pénible. Deux heures de sommeil suffisaient au starets Silouane ; à moi, malgré mon désir, cela ne suffisait pas.

— Les chartreux dorment huit heures, me disait le père maître, deux fois quatre heures. Vous, vous dormez deux ou trois heures, donc vous n'êtes pas chartreux. Les chartreux mangent des œufs, vous, vous ne les supportez pas, donc vous ne supportez pas notre vie de chartreux. Par ailleurs, vous avez laissé mourir une pâquerette qui était au pied de la statue de Notre Dame, vous avez oublié de l'arroser, vous n'êtes pas réaliste, donc vous n'êtes pas chartreux.

Dom Laporte ne me disait pas cela brutalement, bien que son style fût dépouillé de toute nuance. Il cherchait honnêtement les « signes de Dieu ».

— Si Dieu ne vous donne pas une nature qui supporte notre genre de vie, c'est que vous n'avez pas la vocation. Ne vous inquiétez pas. Sur cent garçons qui se présentent, il en reste un. Dans votre cas je m'étonne, je pensais que vous aviez la vocation. Si Dieu ne vous donne pas la grâce de demeurer parmi nous, il vous donnera peut-être la grâce d'être contemplatif dans le monde. Si le Silence est le père de la Parole, chez tout bon dominicain il doit y avoir un chartreux qui veille...

Retour à l'envoyeur... Il me dit de préparer mon sac, je partirais le lendemain après la messe.

Ce fut brutal, quelque peu inhumain. J'aimais ce cloître, le côté rude des moines, à l'image des montagnes qui nous entouraient. J'aimais surtout ce silence qui résonne, blanc, épais et léger comme la neige. J'aimais cette solitude, cette chambre de noces avec l'Unique.

Je me retrouvai donc à la porte du monastère, avec mon sac, 100 francs en poche, ne sachant où aller. On ne voulait pas de moi chez les dominicains, ni chez les chartreux. Restait la route, que je connaissais bien, et Dieu, qui est partout présent. Après tout, c'est lui ma cellule, c'est « Lui qui Est », tout le reste n'est que formes transitoires, passagères, fumées autour du feu...

Pourtant, je descendais de la montagne le visage non pas rayonnant comme Moïse, mais comme un homme blessé, les paroles de saint Bruno à ses frères étaient comme du sel sur cette blessure :

« Réjouissez-vous donc, mes frères très chers, pour votre bienheureux sort et pour les largesses de la grâce divine répandue sur vous.

» Réjouissez-vous d'avoir échappé aux flots agités de ce monde, où se multiplient les périls et les naufrages.

» Réjouissez-vous d'avoir gagné le repos tranquille et la sécurité d'un port caché : beaucoup désirent s'y rendre, beaucoup font même un effort pour l'atteindre et n'y parviennent point. Beaucoup même, après en avoir joui, en ont été rejetés, parce qu'aucun d'eux n'en avait reçu la grâce d'en haut. Aussi, mes frères, tenez-le pour certain et prouvé : personne, après avoir joui d'un bien si désirable, ne vient de quelque manière à le perdre sans en éprouver un regret continuel, s'il prend à cœur le salut de son âme. »

CHAPITRE IX

De la Col-de-Pierre
au patriarcat de Pèc

Quand on vous a répété sans cesse que la vie contemplative et monastique est la seule vie bienheureuse et que le reste est misère, quand vous avez appris que votre cellule est le ciel et qu'effectivement certains jours votre cellule baignait dans une lumière bleue, quand vous avez goûté aux joies et à l'Amour de l'Être essentiel, on comprend que le « retour sur terre » soit difficile.

Saint Bruno avait raison de dire qu' « on ne s'en remet pas ». Si on ne devient pas fou, on est au moins malheureux et on ne peut qu'être inadapté à un monde qu'on a jugé une fois pour toutes comme « sans intérêt », sinon mauvais.

Je me souviens d'un ancien chartreux rencontré à la Sainte-Baume. Il s'était marié, il avait des enfants ; pour lui et pour sa famille c'était l'enfer, un sentiment de culpabilité qu'aucune psychanalyse n'avait réussi à déraciner.

— Je ne me sens pas coupable d'une faute commise, me disait-il. Je me sens coupable d'une chance que je n'ai pas su saisir, d'un bonheur que je n'ai pas su accueillir. J'ai été suffisamment touché par « cela », « ce je-ne-sais-quoi » que j'ignore et que je ne peux nommer. J'essaie d'aimer ma femme et mes enfants, mais mon cœur a déjà été donné, mon amour a un goût de cendres. Le feu, il est là-bas, dans ma cellule.

J'essayai de le consoler en lui disant que la mèche fumait encore, qu'il devait bien rester une braise sous la cendre... Il me regarda de ses grands yeux, deux trous noirs où pouvaient bien se résorber et disparaître toutes les étoiles et la beauté du monde, il ne mentait pas :

— Tu n'es pas resté assez longtemps, me dit-il, tu n'as pas été consumé.

La phrase du Christ à Silouane me revint alors à la mémoire :

« Garde ton esprit en enfer mais ne désespère pas. »

— Quel enfer ! me dit-il. Si j'avais au moins un lieu où désespérer ! Le néant, tu connais ? beaucoup plus bas que l'enfer...

Je vis que cet homme avait froid, qu'il était froid. Sa femme et ses enfants aussi avaient l'air gelés. Cette haleine du néant, ce froid dans le cœur, je l'ai senti en descendant de la Grande Chartreuse. Une indifférence à tout. On aurait pu m'écraser, me découper en petits morceaux, je suis sûr que je n'aurais rien senti. Plus profond que l'enfer, il y a ce néant où on ne sent même plus qu'on est en enfer.

Je trouvai néanmoins quelques consolations dans les propos de Qohelet :

« Vanité des vanités, dit Qohelet. Vanité des vanités, et tout est vanité ! Quel intérêt a l'homme à toute la peine qu'il prend sous le soleil... Tout est ennuyeux, ce qui fut cela sera ; ce qui s'est fait se refera et il n'y a rien de nouveau sous le soleil... C'est un mauvais métier que Dieu a donné aux hommes... et j'ai étudié avec soin la sagesse et le savoir, la sottise et la folie. Je comprends que cela même est poursuite du vent. Beaucoup de sagesse, beaucoup de chagrin... Et je me dis : tel est le sort du fou, tel sera le mien ; alors à quoi bon la sagesse ? et je me dis que cela aussi est vanité... »

Je remerciais Dieu d'avoir placé au cœur de la Bible, à côté du Cantique des Cantiques, une telle conscience de l'absurde, un tel revers à la grâce.

La lecture de l'Ecclésiaste eut sur moi un effet tonique, comme aujourd'hui la lecture de Cioran.

« Tout est superflu, le vide aurait suffi. Le progrès n'est rien d'autre qu'un élan vers le pire. »

Dire aussi bien l'absurde, c'est déjà être plus grand que lui, c'est en sourire.

Qohelet c'est le sourire de Dieu sur le mauvais tour qu'Il nous a fait en nous appelant du néant à l'existence... Je continuais ma lecture :

« Je comprends qu'il n'y a de bonheur pour l'homme que dans le plaisir et le bien-être durant sa vie. Quand on mange et boit, et se donne du bon temps dans son labeur, c'est un don de Dieu. »

Avec cette mauvaise manie de toujours vouloir « vérifier les Écritures » en les mettant en pratique, je décidai de me donner du « bon temps » puisque c'est un don de Dieu. L'Ecclésiaste ne disait-il pas : « Si l'on couche à deux la chaleur vient ; mais seul, comment avoir chaud. » Je décidai d'avoir chaud.

Malheureusement, j'avais de plus en plus froid, mes actes sonnaient faux, mon rire avait la gorge serrée, j'avais trop goûté à la Joie pour me distraire dans la gaieté. Qohelet n'invitait au plaisir que pour nous en faire sentir la vanité :

« Je me suis dit : je vais m'essayer au plaisir, regarde le bonheur : et c'est vanité. Du rire j'ai dit : absurde ! du plaisir : à quoi sert-il ? J'ai voulu livrer mon corps à l'ivresse, en gardant mon cœur à la sagesse ; j'ai voulu m'attacher à la folie pour voir le bonheur des hommes, et ce qu'ils font sous le ciel la vie durant... J'ai satisfait tous les désirs de mes yeux, je n'ai refusé aucun désir à mon cœur... Tout est vanité et poursuite de vent... »

Harassé, fatigué de rencontres sans lendemain, je me rendis à Cotignac en Provence, chez Jérôme Plat, un potier rencontré à l'abbaye de Saint-Maur, pour lui demander s'il connaissait un coin, une cabane où je puisse me retirer, puisque je ne trouvais de bonheur et de paix que dans la solitude. S'il voulait m'employer pour quelques travaux un jour par semaine, je gagnerais assez d'argent pour subvenir à mes besoins.

Il me trouva un cabanon à la lisière d'un bois, proche des vignes, la Col-de-Pierre, un endroit parfaitement tranquille.

J'allais chercher de l'eau au puits, je me nourrissais de pissenlits et je passais de longues heures immobile à l'ombre d'un mûrier.

Je repris la pratique du yoga que j'avais abandonné depuis mon retour de Bombay. Cela m'aidait beaucoup à supporter cette vie extrêmement sobre et solitaire. Je retrouvai un peu de stabilité mentale, et de nouveau le désir de Dieu se fit sentir, je me rendis plus souvent à la chapelle de Notre-Dame-de-Grâces, sur les hauteurs de Cotignac. C'est là qu'un matin après la messe j'entendis une voix me dire : « Tu seras prêtre. »

« Ça y est, ça recommence, pensai-je ! Ce qui a été sera. Eh bien, non ! » Je refusais de toutes mes forces, et je demandais à Dieu de me laisser tranquille, Il m'avait déjà appelé plusieurs fois pour me laisser ensuite ! Qu'Il m'apprenne plutôt à jouir tranquillement de la vie, et à être « heureux comme tout le monde » (comme si « tout le monde » était heureux !). Mais plus je résistais, plus mon malaise était grand. Je ne tenais plus en place, l'ombre du mûrier me cognait sur la tête, les pissenlits avaient goût de racine, les nuits étaient de nouveau sans sommeil.

Ne voulant pas « retourner en arrière » et frapper à la porte des dominicains, je décidai d'aller à l'institut Saint-Serge, rue de Crimée à Paris — c'est là que les futurs prêtres orthodoxes sont formés et se préparent au sacerdoce. J'aimais cette église, au premier étage, les icônes, les chants. Décidément je préférais le slavon au byzantin, je me sentais plus à l'aise chez les Russes que chez les Grecs. Je rencontrai là plusieurs prêtres orthodoxes remarquables, dont le père Bobrinskoy, qui ne sembla pas très pressé de me voir devenir prêtre. Un pope serbe, qui était aussi professeur à l'institut, me dit :

— Si tu veux être prêtre, il faut d'abord te marier, dans l'Église russe on n'ordonne que des hommes mariés.

Ce fut un choc, je n'avais aucune envie de me marier. Mêler l'amour humain et l'amour divin me semblait alors chose impossible, quasi un sacrilège. J'avais encore dans la tête ce que certains moines de l'Athos m'avaient dit à propos des femmes, et cette citation approximative de Lacordaire qu'aimait le père

Laure : « Quand on a rencontré le beau visage de Jésus-Christ, quel visage humain, quel visage de femme pourra jamais nous séduire ! » Je répondis au prêtre :

— Bien malheureux celui à qui Dieu seul ne suffit ! Quel rapport entre le sacerdoce et le mariage ? Pourquoi voulez-vous que je me marie pour être prêtre ?

— Parce qu'il en a toujours été ainsi dans l'Église de Dieu, me répondit-il, et il commença à me citer les Écritures et les Pères.

» Paul a écrit : " N'avons-nous pas le droit d'emmener avec nous une sœur comme le font les autres apôtres et Cephas ? " (I Cor. 9,5).

» Et le grand historien de l'Église ancienne, Eusèbe de Césarée, rapporte d'émouvants souvenirs concernant la femme de saint Pierre (l'*Histoire ecclésiastique,* livre III, ch. 30, les apôtres qui ont vécu dans le mariage).

» Dans la première épître à Tite : " Il convient que l'évêque, pour être irréprochable, soit l'homme d'une seule femme " (Tite 3,2), disposition toujours en vigueur dans l'Église orthodoxe où un veuf remarié (ou divorcé remarié) ne peut être ordonné.

» Plusieurs Pères de l'Église, saint Hilaire de Poitiers, saint Grégoire l'Illuminateur, saint Grégoire de Nysse, furent des évêques mariés.

» Au premier concile œcuménique, où un groupe d'évêques demandaient l'obligation du célibat ou du mariage blanc pour les prêtres, c'est un grand ascète d'Égypte, Paphnuce, qui fit prévaloir la tradition en rappelant que " le mariage et les relations conjugales sont par eux-mêmes saints et sans souillures, l'union nuptiale peut être chaste ".

» Un peu plus tard, toujours au IVe siècle, le concile de Gangres précise dans son Quatrième Canon :

» " Si quelqu'un estime qu'il ne doit pas participer au service divin célébré par un prêtre marié, qu'il soit anathème. "

» Au VIIe siècle, le concile *in Trullo* s'oppose nettement à la pratique occidentale déjà établie :

» " Dans l'Église romaine, ceux qui veulent recevoir le diaconat et la prêtrise promettent de n'avoir plus aucun commerce avec les femmes. Quant à nous, observateurs des prescriptions apostoliques, nous permettons la continuation de la vie conjugale... Le clerc qui, sous prétexte de religion, abandonne sa femme sera excommunié " (Treizième Canon).

Il ajouta quelques commentaires, assaisonnés de petite psychologie, pour me ramener au bon sens :

— Être prêtre et vivre dans le monde sans être marié est source de dangers pour les fidèles. Toutes les femmes esseulées projettent sur vous leurs fantasmes, et puis, à moins que vous ne soyez pervers ou homosexuel, il faut respecter la nature dans laquelle Dieu nous a créés : « homme et femme il nous a créés ».

Je ne lui laissai pas le temps de me faire l'exégèse de ce beau verset de la Genèse :

— Le Christ ne s'est pas marié, moi non plus je ne veux pas me marier.

Il me regarda avec bienveillance :

— Si vous ne voulez pas vous marier, alors ne cherchez plus à devenir prêtre, soyez moine. Les moines, eux, restent célibataires, mais ils ne doivent pas vivre dans le monde, leur place est au désert, où, corps et âme, ils se consacrent à la quête de Dieu. Si vous voulez être moine, votre place n'est pas là, allez plutôt à l'Athos, ou bien rendez visite à mon père spirituel, le père Popovitch. Profitez-en pendant qu'il vit encore, c'est un grand starets, il vit en Serbie dans un petit monastère de sœurs.

Il me présenta alors un jeune moine d'origine suisse, Basile Grolimund, qui désirait se rendre chez le père Justin le temps des vacances universitaires. Je demandai à ce dernier si je pouvais l'accompagner, il acquiesça.

Quelques jours plus tard, nous nous retrouvâmes (le moine n'ayant pas plus d'argent que moi) au bord de l'autoroute pour faire de l'auto-stop. Direction : Yougoslavie.

Le père Basile était en grande tenue monastique, habit noir à longues manches, chapeau, barbe, tout ce qu'il faut pour faire un moine, l'œil tourné vers le dedans, le chapelet à la main. Moi, à côté, avec mon pantalon en velours en ce début d'été, et ma chemise trop serrée, je devais avoir l'air un peu ridicule. On devait me prendre pour son « frère convers » ou pour un aventurier qu'il avait rencontré sur sa route, converti, et qui désormais marchait à sa suite. Les passants nous regardaient d'un œil amusé. Une voiture s'arrêta, deux jeunes hommes étaient dedans, tout frais sortis d'une grande école, ils venaient de passer leurs examens, avec succès, ils étaient heureux et partaient en vacances. Nous ayant demandé notre destination — « la Serbie » — ils furent un peu étonnés.

— Nous pouvons toujours vous mettre sur la route.

Puis, chemin faisant, l'un d'eux proposa :

— Et si nous allions avec vous ? Nous passons à Lille chez nos parents prendre les passeports, nos bagages et de l'argent, puis en route...

Le père Basile eut quelques larmes. — « C'est un miracle, ma prière a été exaucée ». Quant à moi, j'étais ravi d'avoir trouvé deux compagnons de route qui me paraissaient aussi aimables qu'intelligents, mais je n'étais pas sans inquiétude à les voir ainsi s'embarquer si rapidement, dans quelle aventure ?

Ce fut un beau voyage, à travers l'Allemagne, l'Autriche, avec un arrêt à Salzbourg, où il me fut donné de vivre une authentique expérience de ce que C. G. Jung et R. Otto appellent le « numineux ». Visitant la ville, j'entrai par hasard dans une église. Je fus pris dans un tourbillon d'encens, d'instruments à cordes, de voix célestes ; c'était une messe de Mozart... J'aimais beaucoup Mozart, j'avais écouté des disques, assisté à des concerts, mais cela n'avait rien à voir avec cette « vraie » messe, avec évêque mitré et les grands gestes solennels avec lesquels on célèbre les mystères.

Les voix changent lorsqu'elles prient, ce n'étaient pas des voix de concert, les chœurs priaient, et je découvrais dans la musique de Mozart une puissance d'émerveillement et d'adoration que je n'avais pas soupçonnée. Je n'étais pas en train d'enrichir ma culture, je célébrais un culte où la beauté élevait l'âme jusqu'à son plus haut silence. Dostoïevski disait que la beauté sauvera le monde. A cet instant je pouvais le croire. Si être sauvé, selon le étymologies hébraïques, c'est « être mis au large », cette messe de Mozart célébrée aujourd'hui dans une église de Salzbourg ouvrait l'espace. La terre ferme était prise dans la barque du vent...

Zagreb, Belgrade, le Danube ni bleu ni beau, et ces routes invraisemblables de Serbie où la voiture devait sans cesse ralentir pour se mettre au rythme des chars à bœufs. Nous visitâmes d'étonnants monastères, Ravanica, Studenica, Gracanica, avec des fresques de toute beauté, un sommet de la rencontre entre le hiératisme byzantin et l'humanisme occidental. Rien de mièvre et rien de dur, une forte douceur dans les formes, les visages et les couleurs... Peut-on parler d'un art évangélique ? Si on entend par là une alliance de grandeur et de simplicité, reflet de la majesté et de l'humilité du Dieu-Homme.

Nous arrivâmes enfin auprès du père Justin Popovitch. Il habitait un monastère de sœurs dans la montagne. Ce monastère avait été construit en cachette des autorités ; les gens du village venaient la nuit pour amener les briques, les pierres et le ciment dont les moniales auraient besoin pour construire pendant la journée leur monastère. Le père avait eu à souffrir de l'État communiste, il prophétisait l'effondrement de cet « empire du mal » dans vingt ans (nous étions alors en 1970).

Pour lui — je l'ai déjà signalé —, le communisme soviétique était un rejeton du catholicisme romain : même pouvoir central, mêmes méthodes diplomatiques, même hypocrisie (double langage), même discipline, même excommunication pour ceux qui ne partagent pas la foi commune, « tribunal du peuple » fonctionnant comme un tribunal d'Inquisition... Ses analyses historiques me semblaient un peu rapides, mais la force de sa conviction l'emportait. Je me mis moi aussi à prier pour la conversion du Pape et de ses fidèles. S'ils ne se convertissent pas, il faudra appeler sur eux un « juste châtiment » pour que le monde ne soit pas emporté par « les conséquences folles de leur orgueil et de leur misère ».

Le père Justin n'était pas seulement un redoutable polémiste, c'était un homme de prière et un théologien. Il avait enseigné au séminaire de Saint-Sabbas, Sremski Karlovci résonnait encore de son admiration pour la doctrine d'Isaac le Syrien :

« Ils voient Dieu ceux qui se sont purifiés et vivent continuellement dans le souvenir de Dieu. Le Royaume ne se trouve pas dans les œuvres des pensées, mais on ne peut le goûter que par la grâce ; tant que l'homme ne s'est pas purifié, il ne peut même pas en entendre parler car il n'a pas l'enseignement qui permette de l'acquérir ; seulement le permet la pureté du cœur. C'est à travers la pureté de la vie que Dieu donne des pensées pures. Des peines et de la garde du cœur découle la pureté des pensées, de celle-ci vient la lumière et par elle l'intelligence est menée là où les sens n'enseignent plus. »

Le père Justin Popovitch insistait beaucoup sur cette « connaissance par l'ascèse ». C'est par la purification de tout l'être et du comportement que l'on accède à la connaissance. Il se montrait en cela l'héritier des anciens qu'on appelait les « vrais philosophes » parce qu'ils ne se contentaient pas seulement de spéculer sur Dieu, mais se transformaient pour Lui. La gnose, pour eux, était le fruit de la *metanoïa*, de la conversion. Connaissance et éthique ne pouvaient être séparées. La justesse et la justice de nos actes confirment, mais aussi suscitent la justesse et la vérité de nos pensées. Qu'un philosophe ou un théologien vive dans la débauche ou tout simplement dans la médiocrité est absolument inconcevable dans ce contexte. Il n'y a pas d'orthodoxie sans orthopaxie. Pour Justin Popovitch, l'ortho-praxie, le comportement droit, l'attitude juste, était la condition plus encore que le critère de l'orthodoxie. C'est aux fruits qu'on reconnaît la vigne, c'est aux fruits que l'on connaît si le vin sera doux ou amer. Le vin de la vérité est sans amertume, il laisse dans le cœur un goût de Miséricorde :

« Le but du chrétien est la vie dans la Trinité... émerveillement dans la compréhension de ce qui est, de ce qui était, de ce qui sera... Le cœur se brise et se renouvelle. Il s'élève de connaissance en connaissance, il apprend, il est comblé de forces mystiques, jusqu'à ce qu'il atteigne les hauteurs de l'amour, s'unifie dans l'espérance et que la joie demeure au fond de lui. Ainsi l'intelligence purifiée devient miséricorde. »

Et qu'est-ce qu'un homme miséricordieux ? ajoute Isaac le Syrien :

« ... Un être qui aime toute la création, les hommes, les oiseaux, les serpents, toute créature. A leur souvenir, à leur vue, les larmes coulent de ses yeux... Il ne peut plus supporter, entendre ou voir le moindre mal, la moindre tristesse dans la création. Et pour les ennemis de la vérité, pour ceux qui le maltraitent, à toute heure il prie dans les larmes afin qu'ils soient pardonnés. En sa grande compassion, en son cœur à la ressemblance de Dieu, il prie pour tous... »

Tous les moines rencontrés en Serbie n'en étaient pas là et ne vivaient pas dans les « rigueurs ascétiques ouvertes à la grâce » du père Justin Popovitch. Ce qui me frappait, en comparaison des moines catholiques romains que j'avais rencontrés, c'était leur diversité, leur différence ! Vraiment ils ne sortaient pas du même moule, ce n'était pas une règle commune qui les façonnait, mais une écoute sans cesse renouvelée de l'Esprit saint, dont « on ne sait ni d'où il vient ni où il va ».

Était-ce le caractère slave, ou le climat continental avec ces brusques passages du chaud et du froid ? Je voyais des moines passer des renoncements les plus extrêmes (jeûne au pain et à l'eau) à des débauches d'eau-de-vie et de crème fraîche. Je me souviens de l'un d'eux, un archimandrite, qui m'avait emmené avec lui sur sa moto au patriarcat de Pèc, un lieu magnifique tant par l'architecture de ses églises que par le site.

C'était une grande fête, la Dormition de la Vierge. Plusieurs évêques étaient présents. La liturgie avait été longue ; heureux mais fatigués, nous nous retrouvâmes tous au réfectoire. Là, je vis mon archimandrite engloutir des quantités de nourriture et de boissons fermentées inimaginables. Il continua à boire et à manger tout l'après-midi.

Le soir il était complètement ivre. Il enfourcha pourtant sa moto et me fit signe de monter. Je lui fis part de mon intention de rester au patriarcat et je lui conseillai de faire de même. Nous pouvions partir le lendemain après une courte nuit de sommeil.

Il me menaça, si je ne rentrais pas avec lui, de me battre, et effectivement il leva son bâton. La peur mais aussi la pensée qu'en cas d'accident je pouvais lui être utile me poussèrent à accepter, et me voilà parti sur une moto dont le conducteur est ivre, en pleine nuit sur les routes incertaines de la Serbie. Depuis cette nuit, je pense savoir ce que veut dire « s'abandonner à Dieu ». Combien de fois avons-nous failli nous retrouver dans le fossé, rentrer dans un bœuf, écraser une poule ! Je promis à Dieu que, si nous nous en sortions, je prendrais cela comme un « signe de son désir de me voir lui appartenir pour toujours et de me mettre à son service ». Par quel miracle sommes-nous arrivés ?

Les trois nuits qui suivirent je continuais à prendre des virages...

Le lendemain, l'archimandrite vint me voir, les yeux rougis, me demandant pardon. Il avait pris la décision de jeûner pendant un mois au pain sec et à l'eau en pénitence. Basile Grolimund fit ce commentaire : « Si ces hommes pèchent fortement, ils savent aussi se repentir fortement. » A vrai dire, je trouvais que ces hommes ressemblaient à leur cuisine, des piments et du yaourt. « On devient ce qu'on mange », n'est-ce pas ?

Le père Basile Grolimund était quant à lui un orthodoxe suisse — c'est-à-dire du fromage et du yaourt. Notre entente devint précaire et, lorsque nos deux amis retournèrent en France avec lui, je décidai de rester et ensuite de continuer mon chemin vers la Grèce — Orhid, Bitola, Thessalonique... pour rejoindre le mont Athos. J'étais bien décidé cette fois à y rester et à y finir mes jours puisque désormais pour moi c'était clair. Ne pouvant plus être dominicain, ni chartreux, ni prêtre orthodoxe dans le monde, je pouvais peut-être devenir moine et prêtre de l'Agion Horos, la Sainte Montagne.

CHAPITRE X

Du Roussikon
au couvent de Toulouse

J'abordais ce deuxième séjour au mont Athos dans un état d'esprit différent du premier. Il ne s'agissait plus pour moi de découvrir le christianisme, le sens des symboles, la tradition des Pères. Il s'agissait de devenir moine et d'être initié à cet « art des arts » qu'est la prière du cœur. J'avais lu à ce sujet quelques livres, dont, bien sûr, les *Récits du pèlerin russe* et la *Petite Philocalie*, qui avaient été, avec *La Théologie mystique de l'Église d'Orient* de Wladimir Lossky, mes livres de chevet durant mes pérégrinations en Yougoslavie.

Les Athonites semblaient peu pressés de me voir rejoindre leurs rangs. « Tu es français, tu ne peux pas devenir un vrai orthodoxe. » Orthodoxe, pour eux, cela voulait aussi dire « grec ».

Par ailleurs, comme je parlais volontiers de mes séjours chez les dominicains et les chartreux, et qu'à leur grande surprise je ne vomissais pas sur « ces hérésies » — j'osais même imprudemment avouer avoir appris beaucoup de choses auprès d'eux —, cela leur paraissait suspect.

L'œcuménisme, au mont Athos, n'existe pas, ne peut pas exister : « Nous sommes dans la Vérité, pas d'attelage disparate ! Qu'avons-nous à apprendre des ténèbres ? Craignons plutôt de nous laisser séduire et contaminer par ces démons trompeurs. »

L'ignorance de certains moines concernant l'Église romaine me faisait frémir. Pour eux, le Sac de Constantinople, c'était hier. Le Pape leur apparaissait comme une réelle menace, avec ses espions, et je pouvais bien être l'un d'entre eux. Un jour on m'adressa la pire insulte qui soit pour un orthodoxe : « uniate » ! Vu de l'Athos, les uniates sont toujours des jésuites, déguisés hypocritement en orthodoxes (liturgie, clergé marié, port de barbe, etc.) pour séduire les chrétiens, de l'Est particulièrement, et les ramener dans le berceau de l'hérésie romaine.

A partir de cet instant, je ne fréquentai plus les Grecs, ce qui est difficile au mont Athos ! Je me réfugiai de nouveau du côté de Saint-Panteleimon et de temps en temps au monastère serbe de Chilandari.

C'est sur ce trajet du Roussikon à Chilandari que je rencontrai celui qui allait devenir mon père spirituel. Un « fol en Christ », c'est-à-dire un homme qui a renoncé à paraître sage aux yeux des hommes.

Le piège, en effet, quand on s'est engagé sur une voie spirituelle, c'est de se prendre au sérieux : ce qui avait pour fonction de nous faire aller au-delà de l'ego peut au contraire en venir à le flatter et à le mettre en état d'inflation — « Moi je jeûne ! Moi je prie ! *Moi je...* » Dans l'Évangile de Thomas, Jésus met en garde contre ces pratiques, bonnes en soi, mais qui peuvent devenir occasion de pharisaïsme, sinon de narcissisme spirituel : « Arrêtez le mensonge. Ce que vous n'aimez pas ne le faites pas ! » Dans les autres Évangiles, Jésus se montre encore plus violent contre ces pseudo-spirituels : « Vous nettoyez l'extérieur de la coupe, l'intérieur est rempli de rapines... sépulcres blanchis. »

Le père Séraphin passait pour un fou. Aux dires de certains, il l'était vraiment. Pour d'autres c'était ainsi qu'il cachait les dons que l'Esprit lui avait donnés, et ils le considéraient comme un vrai starets doté de discernement. Lorsque je lui parlai de mon désir d'apprendre à prier, de la prière du cœur, d'Évagre le Pontique que je venais de méditer, il commença à aboyer, de vrais aboiements de chien, puis il se mit à rire, comme devant quelqu'un qui vient de dire la pire des imbécillités. Comme je ne bronchais pas, il m'observa de haut en bas pendant une bonne dizaine de minutes.

On m'avait prévenu qu'il se livrait parfois à ce genre d'examen. Il regardait, paraît-il, jusqu'où le Saint-Esprit, la flamme de la Pentecôte, était descendu en vous, si elle était restée au-dehors, si elle vous avait éclairé l'intelligence, réchauffé le cœur, transfiguré le corps...

Il jugeait ainsi la sainteté de quelqu'un d'après son degré d'incarnation de l'Esprit. L'homme parfait, parfaitement docile aux inspirations du Souffle, c'était celui qui était entièrement habité par la présence du Saint-Esprit.

— Cela, me dira-t-il plus tard, je ne l'ai vu qu'une fois, chez le starets Silouane.

Le père Séraphin avait en effet connu Silouane, mais il ne se présentait pas comme son disciple. Lui, il n'était le disciple de personne, c'était un chien qui aboyait devant les hommes et les étoiles (les nuits de grande fête, on l'entendait hurler au loin comme s'il avait pour mission de réveiller les endormis).

J'attendais le diagnostic :

— Jusqu'au menton.

Cela ne me parut pas si mal, je craignais par-dessus tout que le Saint-Esprit ne soit resté au-dessus de ma tête, comme ces OVNIS, ces petites galettes qu'on voit dans les tableaux représentant le Christ et les saints depuis la Renaissance.

Je lui demandai de nouveau de m'aider à accueillir l'Esprit dans le cœur, dans les entrailles, jusqu'aux pieds, afin de devenir vraiment « à l'image et à la ressemblance de Dieu », comme Jésus l'avait été.

De nouveau il se mit à aboyer et partit en courant. Il avait dû remarquer, le temps de son examen, que je ne jouais pas, que j'étais malade et triste, et que, si j'avais sans doute renoncé à être prêtre ou à être moine, il y avait encore en moi un besoin de prière, une volonté de faire la volonté de Dieu, un désir de trouver auprès de lui quelque chose qui ressemble à la paix du cœur. Il revint, et me trouva à la même place, abruti de fatigue. Il me dit :

— Avant de parler de prière du cœur, apprends d'abord à méditer comme une montagne (et il me montra le sommet de l'Athos et un énorme rocher). Demande-lui comment il fait pour prier, puis viens me voir.

Ainsi commença mon initiation à la méthode d'oraison hésychaste, que j'ai racontée par ailleurs *.

Méditer comme une montagne, méditer comme un coquelicot, méditer comme l'océan, méditer comme un oiseau, je m'étonnais que le père Séraphin fasse ainsi appel aux « maîtres » que nous donne la nature. Dans son optique, il fallait récapituler tous les règnes de la création, minéral, végétal, animal, avant de prétendre être un homme et de prier comme Abraham.

Cette pédagogie encore aujourd'hui m'étonne. Dans la pratique habituelle de la prière chrétienne on a souvent fait l'économie de ces méthodes de contemplation naturelles, qui ont pour but de bien nous enraciner dans cet espace-temps et ensuite de nous ouvrir sans risque à ce qui le transcende de toute part. La grâce de Dieu, avant d'illuminer notre nature, doit d'abord la guérir.

A mon égard, le père Séraphim se conduisait comme un bon thérapeute, il me mettait dans les meilleures conditions pour me conduire au seuil de mon propre mystère. Par ailleurs, connaissant mes pérégrinations en Inde et mon intérêt pour le yoga, il voulait m'enseigner une pratique qui ne nie rien de ce que j'avais pu recevoir des traditions d'Orient, sans pour autant relativiser les données fondamentales de la tradition chrétienne. L'ensemble m'apparut comme une merveilleuse synergie du désir de l'homme et de la grâce de Dieu. L'effort qu'il me demandait n'avait pas pour but de provoquer la grâce, mais de m'y disposer naturellement. A quoi bon polir le marbre de la fontaine si ce n'est pour que la source s'y donne plus claire ? Il me citait souvent cette image : « Ce n'est pas parce que tu lèves les voiles que tu feras lever le vent, mais si tu as levé les voiles et que le vent souffle tu auras moins à ramer. »

---

* *Écrits sur l'hésychasme*, Albin Michel, 1990.

Le vent souffle souvent sur des embarcations sans voiles. L'invocation du Nom de Jésus était pour lui cette voile tendue qui rend accueillant à l'Esprit. Il m'enseigna l'importance du corps dans la prière : « La prière est un acte physique. Tu confonds la glose et la gnose. La gnose, la connaissance dans l'Esprit saint, touche aussi bien le corps que l'intelligence. Te soumettre humblement à une pratique d'assise régulière t'évitera bien des illusions. Ton corps a aussi quelque chose à te dire sur Dieu, toute créature a quelque chose à te dire de son Créateur, à moins que tu ne considères ton corps comme une créature du diable, alors tu risques fort en effet de devenir son esclave, tu connaîtras des pensées de haine et de mépris. »

C'est vrai que, pour moi, la difficulté n'était pas de sortir de mon corps, mais plutôt de m'y incarner, d'accepter ses limites et dans ces limites m'accorder ou m'ouvrir à l'infini. Le mystère de la finitude comme celui de l'extériorité des choses sont un profond mystère. Qu'est-ce que cette peau qui contient des abîmes ? Ces frémissements de la chair qui viennent parfois de nos plus profondes pensées ? Et ces larmes qui montent bien de nos corps et dont on ignore pourtant la source ? Qu'est-ce qui se passe, qu'est-ce qui se dit ainsi à travers nos humeurs ?

Les théologiens orthodoxes, particulièrement Paul Evdoki-mov, parlent volontier de la « sensation de Dieu ». Comment nos sens seraient-ils touchés par ce qui n'existe pas ?

Peut-on dire que Dieu nous touche comme seule la musique parfois peut nous toucher, d'où l'importance de la liturgie et de sa beauté ? Dieu ne se prouve pas, il s'éprouve, la musique n'explique rien, elle repose l'esprit et ouvre le cœur.

A ce propos, j'ai toujours été étonné de voir que Freud n'aimait pas la musique. Ne sentait-il pas là comme une menace ? la peur d'être touché par autre chose, d'avoir une sensation non pas « pure de toute libido », mais l'appelant ailleurs, plus loin ? Au-delà du principe de plaisir, peut-être y avait-il autre chose que la pulsion de mort ? un autre plaisir dont la musique et la liturgie sont de lointains ou de proches échos ?

Quand il n'aboyait pas, le père Séraphin chantait beaucoup. Je l'entendais psalmodier pendant des heures le Nom de Jésus, le *Kyrie eleison,* qui est le chant commun des moines de l'Athos, mais aussi des *Alléluias* au temps de Pâques. Sa psalmodie se faisait très subtile, non articulée, une seule note répétée inlassablement, comme s'il cherchait à s'accorder à un chant plus haut, celui des anges sans doute, qu'il m'est parfois arrivé d'entendre. Nous vivons vraiment dans un univers de sons : son de la sève. Chant de la pierre c'est aussi son nom, son accord unique au reste du monde.

— Quand tu as trouvé ta note juste, me disait-il, tout t'est accordé.

Au point où j'en étais, je remarquais seulement qu'après avoir chanté le Nom ou psalmodié, le silence venait plus facilement. Ce silence était vibrant comme l'approche d'une présence.

Le père accordait également beaucoup d'importance à l'écoute (plus qu'à la maîtrise) de la respiration. Il ne présentait pas cela comme une pratique psychosomatique propre à délivrer du stress et à calmer le mental, mais comme un authentique exercice spirituel.

— Prier, c'est respirer, me disait-il.

Je découvrirai plus tard, en traduisant l'Évangile de Jean, que Jésus demande à la Samaritaine de prier « en *pneumati* », qu'on traduit souvent par « en esprit », alors qu'il serait plus exact de dire : « dans le souffle », le *pneuma* grec étant la traduction de l'hébreu *rouah*, le vent, l'haleine de vie, le Souffle.

« Prier, c'est être attentif à ce qui respire dans la profondeur de notre souffle. Beaucoup de gens ont de très hautes idées sur Dieu, ils ne savent pas comment ils respirent. S'ils savaient, Dieu leur apparaîtrait beaucoup moins lointain ! Dieu est là dans tout ce qui vit et respire, il n'en demeure pas moins inconnu, mais c'est un inconnu tout proche dont on respire l'haleine dans le moindre de nos souffles.

» La conscience de ta respiration te fera sortir de tes rêves. Tu reviens au présent, tu reviens à la réalité, à ce qui te fait être en cet instant.

» Ta vie physique ne tient qu'à un souffle, ta vie spirituelle ne tient qu'à la conscience de ce souffle. »

Je me demandais intérieurement s'il n'y avait pas un peu de panthéisme dans ces paroles. Il continua :

« Ne fais pas de Dieu une chose même subtile que tu pourrais tenir entre tes poumons. Dieu n'est pas plus énergie qu'il n'est matière, mais c'est par lui que tout cela existe. La respiration consciente est une façon concrète de te tenir en Sa présence mais non de le posséder.

» Respirer avec quelqu'un, unir ton souffle au sien, ce n'est pas le consommer, c'est de nouveau t' « accorder » avec lui, entrer en résonance avec lui. La sensation profonde d'unité ne détruit pas pour autant vos différences puisque c'est à partir de vos différences que vous cherchez à communier. Ainsi en est-il entre ton souffle créé et le Souffle incréé du Père inengendré qui t'engendre sans cesse dans ce souffle comme Son fils.

» Le Fils procède du Père et de l'Esprit », ajoutait-il avec un sourire... mais sans vouloir entrer dans un débat théologique : pour lui respirer était une question de vie et de mort, non une question de théologie.

« A l'expir, pense à ton dernier souffle, là où tu iras après la mort ; tu y es déjà à la fin de ton expir. A l'inspir, pense à ton premier souffle, là où tu étais avant ta naissance ; tu y es encore à la source de ton inspir. »

Mais tout cela n'était que prolégomènes à une aventure plus profonde : l'éveil du cœur, avoir en soir « les mêmes sentiments que ceux qui étaient dans le Christ Jésus »...

Il me parlait rarement de Lui. Il avait cette pudeur qu'ont les grands amoureux, qui parlent rarement de l'objet de leur amour. On n'a pas de mots pour dire sa plus grande souffrance, on n'a pas de mots non plus pour dire sa plus grande joie.

« Prier comme Abraham, je peux comprendre, me disait-il. C'est la prière de l'homme au cœur éveillé qui intercède pour tous, mais prier comme Jésus, c'est l'Esprit saint qui peut le comprendre en nous, c'est la prière de l'Homme-Dieu, qui non seulement intercède pour le salut de tous, mais " réalise " ce salut... »

Prier, c'est aimer. Aimer comme le Christ, pouvons-nous seulement imaginer cela ?

Plus grande est la vérité qu'on a reçue en partage, plus grande doit être l'humilité pour la transmettre. Le père Séraphim me disait qu'il n'était pas assez humble pour m'en parler, il préférait aboyer, faire le fou, espérant ainsi arriver à l'oubli total de lui-même, à oublier même d'être humble !

Quand j'eus un peu avancé dans la pratique qu'il me conseillait, le père Séraphim vint me trouver.

— Maintenant ça suffit, me dit-il, tu vas te prendre pour un spirituel.

Et c'est vrai que je commençais à goûter les fruits de la prière, l'*hesychia*. Les expériences des Pères du désert ne me semblaient plus de l'histoire ancienne ou des anecdotes exotiques, le Saint-Esprit est bien le même hier et aujourd'hui.

— Maintenant, va ! Pars du mont Athos, ce n'est plus ta place, tu vas y devenir un bon-à-rien. Tu risques de transformer en idoles tes belles petites expériences intérieures. Va voir ce qui reste de tout ça dans la ville. Dieu a mis une parole dans ta bouche, alors parle. N'aie pas honte, n'aie pas peur. Moi je n'ai pas le droit de parler, je deviendrais trop orgueilleux, alors j'aboie. Toi, dans ce que tu diras certains trouveront une nourriture et une inspiration, d'autres y trouveront de quoi t'humilier, ça te gardera en équilibre.

Je lui dis que l'expérience de la prière ne m'avait pas enlevé le désir d'être moine et de devenir prêtre, et que je voulais rester au mont Athos.

— Ne veuille plus rien, ne demande plus rien, va. Sois attentif à ce que tu rencontres, à ce qui t'arrive, obéis à la réalité, c'est elle ton starets. N'oublie pas que tu as un cœur et que tu as un souffle. N'oublie pas qu'Il est vivant celui que tu invoques. Il t'enseignera toutes choses, va !

Je n'eus pas le temps de protester ni d'être triste, une force étrange me poussa hors de l'Athos. Je marchai pendant deux jours sans m'arrêter pour rejoindre Ouranopolis, par les terres et non par la mer comme à mon arrivée. Je ne rencontrai personne, pas un moine, pas un âne, même les oiseaux se taisaient. Huit jours plus tard j'arrivais à Paris.

C'était le temps de Noël, par quel « hasard » me retrouvai-je boulevard Blanqui devant l'église Saint-Irénée des catholiques orthodoxes de France ? J'entrai ; on y célébrait l'office. Le rythme était trop rapide et les voix trop aiguës à mon goût, néanmoins cela ne manquait pas de dignité et je pensais trouver là une réponse à une des questions que je m'étais posées au mont Athos : Peut-on être orthodoxe et français ? être en communion avec la foi des Pères sans cesser d'être de culture occidentale ?

L'Église fondée par Mgr Winnaert et par l'évêque Jean de Saint-Denis (Eugraph Kovaleski) me paraissait être un témoignage de cette possibilité. J'étais particulièrement sensible à ces paroles de l'évêque Jean qui venait de mourir :

« Pendant mille ans, les Églises de tout le bassin méditerranéen étaient unies dans la communion universelle de la chrétienté, Église indivise, unique famille d'Églises sœurs. Au IVe siècle, Hilène de Poitiers, côte à côte avec Athanase d'Alexandrie, défendait l'orthodoxie contre Libère, pape de Rome, qui chancelait vers l'hérésie. Au IVe siècle, Cassien de Marseille initiait les Gaules aux profondeurs de la vie monastique d'Orient. Au Ve siècle, Geneviève de Paris était acclamée de Syrie par Siméon le Stylite. Et ce n'est pas au catholicisme romain ni au catholicisme arien que Clovis s'est converti en 498 en conquérant la Gaule, mais au catholicisme orthodoxe de l'Église indivise, qui était la religion de ces Gallo-Romains qu'il avait vaincus. »

Je pensais avoir trouvé là l'Église que je cherchais, et on m'y reçut comme quelqu'un de la famille. Mais mon problème, justement, ou mon orgueil, était sans doute de ne vouloir dans ce domaine, comme dans les autres, n'appartenir à aucune famille. Les liens du sens, tout autant que les liens du sang, ne pouvaient être que des entraves. Sans famille, cela me donnait aussi l'illusion, plutôt que la liberté, d'appartenir à « toutes » les familles.

C'est dans cet esprit que je me rendis non loin du boulevard Blanqui, rue de la Glacière, au couvent des dominicains, dans l'espoir de rencontrer un ami du père Laure, le père Le Guillou, qui dirigeait alors le centre Istina, centre d'études œcuméniques. Lorsque je lui parlai, non sans quelque enthousiasme, de ma récente découverte de l'Eglise de France, il se mit à rire, puis il ajouta d'un ton sévère :

— Mon pauvre enfant, mais c'est une secte ! Promettez-moi de fuir au plus vite ces gens, sinon vous allez vous faire laver le cerveau, vous ne pourrez plus en sortir.

Comme je lui disais mon attachement à l'orthodoxie, il ajouta :

— Mais qui est orthodoxe aujourd'hui ? Qui traduit les textes des Pères ? (Il me parlait de la célèbre collection « Sources chrétiennes », publiée aux Éditions du Cerf.) Qui se montre le plus ouvert aux autres Églises ?... les catholiques romains, n'est-ce pas ! Fuyez ce mélange d'obscurantisme et d'illuminisme que représente cette Église de défroqués... Si vous êtes attaché à la vie monastique et à la liturgie orthodoxe, allez plutôt chez le père Placide Deseille à Aubazine, il vient de fonder un monastère, un petit peu comme celui de Chevetogne en Belgique. On peut y jouer les orthodoxes tout en restant attaché au Siège romain...

Et il me donna l'adresse du père Placide (celui-ci ne devait pas « jouer » longtemps aux orthodoxes. Quelques années plus tard, au grand scandale de tous, il se faisait, lui et sa communauté, « rebaptiser » au mont Athos, rompant ainsi tout lien avec l'Évêque de Rome).

Le ton d'autorité, plus que l'ironie, du père Le Guillou m'impressionna, je partis le jour même pour Aubazine, à la fois heureux de pouvoir retrouver en France la liturgie du mont Athos et attristé de quitter mes nouveaux amis, mais, surtout, fuyant ces polémiques absurdes entre chrétiens.

A Aubazine, le père Placide me conduisit dans ma cellule, une jolie maisonnette en bois au milieu de la forêt. Je devais y rester plusieurs mois. Le rythme de vie était en effet assez proche de celui du mont Athos, longs offices, liturgie matinale, beaucoup de travail manuel ! Je travaillais dur aux fondations de ce qui allait devenir l'hôtellerie du monastère et le père Jean Baptiste m'initiait au grand art de cultiver les pommes de terre. Le travail manuel me plaisait mais je m'épuisais vite. De nouveau, quelques troubles physiques se manifestèrent, et une immense fatigue.

Ce qui me gênait également, c'est le peu de temps accordé aux études, je prenais sur mon sommeil pour lire les Pères, particulièrement Maxime le Confesseur, qu'Alain Riou et Jean-Miguel Garrigues, deux jeunes dominicains d'Istina, m'avaient fait découvrir. Sous l'inspiration du père Scrima (un prêtre roumain proche du patriarche Athénagoras), ceux-ci étaient alors en train de rédiger leur thèse sur ce Père qui récapitule bien l'âge d'or de la patristique grecque jusqu'au VIIᵉ siècle.

C'est là également que je découvris Dom Henri Le Saux, ce moine bénédictin qui vécut en Inde et qui, avec Henri Monchanin, fonda un ashram visant à unifier la haute spiritualité de l'Inde à la tradition chrétienne. Les deux livres *Ermites de Saccidananda* et *Du Védanta à la Trinité* me marquèrent particulièrement. Je voyais là une possibilité d'œcuménisme élargi et en même temps exigeant, l'unité se faisant par les sommets, c'est-à-dire par la mystique :

« A qui propose l'enseignement du Christ, l'hindou répond souvent : " Qui es-tu pour témoigner du Christ, pour proposer valablement son engagement ? L'avez-vous compris ? Avez-vous réalisé vous-même l'expérience suprême ? Avez-vous eu part à l'expérience suprême du Christ, celle de son unité avec le Père, en absolue transcendance de toutes les contingences de temps et de lieu, de méthodes de doctrine ? Lorsque quelqu'un manifestera par sa vie, et d'une façon valable pour l'Inde, qu'il vit vraiment au-dedans, au lieu où, en Soi, le Père engendre son fils en l'unité de l'Esprit, alors il sera écouté, il sera vu, même quand il témoignera du Seigneur Jésus et de son œuvre unique en terre. Et quand il témoignera aussi que, par-delà l'ineffable expérience de l'Un, de l'Absolu…, il a dans le Christ ressenti son ineffable *generatio a patre*, sa mystérieuse filiation, la distinction finale non séparante. L'Inde ne prêtera jamais l'oreille qu'au chrétien qui, parlant du Père, et enseignant par là même à la fois la Trinité et l'Incarnation, donc l'Église, témoignera par sa vie que dans le Christ il a pénétré au sein du Père… »

Dom Le Saux, en résonance avec les grands textes de l'Inde, citait souvent Maître Eckhart, Tauler, les mystiques rhénans. De nouveau, j'étais replongé en « climat dominicain ». J'en parlai au père Placide ; celui-ci me trouva trop intellectuel.

— La vie monastique, me disait-il, c'est renoncer au monde. Renoncer au monde, c'est renoncer à ses questions.

Je ne demandais pas mieux, mais tous les grands textes des Pères de l'Église qu'il me demandait de méditer n'étaient-ils pas un long effort pour tenter de répondre aux questions posées par la rencontre de la culture grecque et de la culture biblique ? Saint Basile n'écrivait-il pas :

« Habitués à regarder le soleil sur les eaux, nous pourrons lever les yeux sur la lumière elle-même… La vie de l'arbre est de se charger de fruits à son heure, et pourtant les feuilles qui frémissent autour des rameaux ajoutent à leur beauté. Ainsi l'âme trouve son fruit par excellence dans la vertu même, à laquelle toutefois la sagesse humaine sans déplaire sert comme de manteau, c'est un feuillage qui entoure les fruits d'ombre et de beauté… C'est la voie par laquelle, dit-on, l'incomparable Moïse, dont la sagesse est réputée partout, s'étant d'abord formé chez les maîtres d'Égypte, s'éleva à la contemplation de Celui qui est. On rapporte également que plus tard le sage Daniel abordera les doctrines sacrées, une fois instruit dans la science des Chaldéens de Babylone. »

« Babylone » fit frémir le père Placide.

— N'est-ce pas un des noms de l'enfer ?… Tu étais sans doute davantage à ta place chez les dominicains que chez nous, ajouta-t-il. Tu manques d'humilité.

Le « hasard » voulut que le père Lassus, dominicain connu pour son goût des Pères du désert et des saints ascètes orthodoxes, passât par Aubazine. Je fus ainsi convié à Toulouse dans un couvent qui abritait un certain nombre de patrologues et de liturges capables de comprendre ma recherche.

CHAPITRE XI

Novice dominicain :
reliques, psychiatrie
et charismatiques...

Le couvent des dominicains, avenue Lacordaire, à Toulouse, est plutôt laid. Pour les moines qui vécurent dans l'architecture flamboyante du couvent royal de Saint-Maximin, le contraste dut être rude, mais on peut préférer, surtout en hiver, le gris du béton avec confort aux cellules moyenâgeuses avec courants d'air...

Le cloître ressemblait à un garage à vélos, tuyauterie et Plexiglas jaunâtre, déambulatoire où on demandait autrefois au temps de suspendre son vol. Là le prêcheur, après de longues marches carrées, retrouvait son centre. Dans ce pseudo-cloître, s'il y avait quelque chose à suspendre, ça ne pouvait être que du vieux linge, et malgré la vertu de quelques pères anciens qui s'obligeaient à y réciter le rosaire on ne pouvait y méditer que de mauvaises pensées. A noter que le cloître, qui se trouve normalement au cœur de la vie monastique, se trouvait ici à l'écart, près de la lingerie et des cuisines. On m'a assez répété par la suite que « les dominicains ne sont pas des moines » ! l'architecture était là pour le rappeler !

Mais tout cela n'avait pour moi que peu d'importance et ça me semblait largement compensé par la présence d'un grand atrium ouvert sur le parc, souvent inondé de lumière. Et puis je ne venais pas ici pour des briques ou de vieilles pierres, je cherchais des hommes vivants qui, malgré leurs faiblesses ou à cause d'elles, pouvaient me montrer le chemin de cette *theosis*, divinisation, que les Pères de l'Église reconnaissaient comme but de la vie chrétienne. Je voulais également devenir dominicain. En fin de compte, après toutes mes pérégrinations et mes séjours en chartreuse et à l'Athos, c'est leur mode de vie qui semblait le plus proche de mon caractère et de mes aspirations : contemplation, étude, témoignage...

Ce qui me manquait le plus, c'était le sens de la fraternité, si important chez les dominicains, élément essentiel de la vie évangélique. J'étais et je reste un solitaire, je fuyais les tables trop bruyantes, les conversations après le café et les invitations au cinéma.

— Le frère Leloup est un ours, disaient certains. Si on ne prononce pas le nom de Dieu ou le nom de Jésus dès la première phrase il faut renoncer à avoir une conversation avec lui. Non seulement il prend un air idiot, mais il vous fait vite comprendre que vos discours l'ennuient.

Je fuyais dans ma chambre, ou dans la chapelle, et là — faut-il l'avouer — j'étais heureux, terriblement heureux. Je n'avais rien contre mes frères, mais une certaine superficialité m'était intolérable. Plutôt que de faire grise mine, je préférais venir là, prier... Prier, je ne savais plus rien faire d'autre.

Un frère convers, André Cluzel — un « mélange de saint Jean de la Croix et de saint « Je-m'en-fous », d'après ses confrères —, eut un peu pitié de moi. Il me donna à lire *L'Errant chérubinique* d'Angelus Silésius, et m'apporta un jour en grande cérémonie des reliques de sainte Marie-Madeleine et de saint Maximin.

— Ça va t'aider, me dit-il, si tu dors avec Marie-Madeleine, elle ne te lâchera plus.

Je me souviendrais de ces paroles plus tard à la sainte Baume, et encore plus tard au monastère orthodoxe où je remis ces « cheveux qui ont touché le Christ ». Que sait-on de la puissance cachée de ces reliques ? Ou de la foi de ceux qui les prient ? Je viens d'apprendre que le monastère Saint-Michel, dans le Var, aurait de justesse échappé aux violents incendies qui ont ravagé les Maures. Lorsque l'évêque de ce monastère présenta le reliquaire face aux flammes, celles-ci, paraît-il, au grand étonnement de tous, changèrent de direction. Cela, en 1990 ! Je ne suis pas sûr que les dominicains de Toulouse, de la Sainte-Baume ou d'ailleurs soient prêts à croire à ce genre de miracle !

Le frère André Cluzel m'avait prévenu :

— Les reliques, ils ne savent pas ce que c'est. (Il ajouta une petite phrase que je devais ensuite entendre dans la bouche de Jacques Lacan à propos des théologiens :) Eux, ils n'ont pas besoin de croire en Dieu, ils en parlent...

Je me demande pourquoi ces vieux os chargés de mémoire m'accompagnent ainsi ! Sans doute ma difficulté à croire en l'Incarnation, à cette « chair » temple de l'Esprit, porteuse de lumière même au-delà de la mort ? Par quel concours de circonstances fus-je amené à découvrir dans les combles de la basilique Saint-Sernin à Toulouse les restes de saint Thomas d'Aquin... ? Ceux-ci furent par la suite transportés en grande pompe dans la magnifique église des Jacobins, lors de sa restauration. Au moment de la cérémonie, le maître général de l'ordre étant retardé, on me demanda de porter le crâne de saint Thomas, tandis que le père Albert de Monléon portait le corps... A l'occasion de l'authentification des reliques où œuvrèrent médecins, avocats, architectes et autres personnes compétentes, j'eus droit à un coton parsemé de peaux mortes et de poussière, que j'ai longtemps gardé avec moi, précieusement enveloppé dans mon plus beau mouchoir. Une femme bien intentionnée, estimant le mouchoir sale, le mit à laver avec le reste de mon linge. Ainsi disparurent les poussières du crâne de saint Thomas d'Aquin...

Si j'insiste sur ces anecdotes, c'est que j'y voyais des signes concrets de la présence et de la tendresse de Dieu à mon égard, signes sensibles dont j'avais certainement besoin, signes également que, si javais du mal à communiquer avec mes frères de la terre, ceux du ciel ne m'abandonnaient pas. Ce fut une époque vraiment « pleine de grâces ». Mais je restai sobre ; n'ayant pas de goût particulier pour les « manifestations extraordinaires », je préférais méditer la pensée de saint Thomas d'Aquin plutôt que d'avoir son crâne « angélique » entre les mains.

Cela faisait presque dix ans que le couvent n'avait pas reçu de novice, on subissait encore les effets de la « crise » de 1968. Bien que la tendance générale ne fût pas à la sécularisation, on sentait une certaine méfiance à l'égard de la mystique ou de ce qu'il pouvait y avoir d'exalté et d'enthousiaste à la naissance d'une vocation. Oubliant les avertissements du père Laure, je demandai officiellement à entrer dans l'Ordre. Avant d'être novice, il me fallait rester « postulant » pendant une année, où je travaillerais « au pair » dans le couvent. Ainsi, on pourrait m'observer et discerner si j'avais « la vocation ».

Ce fut une année merveilleuse. Je faisais la femme de ménage, nettoyant les chambres et les douches des pères les plus âgés, en profitant pour mettre le nez dans leur bibliothèque... C'est ainsi que je découvris dans la chambre du père Lavaud des textes « suspects » de madame Guyon : *Le Moyen Court* et sa correspondance avec Fénelon. J'y trouvai comme un écho de mon « état d'âme » :

« Il n'y a en moi nul penchant, nulle crainte, même naturelle ; mais tout demeure immobile et dans un équilibre achevé, sans que je puisse remarquer en moi la moindre tendance pour quoi que ce soit : une tranquillité parfaite qui ne vient point d'aucune certitude que j'ai de l'avenir, je n'en eus jamais moins : je n'ai ni doute ni certitude, je suis comme une chose oubliée et morte avec laquelle je n'ai plus rien à démêler. C'est à celui qui me possède à faire ce qu'il veut et comme il le veut sans que j'y puisse penser. »

N'était-ce pas une belle description de ce que les Pères du désert appellent l'hesychia ou encore l'apatheia ?

« L'abandon à la Providence divine » de celui que j'appelais « le marquis de Caussade » pour exorciser mes anciennes lectures m'aidait également beaucoup. Rien à craindre, rien à désirer, Dieu seul existait ! Je ne sortais pratiquement jamais du couvent. On m'aurait dit que le paradis était ailleurs, je n'y serais certainement pas allé...

Vint le temps du noviciat, où je revêtis l'habit blanc, l'habit de lumière des frères prêcheurs. Je partis en retraite à Prouilhe et à

Fanjeaux, et là je découvris avec ferveur et éblouissement un homme évangélique : saint Dominique. Celui-ci, à la différence de saint François, est mal connu, parfois même méconnu. Quand j'arrivai à Fanjeaux, je pensais à lui comme à un inquisiteur, grand persécuteur de cathares. Je devais comprendre assez rapidement qu'il n'en était rien.

Sa façon de vivre était celle des cathares, mais sans mépris à l'égard de la chair et du monde : « Dieu vit que cela était bon ». S'il n'idolâtrait rien de créé et usait sobrement des éléments du monde, contrairement aux cathares il ne pensait pas que les créatures étaient l'œuvre du diable ou d'un mauvais démiurge. Jamais il n'utilisa la violence pour défendre sa foi, il n'avait pas d'autre puissance qu'une Parole qui n'était pas même la sienne, la parole d'un Autre à laquelle il voulait conformer sa vie... un évangile, une bonne nouvelle pour dire que Dieu et l'homme ne sont pas séparés, que la matière et l'esprit sont appelés à des noces.

Saint Dominique mourut le jour de la Transfiguration, jour mémorial où Jésus manifeste dans Sa chair, comme autrefois le Buisson ardent, la présence de la lumière incréée.

Si saint François est souvent représenté porteur des stigmates de la Passion, saint Dominique, lui, est plutôt montré avec une étoile sur le front ou au cœur, comme transfiguré. Mais l'un comme l'autre, à une époque où l'Église devenait mondaine, revinrent à la pratique de l'Évangile, dans sa simplicité et dans son authenticité, comme en témoignent les Actes de Bologne :

« Pendant une famine qui désolait l'Espagne, Dominique, non content de donner aux pauvres tout ce qu'il avait, même ses vêtements, vendit encore ses livres annotés de sa main, pour leur en distribuer le prix, et, comme on s'étonnait qu'il se privât de moyens d'étudier, il prononça cette parole, la première de lui qui soit arrivée à la postérité : " Pourrais-je étudier sur des peaux mortes, quand il y a des hommes qui meurent de faim ? "

» Son exemple engagea les maîtres et les élèves de l'université à venir abondamment au secours des malheureux. »

Jean-René Bouchet, alors nommé maître des novices, m'apprit

à aimer saint Dominique. Il me faisait remarquer combien ce dernier était encore un homme de l'Église indivise et combien son comportement était « orthodoxe ». A côté de l'Évangile, il méditait toujours les Pères, particulièrement saint Jean Cassien :

« C'est Jourdain de Saxe, son fidèle compagnon, qui nous le rapporte : Dominique lisait sans cesse un livre qui a pour titre *Conférences des pères,* lequel traite à la fois des vices et de la perfection spirituelle, et il s'efforçait en le lisant de connaître et de suivre tous les sentiers du bien. Ce livre, avec le secours de la grâce, l'éleva à une difficile pureté de conscience, à une abondante lumière dans la contemplation, et à un degré de perfection fort grand. »

Mais ce qui me touchait le plus chez saint Dominique, c'était sa prière, la puissance de son intercession. Guillaume de Pierre, un de ceux qui l'ont particulièrement connu pendant les douze années de son apostolat en Languedoc, en parle ainsi :

« Je n'ai jamais vu un homme en qui la prière fût si habituelle, ni qui eût une si grande abondance de larmes. Quand il était en prière, il poussait des cris qu'on entendait au loin, et il disait à Dieu dans ses cris : Seigneur, ayez pitié de tous les hommes, que vont devenir les pécheurs ? Il passait ainsi les nuits sans sommeil, pleurant et gémissant pour les péchés des autres. »

Les moniales de Prouilhe m'aidaient à comprendre le réalisme de cette intercession, et il était intéressant de remarquer que saint Dominique a commencé à fonder l'ordre des prêcheurs par une communauté de femmes silencieuses et solitaires, avertissant ainsi ses frères que toute parole non enracinée dans un amour silencieux et priant risque fort de n'être « qu'airain qui sonne, cymbale retentissante ».

Je m'étonnai du mépris que pouvaient avoir certains frères à l'égard des moniales, alors que, dans la vocation originelle de l'ordre, hommes et femmes sont intimement liés. J'ai souvent dit aux sœurs que c'était leur prière qui me donnait la force de parler quand par goût j'avais plutôt envie de me taire. S'il m'est arrivé parfois d'être écouté et même entendu, je suis sûr que c'est grâce à leur intercession. Mais comment expliquer cela, cette complémentarité efficace ?

Les frères qui fréquentaient les moniales avaient un autre type de théologie, comme si nos idées changent quand on les prie. Je les trouvais moins idéologues, moins « rationalistes » et avec un grain d'humour quant à la « sublimerie » de certains de leurs discours.

Derrière le voile et la guimpe qui donnaient à ces femmes des visages sans âge, il m'a été donné de rencontrer des êtres de feu et de grande sérénité. Je pense à sœur Marie Thomas. Je l'entends encore me dire :

« Ne vous inquiétez pas... Dieu est jaloux. Il vous a aimé le premier, Il rendra votre cœur incapable d'aimer amoureusement un autre que lui. Il ne vous rendra pas incapable d'aimer les autres, au contraire, mais Il vous rendra incapable d'aimer de cette façon particulière par laquelle on se donne totalement à un être corps et âme... Ne vous inquiétez pas de ce que vous faites, par vous-même vous ne pouvez mettre que des obstacles entre vous et lui. Laissez-le. Donnez-Lui toute la place en vous, laissez-le *être...* »

J'écoutais sans broncher, elle pouvait me dire les paroles les plus dures, les plus « castratrices » avec une telle tendresse ! Je comprenais mieux ce passage de l'Évangile où il est question de la vigne : « Si on l'émonde c'est que qu'elle porte plus de fruit ! »

Bien sûr que je trouvais trop de plaisir en compagnie de ces femmes, bien sûr que je cherchais chez elles la mère, la sœur, l'épouse... et que j'étais comblé plus qu'on ne l'imagine, l'étreinte des âmes étant parfois beaucoup plus forte — j'allais dire plus « sensible » — que l'étreinte des corps. Les échanges spirituels sont de vrais échanges. Ces amours infiniment tendres et respectueux, s'ils ne sont pas recherchés pour eux-mêmes, loin de nous en éloigner ou de nous en distraire, dans la faiblesse et la grandeur de notre incarnation, ils nous rapprochent de Dieu.

A quelques pas du monastère vivait le père Rzewuski, descendant d'une des plus grandes familles polonaises, ayant fréquenté le tsar et toutes les têtes couronnées d'Europe. Il avait gardé de son passé d'artiste un grand amour de la beauté et son vicariat baroque, où je devais souvent résider, ne manquait pas de goût. C'est là que j'écrivis mes premières études sur les Pères de l'Église, et notamment un petit essai sur la grâce sacramentelle chez Thomas d'Aquin et Nicolas Cabasilas, qui fut pour nous l'occasion de longues heures de conversations théologiques. Dire que j'aimais cet homme serait peu dire, je comprenais mal l'ironie de certains frères à son égard. Aristocrate jusqu'au bout des ongles, il n'en était pas moins simple, et parfois d'une innocence presque enfantine. Je me souviens d'un soir où, venu de Toulouse en auto-stop, mouillé, crotté, je frappai à la porte du vicariat vers minuit. Il vint m'ouvrir dans son magnifique peignoir en soie, tout frais et parfumé comme un prince du temps jadis, il me conduisit dans son petit réfectoire pour me préparer une soupe digne de ses nourrices de Saint-Pétersbourg.

Il aimait Jean de la Croix, les béguines, Maître Eckhart ; je ne me souviens pas d'une seule conversation médiocre. Il rédigeait alors son beau livre *A travers l'invisible cristal,* et je reçus quelques confidences sur cette longue vie où, depuis sa rencontre avec « l'Être », il n'avait jamais douté. Il mourut à Venise dans cette ville qu'il aimait. M'étant rendu aussitôt à son chevet, je fus émerveillé par la délicatesse de Dieu qui respecte ainsi les hommes dans leur humanité, dans leur goût même de la grandeur ou de la simplicité et les laisse mourir là où ils ont aimé. Peu de temps avant sa mort, il me disait :

— J'ai tout reçu, j'ai tout perdu, j'ai tout retrouvé... Alors j'ai tout donné et de nouveau j'ai tout reçu... Le secret de ma vie : j'ai tiré à Dieu un chèque en blanc...

Je continuai en souriant :

— Moi aussi j'ai tiré un chèque en blanc. Je n'ai pas votre âge et pourtant je suis déjà à découvert.

Dieu demande parfois ce que nous n'avons pas, comme nous donnons nous aussi ce que nous n'avons pas... Je pense souvent au curé de campagne de Bernanos qui donnait aux autres la paix qu'il ne trouvait pas en lui. La paix c'est un Autre, heureusement! elle ne dépend pas de nos états psychiques. Elle est « ontologique » précisait le père Rzewuski.

Il me fut aussi donné de rencontrer à cette époque un homme également remarquable, dont j'avais déjà lu les livres mais que je croyais mort depuis longtemps : Jacques Maritain. Il vivait alors à Toulouse chez les Frères de Jésus, disciples de Charles de Foucault, qui habitaient de petites maisons en bois dans le jardin des dominicains. Celui qui se laissait regarder par Jacques Maritain en revenait lavé comme par une fontaine et nettoyé comme par un gant de crin. Cela m'est arrivé plusieurs fois. Tant d'amour et si peu de complaisance !

Je me souviens d'une de ses paroles :

— Mon petit, aie le cœur chaud mais garde l'esprit froid. Aujourd'hui la plupart des hommes ont le cœur froid et l'esprit chaud. Ils n'aiment pas, ils calculent ; ils ne pensent pas, ils se passionnent. Le cœur est fait pour aimer sans mesure, l'esprit est fait pour mesurer. Il ne s'agit pas d'avoir des idées bonnes ou généreuses, il s'agit d'avoir des idées justes. L'esprit nous a été donné pour discerner ce qui est et, à travers tout ce qui est, « l'Être qui est », et le cœur nous a été donné pour aimer ce qui est et, à travers ce qui est, « l'Être qui est ».

Paroles de métaphysicien, qui sait « distinguer pour mieux unir », dites avec une exigente tendresse que je n'oublierai pas. Je n'oublierai pas non plus ce temps d'oraison qu'il me fut donné de vivre auprès de lui. Teilhard de Chardin parle de la prière comme d'une « énergie considérable ». Cette énergie, je l'ai sentie presque « palpable » dans la chapelle des petits frères tandis que Jacques Maritain priait. Pour moi c'était presque insoutenable : je veux bien croire en Dieu et demeurer dans la nuit de la foi ; j'ai beaucoup plus de mal à supporter les moments où je ne peux pas nier son évidence.

Jacques Maritain rendait Dieu « évident » ! On comprend alors que s'il fascinait certains il en faisait fuir d'autres. Il m'étonna encore par une réflexion qu'il fit, alors que je lui parlais du sens de l'abjection liée au travail manuel chez Charles de Foucault. Il me dit :

— C'est une réaction d'aristocrate, l'abjection on ne la trouve pas plus dans le travail manuel que dans le travail intellectuel. Quant tu es à ta table de travail devant ta feuille blanche, tu dois autant renoncer à toi-même qu'en nettoyant les débordements d'un égout. Ta pauvreté essentielle tu la rencontreras face à ton écritoire comme tu la rencontreras face à la misère des taudis.

Parmi les dominicains, tous ne lui étaient pas favorables. Il appartenait pour eux à un temps révolu, avec un je-ne-sais-quoi d'élitiste dans ses rigueurs et ses exigences métaphysiques. On ne pouvait plus lire aussi facilement qu'autrefois ces pages des *Degrés du savoir* :

« La métaphysique exige une certaine purification de l'intelligence ; elle suppose aussi une certaine purification du vouloir, et qu'on a la force de s'attacher à ce qui ne sert pas, à la Vérité inutile. Rien cependant n'est plus nécessaire à l'homme que cette inutilité. Ce dont nous avons besoin, ce n'est pas de vérités qui nous servent, c'est d'une vérité que nous servions, car c'est la nourriture de l'esprit, et nous sommes esprit par la meilleure partie de nous-même... La métaphysique nous installe dans l'éternel et l'absolu, nous fait passer du spectacle des choses à la connaissance de raison, à la science de l'invisible monde des perfections divines déchiffrées dans leurs reflets créés. La métaphysique n'est pas un moyen, c'est une fin, un fruit, un bien honnête et délectable, un savoir d'homme libre, le savoir le plus libre et naturellement royal, l'entrée dans les loisirs de la grande activité spéculative où l'intelligence seule respire, posée sur la cime des causes... »

Comment n'aurais-je pas aimé ce beau texte de Maritain ! Mais on ne pouvait plus rester ainsi « posé sur la cime des causes », il fallait descendre vers les contingences. La misère, la drogue, la folie frappaient à notre porte...

Était-ce mon air de vieux hippie mal intégré, mon incapacité à dire non quand ils me demandaient quelque chose ? je fus bientôt considéré comme l'ami de toute une bande de jeunes drogués, clochards, à moitié fous. Ils venaient me chercher la nuit pour « diriger leur trip » ou pour éviter que le « voyage » ne tourne mal, plusieurs étant déjà passés par les fenêtres. Que pouvais-je faire ? Ils me considéraient comme leur complice. Je ne pouvais en parler à personne, surtout pas à la police. Dans des chambres sordides, enfumées, je m'asseyais dans un coin et récitais la prière du cœur, comme le père Séraphin me l'avait enseignée.

« Quand tu es là, me disait-on, je ne vois pas le diable et je ne veux tuer personne. » Certains, dans leur délire, disaient même qu'ils voyaient des anges ou Jésus... Au petit matin, ils me comprenaient mal quand je leur disais que Jésus c'était la vie quotidienne, le courage de l'affronter instant après instant... Même s'ils me voyaient au chœur, à l'office, en habit blanc, ils ne me considéraient pas vraiment comme un religieux, mais plutôt comme l'un d'eux qui s'en serait tiré, « on ne sait pas comment ».

Étais-je pour eux seulement cet espoir ? le rappel qu'une issue est possible, que la grâce peut vous rejoindre au milieu de l'absurde ? Sans doute manquais-je de « distance » à leur égard pour être vraiment efficace. Quand, au cours de certaines orgies, on me demandait si je ne voulais pas être « sucé » moi aussi, je m'accrochais à l'invocation du Nom et répondais le plus calmement possible que je n'étais pas venu « pour ça », et ils ou elles me laissaient tranquille.

J'ai bien essayé de travailler avec des associations de « sauvetage » pour délinquants ou pour jeunes prostituées comme le Nid, mais je me sentais encore trop délinquant moi-même pour passer ainsi du côté de ceux qui savent ce qui est bien et ce qu'il faut faire pour « cette pauvre jeunesse ».

Je rentrais au petit matin, épuisé mais heureux de ce qui pour moi avait été une veillée de prière. Jean-René Bouchet m'invitait à la prudence mais il comprenait ma démarche : apporter juste ce qu'il faut d'oxygène à des êtres sur le point de suffoquer. Il fut lui-même tenté de vivre cette expérience avec une communauté d'ex-drogués devenus charismatiques, le Phare, qu'il accompagna un moment au cours de pérégrinations hautes en couleur.

Certains drogués m'emmenaient voir leurs compagnons internés à l'hôpital psychiatrique. C'est ainsi que je découvris l'hôpital Marchant et l'univers de la psychiatrie, et commençai « sur le tas » mes études de psychologie. Connaissant mon identité, on me proposa de voir des malades ayant des tendances au « délire mystique », les médecins s'y retrouvant mal dans les dédales de leur « symbologie ». L'un d'entre eux me présenta un jour une malade en me disant :

— Je ne vois aucune différence entre les symptômes de cette personne et les écrits de Thérèse d'Avila.

L'assimilation du fou et du mystique était alors chose fréquente. Je lui répondis seulement, citant Laing, que « le schizophrène et le mystique fréquentent certainement les mêmes eaux ou le même océan, mais là où l'un nage l'autre se noie ». J'ajoutai qu'il ne suffisait pas de rester sur la rive à mesurer les souffrances de celui qui est en train de se noyer, peut-être valait-il mieux lui apprendre à nager, à traverser les eaux troubles de ces « états intermédiaires » ou « états de rêves », dans lesquelles les malades demeurent comme « arrêtés ».

Il me fut demandé de suivre un garçon particulièrement perturbé qui avait mis au point un scénario avec lequel il pouvait séduire n'importe quelle jeune fille de bonne volonté : « Ma mère est une pute, personne ne m'aime. Toi, tu es meilleure que les autres, tu es capable de m'aimer, aime-moi, nous allons avoir un enfant. »

Malheureusement, ce scénario marchait très bien et plusieurs bébés naquirent ainsi. Le drame, c'est que ces bébés, le jeune père les voulait pour lui. Cela finissait mal, on retrouvait l'enfant jeté par la fenêtre, dans les cabinets ou dans une poubelle... Je me souviens, craignant le pire, d'être allé à la recherche d'une petite fille qu'il venait de « voler » à sa mère. Après des scènes dignes des plus mauvais films d'horreur, je me retrouvai face à face avec le garçon, l'enfant à ses pieds.

— Si tu t'approches, je l'écrase, me dit-il.

La prière m'aida à ne pas céder à l'émotion. Puis il me regarda :

— Tu as une belle croix autour du cou.

— Oui, tu la veux ?

Tandis que je lui tendais la croix, il prit le bébé et me le mit entre les bras...

Je pourrais raconter bien d'autres anecdotes comme celle-ci. On imagine les chants d'action de grâces et les louanges qui pouvaient suivre de telles angoisses !

Mais tout ce que je vivais n'était pas si intense. Je me rappelle des rencontres plus calmes avec un groupe d'étudiants de l'Insa et de Sup-Aero, deux écoles d'ingénieurs proches du couvent. Ils m'avaient demandé un jour de venir leur parler de la prière. Nous étions une dizaine dans la chambre de l'un d'eux. Je leur proposai de « vraiment prier », plutôt que de « parler sur » la prière. De là naquit une petite communauté de vie, de réflexion et de prière d'une rare qualité. C'est auprès d'eux, parfois, que je retrouvais le réconfort nécessaire après mes « tournées nocturnes ».

C'est eux qui me demandèrent de tenter de « récupérer » une de leurs amies, « victime » de la secte Moon, alors florissante. Je me rendis à Vaucresson, près de Paris, pour y subir le lavage de cerveau de ceux qui veulent rejoindre la secte. Je me montrai particulièrement rétif et peu décidé à me laisser convaincre. On me dit alors que je n'avais pas assez veillé, pas assez jeûné (excellent pour amoindrir les mécanismes de défense). Comme j'insistais on me jugea « habité par un démon ».

Lorsque quelqu'un ne pense pas comme vous, c'est pratique de l'imaginer possédé par un démon... L'explication « par le diable » n'est malheureusement pas le propre des sectes. Lorsque je donnai, à Biarritz, plus tard, une conférence sur le fonctionnement de la secte Moon, un vieil homme d'allure grave vint me trouver :

— Vous savez, ce que vous avez décrit, c'est ce que j'ai vécu au petit séminaire il y a une vingtaine d'années !

Le tempérament « sectaire » n'est pas l'apanage de tel ou tel groupement, on le retrouve également dans les milieux politiques, dans les Églises et même dans différents courants de psychologie.

L'expérience de Vaucresson dut porter fruit puisque j'appris quelques mois plus tard que la jeune femme « en était sortie ».

Comme je semblais n'avoir peur de rien, on me demandait de plus en plus souvent d'aller dans des sectes réputées dangereuses. J'y rencontrais des hommes et des femmes de bonne volonté, mais sans grande culture et au jugement affaibli par trop de misère ou de solitude. Ils se faisaient manipuler par des hommes ou des femmes souvent avides d'argent et de pouvoir. Il ne suffit pas de critiquer les sectes, il faut mettre en place des structures non aliénantes capables de les remplacer, qui répondent au besoin de sens ou tout simplement de chaleur humaine de leurs membres.

A ce propos, l'avènement du mouvement charismatique en France me semblait être une réponse possible. Avec l'accord du prieur et du père maître des novices, je me rendis à une convention charismatique à la Porte ouverte, près de Chalon-sur-Saône. Je découvris les Actes des apôtres. Je connaissais bien les mystiques rhénans, saint Jean de la Croix, les grands théologiens des premiers siècles, saint Thomas, etc., mais je n'avais pas lu les Actes des apôtres ! Là, je découvris les signes et les prodiges qui avaient accompagné la Pentecôte, l'Esprit saint, qui était le même hier, aujourd'hui, toujours.

Jacques Langhart, qui allait devenir le père Jacob et le fondateur des communautés de la Théophanie, reçut l' « effusion de l'Esprit » sur mes genoux. Nous pleurions tous de joie, Jésus était vivant. Il demeurait au milieu de nous. Sa présence se manifestait par toute sorte de miracles, de guérisons, de prophéties... Le père Regimbald, leader du mouvement au Canada, vint vers moi et me prédit un avenir glorieux et douloureux au service du Christ. Il ajouta que j'aurais sans doute, comme un de mes confrères, le prix Nobel... Il n'a pas précisé quel Nobel, sciences, paix ou littérature... ?

A mon retour au couvent, on me trouva un peu exalté, bizarre même. Je passais mes nuits à demander l'Esprit saint, pour moi, pour les dominicains, pour tous... Je ne devais pas être seul à faire cette prière, bientôt arriva au couvent une dizaine de postulants, des hommes à la fois intelligents et fervents.

Le couvent connut alors une véritable période de grâce. « Tout le monde s'aimait et nous étions aimés de tous. » Cela, sans mièvrerie et sans ambiguïté. Nous vivions des temps évangéliques, les portes étaient ouvertes, l'Église était pleine, les études étaient sérieuses. Le soir, divers membres de la communauté, même parmi les plus prudents à l'égard de cette vague d' « illuminisme », venaient nous rejoindre devant le saint sacrement, pour « chanter en langues », prophétiser, appeler l'Esprit saint sur tous les hommes de la terre...

Le point culminant de cette époque bénie fut la célébration de la pâque. Après l'*Exultet*, toute l'église se mit à danser. Les thomistes les plus raides entrèrent dans la ronde... A la fin de la cérémonie, une femme vint me trouver, me disant que son fils venait de se suicider, pourtant elle avait dansé. Nous avons ri puis pleuré, Jésus portait toujours sur son corps ressuscité les stigmates de la Passion.

Au cœur de l'absurde, la grâce venait nous visiter, mais au comble de la grâce l'absurde aussi manifestait sa présence.

Après cette pâque, le climat de la communauté commença à se dégrader ; c'était « trop » !. Un certain nombre de rivalités et bientôt de divisions commencèrent à se manifester. Je tombai gravement malade, on m'envoya en Cerdagne plusieurs mois pour me soigner. J'en profitai pour écrire un petit essai sur l'itinéraire mystique de saint Jean de la Croix. Pendant ce temps, la communauté se déchirait, quelques frères parmi les plus brillants quittaient l'ordre pour fonder de nouvelles communautés, comme celle des moines apostoliques de Saint-Jean-de-Malte à Aix-en-Provence.

Je remercie Dieu de m'avoir donné à vivre « au loin » cette

époque de déchirements. Je n'ai jamais compris les conflits et les jalousies qui pouvaient exister entre chrétiens. Nous avons reçu trop de grâce et il y a trop d'urgences dans le monde pour perdre notre temps à cela. Je découvris les intrigues, l'homosexualité de beaucoup de frères, plus ou moins bien intégrée, les règlements de comptes...

Je crus un moment que ces belles années à Toulouse n'avaient été qu'un rêve. Était-ce les conséquences de l'épuisement, de la maladie ou de mes doutes quant à la toute-puissance de l'Esprit saint ? je devins un homme triste, ne trouvant de plaisir qu'au hasard des routes, quand, dans le froid ou la chaleur, je me récitais par cœur l'Évangile avant de le partager avec ceux qui voulaient bien l'entendre.

Jean-René Bouchet fut très patient avec moi. « Tu atterris », me disait-il. Et, quand je me complaisais à « confesse » dans la description de quelques turpitudes, il me demandait de lire, « en pénitence », quelques *Lucky Luke* ou un *Gaston Lagaffe*.

Le temps des études philosophiques et théologiques étant arrivé, on m'envoya à Montpellier.

CHAPITRE XII

Frère prêcheur à Montpellier

Le couvent de Montpellier était bien différent de celui de Toulouse. Pour les frères de la rue Fabre, les « Toulousains » étaient des « espèces de bénédictins » avec leurs robes et leurs longues liturgies. Ici, on était des « frères prêcheurs », l'Évangile ne conduisait pas aux expériences charismatiques, mais davantage à l'engagement politique, au combat contre la misère sociale et les innombrables injustices. C'était là sans doute une dimension qui manquait à ma formation et je découvrais avec sympathie les théologies dites de « la libération ».

J'avais été bouleversé par la révélation du Nom divin à Moïse : « Je Suis ». C'est ce même Je Suis qui manifestait sa tendresse pour l'homme et sa révolte contre l'injuste oppression :

« J'ai vu, j'ai vu la misère de mon peuple. J'ai prêté l'oreille à la clameur que lui arrachaient ses surveillants... Maintenant que la clameur des enfants d'Israël est venue jusqu'à moi et que j'ai vu aussi l'oppression que font peser sur eux les Égyptiens, maintenant va, je t'envoie auprès de pharaon pour faire sortir d'Égypte mon peuple, les enfants d'Israël » (Ex. 3,7-10).

C'est à partir de sa contemplation de l'Être, dans le buisson, que Moïse se sentit appelé vers ses frères opprimés.

Cela je pouvais le comprendre, comment être heureux en Dieu en sachant que des hommes souffrent ? Ce qui me faisait problème, c'était « trouver des moyens justes » pour conduire les hommes vers la libération...

Les frères prêcheurs du couvent de Montpellier se voulaient

héritiers des Prophètes, et c'est à juste titre qu'avec Amos, ils maudissaient les grands propriétaires fonciers *, qu'avec Osée ils reprochaient à leurs contemporains leur manque de solidarité **, qu'avec Isaïe ils aimaient proférer cette menace : Dieu fera disparaître de Jérusalem « le fort et le puissant », c'est-à-dire les hauts dirigeants de la société ***. Avec Isaïe encore, ils déploraient l'accaparement des biens dans les mains de quelques-uns, et plus généralement l'oppression dont les pauvres sont victimes de la part des riches ****.

Mais suffit-il de maudire, d'accuser, de dénoncer, pour être prophète ? Le public de jeunes bourgeois qui écoutait les dominicains se réjouissait davantage des effets de langage des orateurs que du programme de justice et de conversion que ceux-ci proposaient. Je remarquais également qu'on pouvait utiliser des citations bibliques, certains passages d'Évangile coupés de leur contexte pour soutenir une idéologie ou une option politique particulière. Comme, dans les sectes, on pouvait « se servir de la parole de Dieu, plutôt que de la servir ».

Ayant connu la faim, la misère, la drogue, le désespoir « de l'intérieur », je supportais mal qu'on en parle comme des abstractions ne pouvant se résoudre qu'à un « échelon mondial », en termes de « rapports de forces », de « lutte des classes », etc. Entendre Thomas Cardonnel parler des « masses populaires » me donnait des boutons : je n'avais jamais rencontré « des masses » ; je ne voulais connaître que des personnes — ce qui fait que chacun, justement, sort de « la masse ».

C'est une chose qui m'avait frappé dans l'Évangile. Jésus appelle chacun par son nom, quels que soient son origine, son parti, son péché personnel ou social. Il fréquente aussi bien les prostituées que les notables, les justes que les « collaborateurs »,

* Amos 2, 6 ; 3, 10 ; 5, 11 ; 6, 4 s. ; 8, 4 s. Cf. Isaïe 5, 8 s. Michée 2.
** Osée 4, 1 s. ; 6, 4 ; 10, 12.
*** Isaïe 3, 1 s.
**** Isaïe 5, 8 ; 1, 21 s. ; 3, 14 s.

les pauvres que les « amis de l'argent », et c'est à leur conscience personnelle plus qu'à leur conscience de groupe qu'il fait appel. Cela dit, je ne nie absolument pas qu'il existe un type d'injustice qui revêt une forme institutionnelle ; tant qu'elle règne, la situation réclame un progrès vers la justice et les réformes :

« Les hommes d'aujourd'hui ne croient plus que les structures sociales représentent des données de nature et soient comme telles « voulues par Dieu », ou qu'elles résultent de certaines lois anonymes de l'évolution. Le chrétien est toujours tenu de rappeler que les institutions sociales sont issues de la conscience sociale elle-même et qu'elles sont l'objet d'une responsabilité morale. On peut se demander sans doute s'il est permis de parler de " péché institutionnel " ou de " structure de péché ", étant donné que le terme biblique de péché désigne d'abord une décision expresse et personnelle de la liberté humaine. Il n'est pas douteux que, par la force du péché, le mépris et l'injustice ne puissent s'installer dans les structures sociales et politiques. C'est pourquoi l'effort de réforme doit porter aussi sur les situations et les structures injustes. Il y a là une conscience nouvelle, car autrefois on a pu ne pas percevoir aussi clairement qu'aujourd'hui les responsabilités dont il s'agit. De ce point de vue, la justice signifie la reconnaissance fondamentale de l'égale dignité de tous les hommes, l'heureux développement et la protection des droits humains essentiels et une équité assurée dans la répartition des principaux moyens d'existence *. »

Tout cela me semblait être du bon sens, et il ne me paraît pas nécessaire d'y insister dans les homélies du dimanche, celles-ci devenant alors un appendice de certains débats télévisés plus qu'une interprétation inspirée de la parole de Dieu.

Ma position d'alors n'était pas loin de celle de la Commission théologique internationale :

« Les accusations prophétiques lancées contre l'injustice, les

---

* *The Church and Human Rights*, Vatican City, 1975, et *Populorum Progressio*, 21.

appels qui invitent à faire cause commune avec les pauvres, se
rapportent à des situations très complexes surgies en un contexte
historique donné, déterminées par certaines conditions sociales et
politiques. Le jugement prophétique à porter sur les situations du
moment ne peut lui-même se former sans l'application méthodi-
que de critères sûrs. C'est pourquoi les divers essais théologiques
sur la libération font intervenir des théories relevant des sciences
sociales ; elles examinent de façon objective ce que traduit " la
clameur des pauvres ".

» La théologie, quant à elle, est incapable de déduire de ses
principes propres des normes concrètes d'action politique ; aussi
le théologien n'est-il pas habilité à trancher par ses propres
lumières les débats fondamentaux en matière sociale. Les essais
théologiques orientés vers la construction d'une société plus
humaine doivent tenir compte, quand ils assument les théories
sociologiques, des aléas inhérents à ces emprunts. Dans chaque
cas, il faut apprécier le degré de certitude de ces théories.
Souvent, en effet, elles sont simplement conjecturales. Il n'est pas
rare qu'elles contiennent des éléments idéologiques, explicites ou
implicites, fondés eux-mêmes sur des présupposés philosophiques sujets à discussion ou sur une conception anthropologique
erronée. C'est le cas par exemple pour une part importante des
analyses inspirées du marxisme et du léninisme.

» Si l'on recourt à ce genre de théories et d'analyses, on doit se
rendre compte qu'elles n'acquièrent aucun surcroît de certitude
du fait que la théologie les introduit dans la trame de ses exposés.
La théologie doit bien plutôt reconnaître le pluralisme des
interprétations scientifiques de la réalité sociale et se rappeler
qu'elle n'est obligatoirement liée à aucune des analyses sociologiques concrètes [5]. »

Ne me reconnaissant aucune compétence réelle en sciences
sociales et politiques, et doutant qu'il existe quelque chose qui
mérite le titre de « science » dans ce domaine, j'en restais souvent
à ce que mes frères appelaient un « évangélisme primaire ». Cet
évangélisme souffrait particulièrement du manque d' « amour des

ennemis », amour qui me semblait essentiel au message du Christ.

Le prieur fit un jour cette prière avant le repas : « Seigneur, donne-nous autre chose à nous mettre sous la dent que la réputation de nos frères. » C'est dire le climat !

Cela aurait pu être un jeu, le « défouloir » d'austères études ou un quelconque « déplacement de nos structures libidinales », mais on sentait parfois poindre une authentique méchanceté, la jalousie et même la calomnie. Je n'étais pas un naïf, je ne voyais pas « Tout le monde il est beau, il est gentil », mais je me souviens trop des paroles de Jésus : « De toute parole sans fondement nous aurons à rendre compte au jour du jugement. »

Pour un « prêcheur », elle me semblait essentielle :

« Celui qui traite son frère de crétin est passible de la géhenne. »

« Celui qui maîtrise sa langue maîtrise tout son corps. »

« Comment pouvez-vous avec la même bouche louer Dieu et mépriser vos frères ? »

Le cardinal Daniélou venait de mourir, on l'avait retrouvé dans une maison de prostituées. Je me souviens être sorti de table écœuré par toute sorte de mauvaises plaisanteries. J'avais eu le malheur de trouver cette mort « évangélique », digne d'un roman de Bernanos : un cardinal oubliant les prudences propres à son rang, allant rejoindre seul, et sans autre pouvoir que celui qui vient du cœur, « ceux qui nous précèdent dans le Royaume ».

Je me sentis alors jugé, en présence d'hommes plus durs que virils — des « purs », des « parfaits »... Quelques jours plus tard, je disais à Robert Blanc, alors père maître, mon intention de quitter l'ordre et de partir sur un âne. Je ne me sentais pas capable de devenir un dominicain sérieux, je voulais être fou, m'abandonner complètement à la providence. Les gens viendraient donner du foin à mon âne et je le leur rendrais en donnant du foin à leur âme : les paroles de l'Évangile nécessaires à leur salut.

Robert Blanc me fit remarquer avec finesse qu'on ne devenait pas fou sur un acte de volonté propre. La « folie en Christ » était une véritable vocation à laquelle on devait être appelé. Dans mon cas, ce ne pouvait être qu'une imposture, il ne suffit pas de faire l'idiot pour devenir un saint. Je ferais mieux d'apprendre à prêcher puisque telle était ma vocation, et il me rappela les constitutions de l'ordre des frères prêcheurs : « Notre ordre a été spécialement et dès l'origine institué pour la prédication et le salut des âmes. »

Prêcher n'est pas faire une conférence ni donner un cours. Peut-on apprendre à prêcher ? On m'apprit à ne plus parler dans ma barbe et à mieux articuler. Pour le reste, j'écrivais, je déchirais, je réécrivais un texte, je l'apprenais par cœur, puis je tentais de le réciter avec conviction au moment de l'homélie... Que de travail pour un résultat souvent médiocre, un geste d'acquiescement, un demi-sourire. Et ces encouragements à la fin de la messe : « Vous avez bien parlé. » Je ne me hasardais jamais à demander de quoi j'avais bien parlé !

Cela ne me semblait pas vraiment juste de voir des frères travailler quelquefois toute une semaine pour un quart d'heure, vingt minutes de parole. Jésus n'avait-il pas dit de ne pas s'inquiéter de ce que nous avions à dire : l'Esprit saint nous suggérerait la parole juste à l'instant même ? J'essayai aussi cette méthode. Ce n'était là rien d'autre que tenter Dieu ! Le résultat fut catastrophique : gorge serrée, un mot, deux phrases et la paraphrase de ces deux phrases, des citations désordonnées de l'Évangile...

Décidément, je n'étais pas le curé d'Ars qui faisait pleurer son auditoire avec quelques mots et de longs silences. J'en voulais presque à l'Esprit Saint de ne pas être le même avec tout le monde. Ce que je ne savais pas, c'est que le curé d'Ars travaillait longtemps, souvent avec angoisse, à la préparation de ses sermons ; les quelques phrases qu'il réussissait à articuler étaient pleines de ses larmes, de son amour de Dieu et de son amour des hommes. Il ne se souciait pas beaucoup de « faire » un sermon réussi, il était soucieux de transmettre la miséricorde qu'il avait lui-même reçue et de ne pas trahir la parole qui le tenait debout.

Je m'approchai un peu plus de la réalité de la prédication un dimanche où un homme vint me trouver après la liturgie, me disant : « Je vous remercie d'avoir dit cela », et il me « répéta » une longue phrase qui l'avait particulièrement touché et qui lui ouvrait tout un espace de sens. C'était l'époque où je récitais par cœur le texte que j'avais appris dans ma chambre, la longue phrase n'y figurait pas... Cette expérience fut pour moi décisive. Je devais préparer le mieux possible mon homélie, mais ne pas me soucier du résultat.

La parole est la rencontre d'une bouche et d'une oreille, l'oreille qui écoute peut être plus fine que la bouche qui parle, elle peut entendre des choses plus intelligentes que celles qui sont dites, Dieu peut même ouvrir l'oreille de quelqu'un à des paroles qui n'ont pas été prononcées ! C'est là un des mystères de la prédication et qui devrait garder dans l'humilité le « prédicateur ». L'Esprit saint est autant et quelquefois davantage dans l'oreille de celui qui écoute que dans la bouche de celui qui parle.

Par ailleurs, je me disais : « Quelle prétention, oser parler au nom de Dieu ! Les mots sont tellement inadéquats pour dire ce qu'Il est. Parler comme si on avait *la solution, la réponse, le plein* propre à combler tous les vides et à mettre ainsi les âmes " au chômage faute d'inquiétude ". »

Si je dis que je connais Dieu, je suis un menteur ; si je dis que je ne connais pas Dieu, je suis aussi un menteur. Je ne peux pas parler, je ne peux pas me taire.

Peut-être la poésie, le symbole, sont-ils un langage possible. Ils parlent, mais ils gardent, au cœur des mots, de grandes oasis de silence. N'est-ce pas le langage des prophètes, langage plus proche des sensations que des idées ? N'est-ce pas le langage de Jésus ? Lui parlait en paraboles pour qu'entendent ceux qui n'entendent pas, et pour que n'entendent pas ceux qui croient entendre...

Je me rappelle ce que me disait le père Mas, à Toulouse, peu avant sa mort, un vendredi saint :

— J'ai peur d'avoir été bavard. Nous parlons de Dieu, nous ne savons pas de quoi nous parlons. Nous devrions nous taire si fort

avant de laisser venir une seule et simple parole à Son sujet !...
Pourtant il n'y a rien d'autre à dire : « Dieu est ce qui survit à
l'évidence que rien ne mérite d'être pensé. » La parole devrait
être le lieu pur où Dieu « l'Être qui Est » se donne à penser...
Notre prédication témoigne souvent d'un Être dégradé, d'une
Parole bavardée...

C'est à Montpellier que je fus également invité à la pratique de
l'exégèse. Je me souviens de mon étonnement lorsque le pasteur
Boutier, de la Faculté de théologie protestante, nous apprit que
l'Épître de saint Paul aux Éphésiens n'était pas une épître, n'était
pas de saint Paul et n'était certainement pas adressée aux
Éphésiens. Je compris alors que je ne serais pas un exégète au sens
classique du terme, mais davantage un herméneute, en ce sens
que je m'intéressais davantage au sens véhiculé par la Lettre
qu'aux problèmes de datation, d'authenticité, de structures, etc.
Mais sans doute faut-il « faire ceci sans omettre cela ». En tout
cas :

« Béni soit le Dieu et Père de notre Seigneur Jésus-Christ, qui
nous a bénis par toutes sortes de bénédictions spirituelles, aux
cieux dans le Christ. C'est ainsi qu'Il nous a élus en lui, dès avant
la création du monde, pour être saints et immaculés en sa
présence, dans l'amour, déterminant d'avance que nous serions
pour lui des fils adoptifs par Jésus-Christ ! » (Épître aux Éphésiens 1, 3-5)

Malgré mes réticences, mes prétentions à la « connaissance
infuse » et une façon de travailler des plus anarchiques, les
dominicains m'encouragèrent à poursuivre mes études : une
licence de théologie à l'Institut catholique de Toulouse, puis une
maîtrise et un doctorat à la faculté des sciences humaines de
Strasbourg. Je ne devais revenir à Montpellier qu'à l'occasion du
chapitre provincial où j'avais été nommé définiteur. Étant un des
plus jeunes, je fus, selon la coutume, prié de faire l'homélie
d'ouverture :

« Au moment d'ouvrir ce chapitre, trois paroles me reviennent
en mémoire.

» La première est de Machiavel. Évidemment, elle n'est pas sans lien avec les problèmes que pose l'élection d'un prieur provincial : « Un prince doit choisir le renard et le lion, être renard pour connaître les filets et lion pour faire peur aux loups. » Machiavel, bien sûr, ce n'est pas l'Évangile ; et je me souviens avoir entendu dans cette église de Montpellier certaines prédications dénonçant le pouvoir du lion et visant à débusquer les renards de leur tanière. Les animaux que l'Évangile nous donne en exemple sont assez différents : le serpent et la colombe. Il ne s'agit pas maintenant de disserter sur l'innocence ou la prudence qu'on leur attribue. Je remarquerai seulement que l'un se tient au ras du sol et que l'autre est toujours prêt à s'élever dans les hauteurs.

» N'est-ce pas un beau programme que de vouloir tenir ensemble le réalisme et la prudence la plus terrienne, l'innocence et l'élévation la plus spirituelle ? Mais un politique qui serait aussi un mystique, ou encore, comme le disait Simone Weil, un saint qui serait un génie, est-ce possible ?

» On disait de Newman qu'il était infiniment sceptique et infiniment croyant... Il s'agit en effet, devant la complexité de certaines situations, de ne pas être naïf, mais d'éprouver toutes choses, toutes affirmations, puis d'adhérer de tout notre être quand la vérité montre son visage. C'est d'ailleurs un des traits frappants de saint Dominique : il ne se décide pas facilement, mais ayant décidé il sait ce qu'il veut, il tient ferme...

» La deuxième parole qui me revient en mémoire est un proverbe du Zaïre : « L'arbre tombe à grand bruit, mais on n'entend pas la forêt qui pousse. » C'est pour nous une invitation à ne pas avoir peur. Si nous écoutons l'Évangile et si nous le mettons en pratique, nous serons élagués, émondés, purifiés, durement parfois, dans nos ambitions les plus légitimes. S'il faut fermer telle ou telle maison, inviter tel ou tel frère à un exode sans assurance vers telle ou telle terre promise, cela n'ira pas sans bruit, sans fracas intérieur ou extérieur ; mais c'est, espérons-le, pour le bien et la santé de tous les arbres... Puissions-nous entendre, au-delà de nos langueurs et de nos plaintes individuelles, « la forêt qui pousse », le chant de la sève, la brise légère de notre espérance commune.

» La troisième parole est de Jean Cocteau. On lui demandait un jour : " Si votre maison brûlait, que chercheriez-vous à sauver ? Qu'emporteriez-vous ? " Il répondit : " J'emporterais le feu. " Il y a dans cette réponse une odeur de Pentecôte. Si notre maison brûlait, que ce soit l'église, notre ordre, notre province..., qu'emporterions-nous ? Les apôtres ont emporté le feu. Et saint Dominique ? Il n'a pas cherché à sauver les meubles. Il a laissé sur le chemin les bagages encombrants pour mieux passer par la porte étroite et entrer ainsi dans la danse du feu. Il s'est laissé conduire par l'Esprit, cet Esprit qui depuis la Pentecôte construit et consume l'Église, cet Esprit qui depuis leur fondation construit et consume nos communautés.

» Au livre de la Genèse, Dieu est représenté comme soufflant dans les narines du terreux, pour qu'il devienne un vivant. Le prophète Ézéchiel témoigne de la chair qui refleurit sous l'étreinte du Souffle, des ossements desséchés qui se tiennent debout, pleins d'assurance, beaux comme des matins de Pâques. Et nous voyons Jésus dans l'Évangile souffler sur ses disciples pour qu'eux aussi, ces terreux, ces timides, deviennent les témoins du Vivant et qu'ils aillent à sa suite délier, délivrer la flamme endormie dans le cœur de tout homme. Le Christ en effet ne nous donne pas seulement une parole à transmettre, mais aussi un souffle, un feu, une certaine façon de vivre et de respirer... à la manière des apôtres.

» Autant et plus que la foi, que la science et la prophétie, il nous est demandé de transmettre « ce qui ne passe pas » : la flamme du buisson qui brûle mais ne se consume pas... Sans la charité notre prédication est vaine, et la charité, cela commence dans la vie quotidienne de nos communautés. Cela commence aujourd'hui entre nous, durant ce chapitre... N'oublions pas le feu !

» Viens, " Esprit des quatre vents ", ravive en nous la flamme, enracine-nous dans la glaise, et à notre prudence donne des ailes de colombe ! Viens, Esprit saint, réveille en nous l'espérance fondée sur l'écoute attentive à ce qui est[6] ! »

CHAPITRE XIII

Strasbourg

Ayant achevé ma licence en philosophie et en théologie, je demandai au père Vesco, alors provincial de Toulouse, de continuer mes études à l'École biblique de Jérusalem. C'était pour moi une nécessité profonde, un désir de retourner à la source, de plonger dans les racines juives du christianisme, de parfaire mes connaissances de l'hébreu et d'avoir ainsi un accès direct au substrat sémitique des Écritures. Étant donné l'intensité et l'urgence d'une telle demande, je fus aussitôt envoyé à... Strasbourg !

Quand on a fait vœu d'obéissance, eh bien, on obéit !

Je me retrouvai donc à Strasbourg avec Jean-René Bouchet comme prieur. Je ne pensais pas que le « miracle » de Toulouse puisse se reproduire, la province de France n'avait plus de novices depuis quelques années. Ceux-ci ne tardèrent pourtant pas à arriver :

« Je vous le dis en vérité, si deux d'entre vous, sur la terre, unissent leurs voix pour demander quoi que ce soit, cela leur sera accordé par mon Père qui est aux cieux. Que deux ou trois, en effet, soient réunis en mon Nom, je suis là au milieu d'eux. »

Je n'oubliais pas pour autant Jérusalem, mais je me consolais en disant que « la terre sainte est sous nos pas » : c'est une certaine façon de marcher sur la terre. Le couvent de Strasbourg me plaisait beaucoup. C'était plutôt une grande maison bourgeoise, nous n'étions pas plus nombreux qu'à Montpellier, mais l'atmos-

phère était beaucoup plus simple, plus familiale, après l'office du
soir en automne on se retrouvait autour d'une tarte à l'oignon et
d'une bonne bouteille de vin d'Alsace. Pour la première fois
j'entendis rire des dominicains sans que ce soit aux dépens des
autres...

La ville de Strasbourg avait beaucoup de charme et j'aimais
me promener au mont Sainte-Odile. On m'envoya prêcher le
carême dans de petits villages des Vosges. L'accueil était chaleu-
reux, la table bien dressée, les Alsaciens très attachés à leurs
traditions. S'ils ne manifestaient aucun intérêt pour certaines
innovations de la théologie contemporaine, particulièrement en
matière de liturgie, ils n'en gardaient pas moins le cœur ouvert.
La mémoire toujours vive des guerres passées et des changements
d'identité qu'ils avaient dû subir les rendait sensibles aux
questions essentielles.

On me fit remarquer que je n'étais pas là pour « faire du
ministère », mais pour achever mes études.

Je choisis sans trop de difficulté comme thème de maîtrise, puis
de doctorat, la *theosis,* la divinisation de l'homme dans la
tradition chrétienne. Cela me conduisit à rencontrer le professeur
Ménard, disciple de Puech et grand spécialiste de la gnose. Il était
alors responsable des traductions et de la publication de la
bibliothèque de Nag Hammâdi.

J'avais appris depuis longtemps à distinguer la gnose du
gnosticisme, et la fréquentation des Pères de l'Église, chez qui ce
terme se retrouve souvent, stimulait mon intérêt pour cette
« connaissance » proche de l'expérience et de la contemplation.
Je ne me doutais pas que, quelques années plus tard, on
emploierait ce terme de « gnostique » à mon égard comme une
condamnation, dans un sens péjoratif, en tout cas tout autre que
celui qu'il avait dans la tradition.

La gnose, *gnosis* en grec, veut tout simplement dire « connaissance ». Cette connaissance, chez les premiers chrétiens, avait
une connotation existentielle héritée du judaïsme. Lorsqu'il est
dit qu'Adam « connut » Ève, on s'approche de ce que ce mot

gnosis peut vouloir dire en climat judéo-chrétien... Par ailleurs, la gnose hébraïque culminait dans la confession de l'unité de Dieu. « Écoute Israël — le Seigneur ton Dieu est Un. » Pour un Sémite, il n'y a pas d'autre Dieu, pas d'autre Réalité que Celui qui est la Réalité. C'est l'expérience de cette unicité du Réel qui constitue une gnose dont vont hériter les chrétiens : « la vie éternelle, c'est de te " connaître ", toi l'Unique Dieu et ton envoyé Jésus-Christ », dira saint Jean.

La vie éternelle, c'est de Le connaître, Lui l'Unique Réel et celui qui incarne et manifeste l'unicité du Réel, ou plus précisément l'unicité de Dieu et de l'homme : Jésus-Christ.

Louis Bouyer, dans son livre *Gnosis,* montre que cette « connaissance » chez les juifs et les chrétiens est le fruit d'une longue méditation des Écritures.

Pourtant il existe bien une gnose hétérodoxe, une « prétendue gnose », dira saint Irénée. Celle qui va justement contre cette unicité du Réel et qui opposera Dieu et l'homme, et par voie de conséquence l'Esprit et la matière, le corps et l'âme...

Cette « prétendue gnose » est à la source de tous les gnosticismes dualistes. Pour les premiers chrétiens, ce pessimisme à l'égard de la création est une insulte au Créateur et rend incompréhensible la Résurrection. Aux détracteurs de la gnose qui citent saint Paul : « La gnose enfle, la charité édifie » (I Cor. 8), Irénée répondra : « Ce n'est pas que Paul attaque la véritable gnose de Dieu, sinon il s'accuserait lui-même, mais c'est qu'il savait qu'il en était certains qui, sous prétexte de gnose, manquaient à l'amour de Dieu » (Adv. Haer. ch. XXXIX).

La véritable gnose est intelligence du cœur, en elle l'amour et la connaissance ne peuvent être séparés. Il s'agit sans doute de rester vigilant et de ne pas confondre la vraie et la fausse gnose. Saint Irénée, Clément et les Pères sont à ce sujet unanimes, il faut se méfier de ceux qui, sous prétexte de quête spirituelle, divisent l'homme en lui-même (littéralement, le « diabolisent ») et l'opposent aux autres hommes et à Dieu.

La *Didaché* résume bien l'attitude positive des premiers chrétiens à l'égard de la vraie gnose :

« Nous te rendons grâce, ô notre Père, pour la vie et la gnose que tu nous as fait connaître par Jésus ton Serviteur » (*Didaché*, IX-3).

Les détracteurs de la gnose, au temps de Clément, croient qu'elle est réservée à un petit nombre d' « initiés », ce qui est évidemment contraire à l'Évangile et à l'Esprit de Jésus, venu « non pour les bien-portants mais pour les malades »...

Ce serait oublier d'autres paroles de Jésus qui précisent qu' « il ne faut pas jeter les perles aux pourceaux ». Jésus utilise également des paraboles afin que chacun puisse « entendre », selon son intelligence et son désir. Ne conduisait-il pas parfois ses disciples à l'écart pour leur expliquer ces images et ces symboles (littéralement, pour leur faire l'herméneutique, leur donner l'interprétation) ?

« Dans une même contrée l'un va à la chasse, un autre exploite les mines, un autre bâtit, ainsi, lorsqu'on lit l'Écriture, l'un y puise simplement la foi, un autre en inspire sa conduite, et un autre encore en tirera la religion complète grâce à la gnose » (*Eclogae propheticae*, 28).

Clément se fait ici l'écho de la parabole du semeur et de la graine, qui pousse plus ou moins difficilement selon le terrain qui la reçoit. La gnose c'est la terre purifiée et labourée du cœur intelligent qui reçoit avec gratitude et compréhension les semences du Verbe (*sperma theou,* disait saint Justin), et leur donne de porter fruits.

L'attitude de Clément par rapport aux philosophes et aux penseurs grecs de son temps est aux antipodes du fidéisme qui oppose la foi à l'intelligence, et il considère celui-ci comme incapable d'aborder le vrai. Il ne réduit pas non plus la gnose à un rationalisme, l'organe de la connaissance n'étant pas pour lui une raison exacerbée, mais une contemplation dépourvue de toute passion (*apatheia*). La philosophie est une propédeutique à la foi véritable et à la gnose. Il ne s'agit pas d'accumuler des savoirs inessentiels mais de « retenir de chaque discipline ce qui est utile à la vérité » :

« Ceux qui s'exercent à la gnose empruntent à chaque discipline ce qui est utile à la vérité : le gnostique recherche dans la musique la proportion des harmoniques ; dans l'arithmétique, il remarque les progressions ascendantes et descendantes des nombres, les rapports des uns avec les autres, et la manière dont la plupart des choses dépendent d'une proportion dans les nombres ; dans la géométrie, il contemple la matière elle-même ; il s'habitue à penser un espace continu et une substance immuable, différente de celle des corps ; l'astronomie le soulève au-dessus de la terre, elle l'élève par l'esprit jusqu'au ciel ; elle l'entraîne dans un mouvement des astres ; elle lui fait raconter sans cesse les choses divines, l'harmonie des êtres les uns par rapport aux autres : c'est par elle qu'Abraham fut éveillé et qu'il s'éleva à la connaissance du Créateur.

» Le gnostique tirera encore profit de la dialectique, où il trouvera la division des genres et des espèces, où il apprendra la distinction des êtres jusqu'à ce qu'il arrive aux choses simples et premières. La foule, comme font les enfants pour les masques, redoute la philosophie des Grecs, craignant qu'elle ne les entraîne. Mais si la foi, pour ne pas dire la gnose, est assez faible chez eux pour être détruite par les apparences spécieuses, qu'elle le soit, puisqu'ils avouent par là qu'ils n'ont pas la vérité ! car, dit-on, la vérité est invincible, seule l'opinion fausse est renversée...

» Mais le gnostique poursuivra la vérité en distinguant ce qui est en général et ce qui est en particulier. Car la cause de toute erreur ou opinion fausse, c'est de ne pouvoir distinguer par où les choses ressemblent les unes aux autres et par où elles diffèrent. Si l'on ne suit pas soigneusement les arguments à partir des définitions, on mélange ce qui est général et ce qui est particulier, et fatalement on tombe dans la confusion la plus inextricable. La distinction des noms et des choses dans les Écritures elles-mêmes apporte une grande lumière aux âmes ; car il est nécessaire de faire attention aux mots qui ont plusieurs sens, et de chercher ce qu'ils signifient réellement ; c'est ainsi que se fait le juste discernement.

Toutefois il faut éviter ce qui ne sert à rien, ce qui consume le temps d'une manière stérile.

» La science du gnostique est pour lui un exercice préparatoire à la contemplation exacte de la vérité, autant du moins que cela est possible, et à la réfutation des discours sophistiqués qui empêchent le progrès de la vérité. Il ne négligera donc rien de ce qui appartient aux savoirs encyclopédiques et à la philosophie grecque, mais il ne les étudiera pas comme essentielles : il les regardera, quoique nécessaires, comme secondaires et accessoires. Ce dont les fauteurs d'hérésie font un usage décevant, le gnostique l'emploiera pour le bien » (*Stromates,* VI-10.80.83).

Plusieurs des thèmes évoqués dans ce texte seraient à reprendre pour aujourd'hui. Ce n'est pas nous qui gardons la vérité, c'est la vérité qui nous garde. Qu'avons-nous à craindre des « opinions » ? Il faut savoir distinguer, unir, différencier, faire la synthèse, « retenir ce qui est bon », ne pas mélanger, ne pas opposer... On retrouve là la voie de crête du théandrisme : « ni confusion ni séparation », relativiser nos savoirs et en même temps les apprécier à leur juste valeur. La philosophie, pour Clément, n'est pas la gnose, elle peut y préparer. Jean Baptiste n'est pas le Messie, il est pourtant nécessaire comme « cantonnier » et précurseur. L'illusion serait de le prendre pour le Christ. L'illusion serait de prendre les sagesses humaines pour la Sagesse de l'Esprit ; s'il fallait rattacher la gnose de Clément à une école de philosophie, il s'agirait de « philosophie angélique » ou de « philosophie prophétique », pour parler le langage de Henri Corbin, grand explorateur de l' « imaginal », l'imaginal étant ce monde intermédiaire qui, à travers différentes hiérarchies, nous fait passer du sensible vers l'Esprit au-delà des intelligibles.

La gnose de Clément dans ce sens pourrait bien être une angélologie. Louis Bouyer le remarque d'ailleurs avec pertinence :

« Pour Clément le monde physique est symbolique dans son essence, et c'est ce qui nous prépare à comprendre le symbolisme des Écritures, élément capital assurément de la gnose en tant qu'elle est liée à l'interprétation allégorique des Écritures. Il convient de préciser dans quel sens il entend ce symbolisme, car ce sens est dans la pure tradition juive. Pour Clément la contemplation du monde physique lui-même doit nous amener à découvrir son caractère spirituel, entendons par là personnel. Un premier élément de la gnose, en effet, c'est l'angélologie : la perception que ce monde qui pourrait sembler inanimé n'est que l'enveloppe et la traduction d'existences spirituelles. La gnose nous fait atteindre derrière les choses sensibles, non seulement des réalités intelligibles comme dans le platonisme, mais très précisément des êtres spirituels. Et c'est en nous faisant découvrir les anges derrière le cosmos, en nous y associant qu'elle nous prépare, comme eux, à voir le Christ derrière toute l'histoire sacrée » (*Stromates*, IV, 153-4).

La gnose vise « au-delà du monde les intelligibles et, au-delà de ces dernières réalités elles-mêmes, de plus spirituelles » (*Stromates*, VI,1).

Ainsi, « les âmes gnostiques, dépassant la compagnie tour à tour de chacun des ordres angéliques, atteignent les lieux supérieurs eux-mêmes » (*Stromates*, VIII-13,1).

La gnose m'apparaissait ainsi chez Clément : confession, attestation de l'Un, de l'Unique, Être transcendant, inqualifiable, innommable, source de tous les Étants et exploration pascale (en « passant », comme Jésus « passe » de ce monde au Père) des différents plans de l'Être, humains, angéliques... On peut dialoguer avec les anges en chemin, mais le propre de l'ange est d'orienter notre regard au-delà de lui-même, sinon il devient une idole, nous prenons notre « double de lumière » pour la lumière elle-même... L'ange n'est que l'herméneute pour les hommes des niveaux d'être qui s'étagent au-dessus de lui, mais il ne peut et il ne veut pas devenir la référence ultime de notre pensée et de notre agir.

Ces études sur les Pères de l'Église, et particulièrement sur Clément d'Alexandrie, me conduisirent à m'interroger sur les sources de ce courant gnostique que je voyais fleurir dans le christianisme ancien et qui semblait s'être un peu perdu par la suite. C'est ainsi que je fus amené à étudier deux grands textes de la bibliothèque de Nag Hammâdi, l'*Évangile de Vérité* et l'*Évangile de Thomas*.

Pour le professeur Ménard :

« De tous les textes de Nag Hammâdi, l'*Évangile de Vérité* est sans doute celui qui illustre le mieux le phénomène de la gnose, grâce à son emploi très fréquent de la notion de " connaître " ou de " connaissance " : (*gignoskein*), qui y revient sous une forme ou sous une autre près de soixante fois. Il se présente comme un traité de connaissance, mais d'une connaissance bien spéciale. Il s'agit tout d'abord de la connaissance de Dieu, identifié à la Vérité ; on peut en effet tout aussi bien dire " Évangile de vérité " que " Vérité de l'Évangile ". Comparable à celui de l'Épître aux Romains, le début de l'opuscule s'ouvre sur la descente du Sauveur venant du Plérôme pour nous communiquer la Vérité. La connaissance de cette Vérité nous sera possible grâce au *noûs* (fine pointe de l'esprit) auquel le logos est immanent. Semblable connaissance est surnaturelle : " l'Évangile de vérité est joie pour ceux qui ont reçu la grâce de la part du Père de la Vérité, qui fait en sorte qu'ils le connaissent par la puissance du Verbe, Lui qui est venu du Plérôme, Lui qui est immanent à la Pensée et à l'Intelligence (*nous*) du Père... »

Remonter à la source de nos pensées, c'est rejoindre le logos par lequel nous sommes informés et en lui connaître la Source de l'information, que Jésus appelle son Père.

Ces textes me semblaient familiers, ils me rappelaient en effet la littérature sacrée de l'Inde, où la cause du malheur et de la souffrance c'est l'*avidya*, l'ignorance, l'ignorance du Soi, oubli de notre identité en Dieu. L'*Évangile de Vérité* parlait d'une ivresse, d'un enténébrement dont il s'agit de sortir, et la voie de sortie ou de libération c'est la connaissance de soi, discernement des illusions et réintégration de notre être véritable — « retrait des projections », dirait un analyste contemporain (Carl Gustav Jung).

« Celui qui expérimentera ainsi la gnose sait d'où il est venu et où il va ; il sait comme quelqu'un qui s'étant enivré s'est détourné de son état d'ivresse, a accompli un retour sur soi-même et a rétabli ce qui lui est propre. »

Afin de parvenir à cette re-connaissance de nos origines, il faut faire silence en soi-même, pour que de la multiplicité, c'est-à-dire de la dispersion des sens et du mental, on en vienne à l'Unité, pour que le « soi » remonte de cette multiplicité et de cette unité à l'Unité qui est le Père.

A l'époque je ne prêtais guère attention au fait que l'*Évangile de Vérité* était répertorié *Codex Jung...* Il fut en effet offert à C. G. Jung et à son institut en 1952 grâce au soutien financier de George H. Page. Nul doute que la pensée du célèbre analyste fut influencée par ce grand texte, notamment sa vision du Christ comme archétype structurant et agissant dans l'évolution psychique de l'homme occidental.

« Le Christ est présent *a priori* en chacun de nous, mais en règle générale, au début, à l'état d'inconscience. Et assurément, lorsque ce fait devient conscient, c'est dans l'existence une expérience tardive. On ne peut pas accéder réellement à cela par la doctrine ou la suggestion. Ce n'est une réalité que lorsque la chose arrive, et elle ne peut arriver que lorsqu'on retire ses projections d'un Christ extérieur, historique ou métaphysique, et qu'ainsi on s'éveille au Christ intérieur. Cela ne veut pas dire que le Soi inconscient serait inactif, mais seulement que nous ne le comprenons pas.

» Le Soi ne peut devenir réel et conscient sans le retrait des projections extérieures. Un acte d'introjection est nécessaire, c'est-à-dire la découverte du fait que le Soi vit en nous et non pas dans une figure extérieure, séparée et différente de nous. Le Soi est depuis toujours notre centre le plus profond et notre périphérie, notre *scintilla* et notre *punctum solis*, et le restera. Il est même, sur le plan biologique, l'archétype de l'ordre, et du point de vue dynamique, la source de la vie » (Carl Gustav Jung, *La Vie Symbolique*).

Je reconnais l'ambiguïté du langage de Jung ! est-ce le Soi qui est image du Christ ou le Christ qui est image du Soi ? Il n'a jamais été très clair là-dessus. En tout cas son approche est bien celle des gnostiques : nous sommes des Christ inconscients, des fils de Dieu endormis. Sortir du sommeil, revenir de l'oubli, c'est découvrir « Celui qui Est » en nous depuis toujours et ne demande qu'à connaître et à aimer à travers nous.

Ce thème je le retrouverai par la suite, quand il me faudra traduire et commenter l'*Évangile de Thomas* :

« Quand vous vous connaîtrez vous-même, alors vous serez connus et vous connaîtrez que vous êtes les fils du Père, le Vivant ; mais si vous ne vous connaissez pas vous-même, vous êtes dans le vain et vous êtes vanité » (Logion 3).

A côté de ces études sur la gnose, que j'intégrais sans trop de difficulté à mon sujet de thèse, il me semblait important — ou plus exactement « honnête » — pour ne pas rester dans la théorie d'expérimenter une pratique de « connaissance de soi », une exploration de mes ombres à la lumière du Christ et de son Évangile...

Malheureusement on me conseilla, pour m'accompagner vers cette « descente dans l'inconscient », un jeune analyste freudien aux présupposés anthropologiques trop évidents. On lui avait dit le travail que j'avais fait en psychiatrie, et il me considérait un peu trop comme « sujet supposé savoir », ce qui le faisait sortir de cette neutralité bienveillante pour laquelle je le payais fort cher et il m'affligeait d'interprétations que je trouvais fort courtes. Là où il me semblait percevoir une projection douloureuse de mon *anima* perturbée, des synchronicités étonnantes entre mes sujets d'étude et certaines rencontres, il me ramenait toujours à ma mère, à mon *œdipe* non résolu — ce qui d'ailleurs était vrai. Mais un *œdipe* non résolu ne peut-il pas être le symptôme d'une autre aventure ? Nos difficultés de rapport avec la mère ou avec le père ne peuvent-ils pas être l'écho de notre difficulté de rapport avec un Autre que le père ou la mère symbolisent ?

Un soir où je l'avais, me semble-t-il, particulièrement irrité par mes références à la Sophia que le philosophe russe Soloviev était allé chercher un peu partout dans le monde et hors du monde, mais non pas dans la dimension féminine qu'il portait en lui-même : la Sophia comme épouse du Logos ! Il m'interrompit par un questionnement qui devait mettre fin à nos rencontres :

— Êtes-vous homosexuel comme vos confrères ?

— Non !

J'ajoutai que je n'étais pas sûr que tous les dominicains soient homosexuels.

— Prenez-vous beaucoup de plaisir à vous masturber ?

— Non ! (Mais que venait faire ici ce « beaucoup » ?)

— Alors, allez vous faire foutre !

Comme je l'invitais à développer la richesse analogique du mot « foutre », il me mit carrément à la porte.

Je ne lui en voulais pas, je m'étais grossièrement trompé d'adresse. L'analyste, comme le maître spirituel dans les traditions, ne peut guère vous conduire au-delà du point où il se tient lui-même. C'est un métier qui demande une telle humilité, une si divine ignorance afin de ne pas entraver par son savoir et ses « grilles de lecture » la parole ou l'image qui se fraie un chemin dans le discours de l'autre !

Je m'orientai alors vers la « psychothérapie initiatique » de Graf Dürckheim. Pour lui, les expériences du « numineux » ne sont pas tout de suite à interpréter de façon réductrice comme pur phantasme ou déplacement de la libido, mais peuvent être aussi signes, paroles de l'Être essentiel, vers lequel certains hommes — si ce n'est tous les hommes — se sentent irrésistiblement attirés.

La cause de la plupart de nos troubles, de nos maladies et du mal-être, est, pour Graf Dürckeim, dans le refoulement de l'Être essentiel :

« Le refoulement des impulsions vitales de l'enfant causé par des paroles décourageantes, un manque de compréhension et d'amour, nuit à ses élans naturels et à son besoin d'expression et d'épanouissement dans leur ensemble. Il l'empêche aussi de

prendre conscience de son essence surnaturelle et de la développer... Il faut aussi que le malaise né de l'Être essentiel contrarié
devienne conscient comme tel, puis soit éliminé, par des moyens
appropriés... »

Cet Être essentiel contrarié ou refusé va être pour Dürckheim à
la racine de nos ombres les plus lourdes :

« Dans l'ombre est emprisonnée notre vraie nature, notre
Christ intérieur, notre Être essentiel... L'Être refoulé est prisonnier de notre être existentiel. Chaque expérience dans laquelle
pour un moment l'Être essentiel est libéré devrait être accompagnée d'une prise de conscience de ce qui bloque le chemin vers
l'Être... Le refus dans la conscience de l'Être essentiel produit
l'ombre la plus profonde. Elle est pourtant, cette ombre, la
lumière primordiale refoulée. »

Je ne pouvais qu'acquiescer à ces paroles, où je découvrais en
termes simples un écho de ma propre expérience. Le récent échec
de mon analyse freudienne (qui avait quand même duré un peu
plus d'un an) me faisait sentir la nécessité d'un autre type
d'analyse dont l'anthropologie ou la conception de l'homme
sous-jacente serait capable de contenir des expériences de type
« spirituel » et de les écouter, si ce n'est de les interpréter, dans la
spécificité de leur ordre.

Maslow et la psychologie transpersonnelle y feront référence
en parlant des *peaks experiences,* ou expériences des sommets,
propres à nous révéler, tout autant que les pathologies, la
véritable identité de l'homme.

Je ne parlerai pas comme Graf Dürckheim de « grande » ou de
« petite thérapie ». Je rejoindrai néanmoins celui-ci pour remarquer la complémentarité de certaines formes d'analyses, plus ou
moins adéquates selon l'étape numineuse ou conflictuelle que
nous sommes en train de vivre. Jung ne parle-t-il pas aussi du
« processus d'individuation » qui commence véritablement lorsqu'ont put être résolus les troubles élémentaires de la psyché et
l'articulation non névrotique de la triade ça-moi-surmoi ?

« On fait depuis quelque temps une différence entre petite et
grande thérapie. Par petite thérapie, on entend des traitements

s'adressant aux névroses et visant à rétablir la santé psychique.
Son but est de rendre un sujet apte à faire son chemin dans la
société, à y travailler, à s'y créer des contacts. La première
condition est de le libérer de son angoisse, de sa culpabilité, de
son isolement... C'est une thérapie purement pragmatique.

» Mais, parfois, la souffrance humaine, physique ou psychique, s'enracine si loin au-delà du psychologiquement accessible,
elle atteint le noyau de l'être métaphysique, se situant donc à une
profondeur de l'inconscient dont les manifestations ont un
caractère numineux : la vie spirituelle est alors en jeu. La
" guérison " n'est alors possible que si le " malade " apprend à se
percevoir à ce niveau. Il lui faut comprendre son échec dans le
monde comme le blocage d'une réalisation de soi-même à travers
laquelle son Être transcendant lui-même devrait percer. Une telle
thérapie... tend au témoignage de l'Être essentiel dans le moi
profane et, en ce sens, à la réalisation du Soi véritable : on
l'appelle la grande thérapie... Elle doit avoir un sens initiatique[7]. »

Et ailleurs, il écrit : « Toute thérapie s'appuie sur une conception de l'homme, de son Être essentiel et de sa destinée. »

Jean-René Bouchet n'était pas très favorable à l'œuvre de Graf
Dürckheim. Il le trouvait un peu trop « gnostique », il préférait
Groddeck, *Le Livre du Ça*. Cela lui semblait plus sexuel :
« beaucoup plus sain ». Il accepta néanmoins que je me rende en
Forêt-Noire, à Todtmoos-Rütte, où vivaient Dürckheim, Maria
Hippius et leur équipe de thérapeutes.

Entre-temps j'avais trouvé un bon prétexte pour faire cette
visite. Le père Besnard m'ayant souvent parlé de lui comme d'un
homme qui pouvait aider les chrétiens à redécouvrir la dimension
d'ascèse (travail bien ordonné sur soi-même) inhérente au
christianisme authentique, il me vint à l'esprit d'écrire un livre
d'entretiens avec Graf Dürckheim, où nous pourrions discuter
des rapports entre christianisme et zen, entre ce qu'il appelait la
psychothérapie initiatique et les autres écoles de psychologie, etc.
Par ailleurs, j'avais appris qu'il considérait Maître Eckhart

comme son maître, ce qui laissait présager « un accord de fond de nos deux êtres dans l'Être ».

Je me rendis donc à Todtmoos-Rütte.

« Dès le début de notre entretien, je confiai à Graf Dürckheim le motif de ma visite. Il eut un sourire : « Le livre est déjà fait. » (*Dialogue sur le chemin initiatique*, d'Alphonse et Rachel Goettmann.) Après un moment de silence Graf Dürckheim me demanda : « Eh bien, nous sommes libres ! Avez-vous un problème, une question ? » J'avais beau chercher, pas de problème, pas de question ! C'était évident (!), puisque je n'avais plus de livre à écrire, plus d'entretien à entretenir...

» Ce n'était pas la haute vacuité, je me sentais tout simplement stupide... Alors, d'où me vint cette idée étrange, totalement étrangère à mon type de comportement habituel ? je m'entendis demander à Graf Dürckheim : « Puis-je rester là simplement et vous regarder dans les yeux ? »

» Il se redressa légèrement, sourit, décrocha le téléphone et demanda qu'on ne le dérange pas si nous dépassions l'heure prévue, puis tranquillement il mit ses yeux dans les miens...

» Que dire maintenant qui ne soit pas des mots, des émotions, de la mémoire, et qui ne trahisse pas le secret : ce point inaccessible où se rencontrent les regards ?

> *Sentir le cœur de l'autre battre*
> *dans sa propre poitrine ?*
> *Sentir l'intelligence de l'autre*
> *éclairer et balayer nos propres pensées ?*
> *Et cette chaleur dans le sang*
> *dans le souffle... ?*

» On ne peut en parler tant qu'on ne l'a pas vécu, et quand on l'a vécu on ne peut plus rien en dire... « I shin den shin » — transmission-transfusion « de mon cœur à ton cœur », « de mon être à ton être », disent seulement les Japonais.

Deux regards
   Une lumière
      Deux ailes
         Un oiseau.
Maintenant
   où est-il l'Oiseau ?
      Demeure l'Espace
         qui connut son vol.

» Cet Espace, nous le retrouvions à chacun des entretiens qui suivirent, entretiens d'ailleurs de plus en plus silencieux, comme si nous étions pressés de rejoindre « Cela » qui s'était ouvert entre nous [8]. »

Pour le travail d'analyse proprement dit, Graf Dürckheim me confia à ses collaborateurs. Je fus d'abord étonné que ce travail fasse si peu appel aux techniques classiques de l'analyse : laisser dire la parole qui vient, lapsus, rêves, etc. A côté de la pratique de l'assise silencieuse dans l'esprit zen, on me proposa de travailler sur la voix, d'être à l'écoute de son point d'ancrage dans le corps et de laisser venir le « son juste » : la voix de l'Être essentiel. On me proposa aussi d'exprimer par le dessin les grandes images, les gestes (droites, courbes, spirales), qui montaient en moi. L'exercice se faisait les yeux fermés, c'était l'occasion d'entrer en contact avec la source de l'énergie, avec l'origine du mouvement... Une fois les yeux ouverts, il s'agissait alors de discerner ce que le « dessin » ou les gribouillis obtenus pouvaient révéler, de mon ombre, de mes blocages et de la vie se frayant un chemin à travers tous ces nœuds...

On pratiquait également à Todtmoos-Rütte la *leibtherapie*, travail sur « le corps qu'on est », massage extrêmement subtil, où je me sentis touché non comme un objet ou comme une viande plus ou moins énervée, mais comme une « personne » dont les mémoires douloureuses avaient « endurci » les muscles et les articulations. Cette *leibtherapie* devrait faire partie de la formation des médecins, infirmiers ou autres soignants ayant à entrer en contact avec des corps souffrants ! Mais peut-on apprendre à toucher l' « être » de l'autre si on n'a pas été éveillé soi-même dans son être ? En tout cas, j'appris ce que cela veut dire être touché avec des mains qui non seulement ont un cœur, mais aussi un Esprit, capable de réveiller par ce simple toucher l'être intérieur...

Je n'ai pas approfondi le travail sur l'argile mais je pense que celui-ci peut aussi être un excellent moyen d'expression des craintes, des désirs que chacun porte en lui. On me proposa encore plusieurs séances de « caisson d'isolation sensorielle » et différentes techniques relevant de la psychologie humaniste, comme la gestalt que je retrouverai plus tard aux États-Unis. Mais il y avait ici une qualité particulière d' « attention à l'être », quelle que soit la méthode employée, que je n'ai pas retrouvée ailleurs.

Graf Dürckheim me proposa de me rendre régulièrement non seulement à Todtmoos-Rütte, mais aussi à Paris, près de Jacques Breton, prêtre catholique qu'il avait formé, pour développer en moi le goût de l'exercice et de la méditation.

Je lui avais parlé de la pratique enseignée par le père Séraphim. Il me dit :

— C'est ma pratique depuis de nombreuses années. Dans l'assise zen que je préconise, on est dans les meilleures conditions pour invoquer le Nom de Jésus. Le Nom de Celui qui Est : Je Suis... Je ne dis pas cela de façon toujours explicite, cela est une grâce que chacun peut découvrir quand il se laisse trouver... Ce n'est pas nous en effet qui cherchons Dieu, c'est Dieu qui nous cherche...

Comme je m'aventurais à lui rétorquer :

— Mais n'est-ce pas trahir le zen que d'invoquer le Nom de Jésus pendant l'assise ? ne faut-il pas « garder pure la vacuité » ? il me regarda en souriant, sachant quel écho ces paroles pouvaient avoir en moi (nous avions le jour précédent évoqué Maître Eckhart !).

— N'est-ce pas Jésus qui nous conduit dans le parfait silence, la pure vacuité qu'est le Sein du Père ? Ne cherche pas trop à expliquer tout cela, n'aie pas peur du pur silence où te conduit l'invocation du Nom de Jésus, bien plus sûrement que lorsque tu veux faire le vide avec ton petit « moi mystique » !

J'aimais beaucoup l'allusion au « petit moi mystique ». J'avais remarqué que toutes les pratiques proposées à Todtmoos-Rütte pouvaient, si on n'y prenait garde, développer en nous un narcissisme spirituel invraisemblable. Elles développaient une telle « conscience de soi », une telle attention au moindre geste, au moindre écart de voix, que « le beau moi individué » en devenait encombrant et ne permettait plus aucune vulnérabilité, ni aucune spontanéité... Au lieu de redevenir comme des enfants, libres et joyeux, on pouvait devenir comme de vieux paons, toujours prêts à montrer le plumage de leur « grand être » grave et prétentieux...

Cela devait être un peu mon cas !

Lorsqu'au couvent j'essayais de partager mon expérience et mon enthousiasme pour l'enseignement de Graf Dürckheim, on m'invitait à mieux dire mon chapelet et à boire un peu plus de vin d'Alsace... Je pus néanmoins convaincre le prieur de me laisser utiliser une grande pièce, au dernier étage du centre Mounier, annexe au couvent, pour en faire une sorte de dojo, ou salle d'exercice et de méditation. J'appelais ce lieu le Sycomore en souvenir du sycomore sur lequel était monté Zachée, le « petit de taille », pour « voir Jésus passer ».

L'assise silencieuse n'était pour moi rien d'autre que cet exercice par lequel on essaie de monter au-dessus de la foule des pensées, des pulsions, des habitudes, qui nous empêchent de « voir » Celui qui Est en tout ce qui est. Le Sycomore fut aussi une sorte d'ébauche de ce qui devait se réaliser ensuite à la Sainte-Baume, un espace de liberté et de contemplation ouvert à tous ceux qui cherchent la vérité, à travers un corps apaisé et un esprit silencieux, quelles que soient les idéologies ou les traditions religieuses dans lesquelles ils ont été éduqués.

Nous étions ainsi une dizaine, surtout des jeunes, à nous retrouver plusieurs soirs par semaine. Cette petite heure d'exercice corporel et d'assise immobile nous préparait à une célébration plus savoureuse de l'office. Comme à la Sainte-Baume, tous ne venaient pas, mais la porte n'était fermée pour personne...

Ces rencontres, mes études et, comme à Toulouse, un certain ministère auprès de jeunes drogués et délinquants, une vie fraternelle particulièrement compréhensive à l'égard de mon rythme de vie (je ne dors pas la nuit mais je reste au lit le matin quand tout le monde est à l'office), font de ce temps vécu à Strasbourg un temps particulièrement intense et béni... Les épreuves pourtant ne manquèrent pas. Je n'en citerai qu'une seule. Pour son caractère un peu « spectaculaire », elle me permit de mieux comprendre un aspect de l'enseignement de Dürckheim auquel j'étais particulièrement rétif : il voyait comme signe d'une authentique expérience de l'Être l'intervention de l'ennemi :

« Curieusement, l'expérience de l'Être ne manque jamais de faire apparaître son ennemi. Partout où se manifeste l'Être essentiel surgit le monde antagoniste. L'ennemi est une puissance qui contrecarre ou détruit la vie voulue par Dieu. Plus l'orientation vers le surnaturel est nette, plus est déterminé l'engagement de l'homme à son service, plus sûrement il trouve devant lui l'ennemi acharné à l'écarter de la voie juste. Ce n'est pas une pieuse légende, mais une donnée d'expérience qui ne peut s'expliquer logiquement. Dès qu'un homme a reçu la grâce d'une expérience de l'Être, quelque chose vient troubler, dans les heures qui suivent, l'état de béatitude où l'avait transporté l'expérience qui le libère et l'engage. Il ne s'agit pas d'une compensation psychologique qui, par loi d'équilibre, fait suivre la joie débordante par une dépression ou l'état de tristesse par une exubérance que les circonstances ne justifient pas. »

Shâtan (Satan) en hébreu veut dire l'obstacle ; en même temps que s'éveille notre désir d'union avec le Christ ou avec Dieu se réveille ce qui fait obstacle, ce qui veut empêcher cette union. Dans la pensée judéo-chrétienne, le Satan n'est pas un dieu en face de Dieu, la puissance du mal et des ténèbres qui s'opposerait, comme dans les schémas dualistes, à la puissance du bien et de la lumière. Shâtan est une créature dont la fonction est de nous éprouver, de nous tenter, afin de nous rendre plus fort ou simplement pour nous permettre de prendre conscience de notre degré de foi et de confiance en Dieu.

« Sans les démons et les embûches qu'ils mettent sur notre route, nous ne pourrions pas faire de progrès, disaient les anciens Pères du désert[9]. »

« L'ennemi du genre humain » prit ici la forme d'une femme qui venait fracturer le tabernacle de notre église et s'emparait des hosties pour les souiller au cours d'invraisemblables messes noires. C'est Jean-René Bouchet qui me demanda de m'occuper de cette personne non seulement « possédée par le diable », mais profondément perturbée d'un point de vue psychologique. Quand on sait qu'elle était infirmière à l'hôpital et qu'elle savait parfaitement « jouer » son rôle, on peut frémir à la pensée de tous ceux qu'elle disait avoir « aidés à partir en enfer ».

C'était la première fois que je me trouvais en face d'un cas de « possession » explicite. A Toulouse, j'avais bien rencontré deux personnes hystériques, soucieuses de me faire tâter leurs stigmates et les attribuant, selon les heures du jour, à Dieu ou au diable. Il suffisait alors de réciter avec elles un *Notre Père* pour qu'elles retrouvent la paix. Là il n'était pas question de « Notre Père » ; la seule évocation du nom de Dieu ou du Christ provoquait chez cette personne des grincements de dents et des craquements d'os inexplicables qui me faisaient dresser les cheveux sur la tête. Elle me jetait alors au visage les hosties, qu'elle cachait dans son soutien-gorge et dans sa petite culotte, avec toutes sortes de cris et de blasphèmes.

Je ne jouais pas les exorcistes ; je me contentais de rester le plus calme possible, de bien me « centrer dans le *hara* » comme me l'avait enseigné Graf Dürckheim, et de réciter intérieurement la prière du cœur. Cela se terminait généralement par des larmes. La femme restait un long moment prostrée à terre. En se relevant, elle me demandait : « Comment en sortir ? » Je compris qu'elle n'était pas seulement possédée par le diable, mais aussi par des hommes qui l'utilisaient pour la détruire et détruire ceux qui la côtoyaient. Elle me parla de tout un réseau de magie noire à travers l'Europe, de sectes lucifériennes dont certains membres avaient des places importantes dans l'industrie et la politique...

Désormais j'en savais trop. Je me rendis compte que toutes mes allées et venues en ville étaient surveillées, je n'osais plus sortir seul. Un soir la femme vint me prévenir : pour la nuit de la pleine lune, « on » avait décidé de me sacrifier, moi ou un enfant innocent. Je lui dis aussitôt que je préférais que ce soit moi... Elle se mit à ricaner follement : « Ni lui, ni vous ! C'est moi qu'ils sacrifieront, ils m'ont injecté du sang de poulet, je suis déjà morte. »

De fait, elle n'est jamais revenue. Tout cela ressemble à un mauvais roman noir. J'ai une profonde répugnance à croire à ce genre de phénomènes, et pourtant j'étais bien là en face de ce qui préoccupait les gnostiques dont j'étudiais les livres : l'existence du mal, du plaisir dans le mal !

Je comprenais mieux que le mal ne soit pas considéré comme une abstraction, une « déficience du bien », un « manque d'Être », mais qu'on puisse l'expérimenter comme un « Être mauvais », et que j'aurais sans doute d'autres occasions de me battre avec lui, que ce soit à l'intérieur de moi ou à l'extérieur...

Je me demande aujourd'hui si ces manifestations diaboliques et quelque peu extraordinaires du mal dans ma vie n'étaient pas liées à mon refus du mal, à un certain refus de l'ombre au sens jungien du terme ? Je vivais depuis ma découverte du Christ dans une affirmation exclusive de l'Être, du bien, de la lumière, comme si le mal n'existait pas, n'était pas réel, n'était pas une composante nécessaire de la réalité...

Cela pourrait aussi expliquer la tournure dramatique qu'allait prendre la présence du féminin dans ma vie. N'était-elle pas liée, justement, à mon refus quasi viscéral de la femme, entretenu par certains courants de la tradition ascétique et par la mémoire douloureuse d'une relation manquée avec ma mère ? Plutôt que d'accuser le diable de m'avoir fait rencontrer cette jeune femme qui allait ruiner mon projet de vie religieuse et me conduire à l'infidélité à mes vœux. (C'est ce que firent un certain nombre de pères dominicains qui me diront : « Tuez-la. »

— Tuer une personne, dans un tel cas, ne peut être un péché. Au contraire, c'est sauver son âme et la vôtre !

N'est-ce pas sur cette même logique que se fondait l'Inquisition ? On ne condamne et on ne tue personne, si ce n'est le démon !) Je ferais mieux de m'accuser moi-même et d'accuser mon « refus » de la femme. L' « explication par le diable » me paraît aujourd'hui insuffisante ou trop facile. Je n'explique certaines rencontres et certains phénomènes qui ont détruit ma vie que par les refus que secrètement je cachais en moi, le refus du mal et le refus de la femme particulièrement. Peut-être aussi le refus de *Shâtan*, de l'Être mauvais dans l'Être ? Et le refus si typique d'un certain christianisme, refus de l'ombre dans la lumière ?

La mort de Gandhi m'a toujours fait réfléchir à ce sujet. Comment le refus de la violence peut-il appeler la violence ?

Il me semble aujourd'hui important de mieux analyser ce que nous refusons, ce dont nous avons peur, ce à quoi nous disons non ! Cela ne peut que nous arriver !

Personnellement, s'il y avait quelque chose à quoi je disais non de toutes mes forces, c'était le mariage. Un non qui ne pouvait finir que dans un oui certifié conforme devant le maire. Mais qu'en est-il du oui qu'il s'agit de prononcer du fond du cœur ?

Comment sortir d'un tel conflit intérieur, d'une telle souffrance, comment accepter nos refus et comment accepter l'inacceptable ? Arnaud Desjardins aime bien citer un auteur catholique peu connu : Jean-Baptiste Saint Jure de la Compagnie de Jésus, autour d'un petit livre, *Confiance en la divine providence*, lecture favorite du curé d'Ars :

« N'attribuons jamais ni aux démons ni aux hommes, mais à Dieu comme à leur vraie source, nos pertes, nos déplaisirs, nos afflictions, nos humiliations. Agir autrement, ce serait faire comme le chien qui décharge sa colère sur une pierre au lieu de s'en prendre à la main qui la lui a jetée. Ainsi gardez-vous de

dire : Un tel est cause de ce malheur que j'ai éprouvé, il est
l'auteur de ma ruine. Vos maux sont l'ouvrage non de cet
homme, mais de Dieu. Ce qui vous rassure, c'est que Dieu fait
tout avec la plus profonde sagesse et pour des fins saintes et
sublimes... »

Dieu cause du mal ? Dieu cause de mon infidélité ? Qui oserait
dire ce que les mystiques osent dire ? Pourtant n'est-ce pas le
« non » qui va créer l'enfer et être à l'origine de toutes nos
démonologies ? Job était plus sage lorsqu'il disait, après avoir
perdu ses richesses, sa santé, ses enfants : « Dieu a donné, Dieu a
repris, Dieu soit béni. » Il ne disait pas : « Dieu a donné, le diable
a ôté », mais : Dieu m'a donné des enfants, Dieu me les a repris...

Mais qui oserait être Job ? Qui oserait n'accuser personne de
ses maux, même pas soi-même ? Qui aurait assez de foi pour
n'accuser que Dieu ?

Dire oui à tout parce qu'il n'y avait que oui en Lui (saint Paul
parlant du Christ) : oui ! Mais comment gérer cela au quotidien,
dans l'absurde, l'impossible quotidien ? Comment ne pas désespérer de la grâce qui vient ?

Il me faudra encore des années pour comprendre ce que me
disait Graf Dürckheim :

« Lorsque vous rencontrerez ce qui est au-delà de toute
possibilité de compréhension et d'acceptation, l'inadmissible
absolu, serez-vous assez convaincu pour choisir la folie du oui
qui est la suprême sagesse ? quand l'inadmissible, le trop injuste,
se présentera, souvenez-vous : c'est Dieu lui-même qui vient à
vous, c'est une bénédiction sous le déguisement d'un malheur. »

C'est la grâce sous le déguisement de l'absurde ? Cela, on ne
peut que « vouloir le croire ». Quant à l'éprouver tous les jours...

CHAPITRE XIV

« Prêtre et victime »
Prague — Moscou — Zagorsk

La dernière année de mon séjour à Strasbourg fut celle de mon sacerdoce. Je fus ordonné prêtre le 18 juin 1978.

Depuis plusieurs années déjà s'était développé en moi un certain goût du « sacrifice ». Par ce sacerdoce je pensais accéder à une identification au Christ plus profonde, « être celui qui est sacrifié », être à la fois « prêtre et victime ». Je ne rêvais que d'être « mangé », « brisé », comme le Christ, pour « la gloire de Dieu et le salut du monde ». Je me revois, lors de ma profession solennelle au couvent de Toulouse, étendu les bras en croix sur le marbre vert, noir et humide, offrant ma vie pour la réconciliation des Églises d'Orient et d'Occident...

Au moment de l'ordination, mon acte d'offrande s'était à la fois élargi et restreint, des noms propres s'étaient inscrits dans la mémoire du cœur, je les mêlais au *Notre Père* : « Que ton Nom soit sanctifié en eux et en tous, que ta volonté soit faite, que ton règne vienne en eux et en tous... » Le désir de souffrir pour le Christ ou avec le Christ était profondément enraciné en moi, la fréquentation des premiers chrétiens, d'Ignace d'Antioche et d'Origène m'encourageait dans la voie du martyre, j'étais persuadé qu'il ne pouvait pas y avoir de vie chrétienne authentique sans souffrance, sans sacrifice. Je me répétais souvent la phrase de saint Paul : « J'achève dans ma chair ce qui manque aux souffrances du Christ. »

Saint Dominique n'avait-il pas lui aussi ardemment désiré le martyre ? Pouvait-on être dominicain sans porter plus ou moins explicitement ce désir en soi ? Ma lecture préférée était le récit du sacrifice d'Abraham, le père sacrifiant son fils, ce qu'il a de plus cher, comme Dieu le Père sacrifiant Jésus, son fils unique...

Je me demandais chaque jour : « Aujourd'hui, que vais-je sacrifier ? à quoi est-ce que je tiens le plus ? »

Dites ainsi « crûment », les choses laissent affleurer ce qu'il pouvait y avoir de morbide et de masochiste dans mon attitude. Sans nier néanmoins qu'il y ait eu en moi un authentique désir d'aimer Dieu, d'aimer les hommes, je ne pouvais concevoir alors d' « amour heureux », d'amour sans souffrance...

J'avais même écrit l'ébauche d'un roman racontant la vie d'un « martyr du XXᵉ siècle », un martyr incognito et quelque peu ridicule, qui ne souffrait pas des sévices infligés par des lions ou des méchants bourreaux mais se laissait détruire par une femme passionnément amoureuse et possessive. Au nom de l'amour, elle lui enlevait toute liberté, toute dignité. L'histoire finissait mal, le jeune homme (qui était prêtre, évidemment) devait obéir à cette malheureuse qui lui enjoignait : « Tue-moi ! » Il terminait alors ses jours en prison, rejeté de tous, condamné comme prêtre infidèle, criminel et fou.

« Nous l'avons vu sans beauté ni éclat, rejeté de tous, c'était nos péchés qu'il portait. »

Ce texte du prophète Isaïe, qu'on relit tous les ans le Vendredi saint, était son inspiration : « Sa joie dans la tribulation » ! Que cherchais-je à justifier en écrivant de tels romans ou de tels scénarios ? Quel programme douloureux étais-je en train d'inscrire pour ma vie future ?

Je voulais être au nombre de « ceux qui suivent l'agneau immolé », de « ceux qui ont plongé leur robe dans Son sang », comme le dit le livre de l'Apocalypse. Vouloir être, avec Jésus, « le prêtre et la victime », était-ce autre chose que vouloir être le loup et l'agneau, belle conjonction des contraires, *coincidentia oppositorum* ? mais aussi beau mélange, pauvre sadomasochisme sous les sublimes oripeaux du judéo-christianisme ?

En même temps que le désir, de façon quasiment synchrone croissent les réponses et les objets du désir (imaginaires et réels).

Celui qui désire mourir martyr s'arrangera évidemment pour mourir martyr. Si l'inconscient n'est pas tout-puissant, il n'est pas non plus sans puissance. J'allais l'expérimenter à Jérusalem.

C'était vendredi soir l'entrée en Sabbat, je revenais du grand mur occidental où j'avais mêlé ma prière à celle des juifs. Avec ma barbe et mes cheveux à bouclettes, dans les ruelles sombres de la ville on n'avait pas de mal à me prendre pour l'un d'eux. Je reçus alors une volée de pierres, et me retrouvai au sol blessé de toute part, « lapidé ». On me donna par la suite de multiples explications à cet incident : c'était la situation politique de Jérusalem qui m'entrait dans la peau, etc. Je n'en retins qu'une, qui n'était pas une explication : je me trouvais alors sur la *via crucis...* ! C'était le signe que Dieu m'avait entendu dans mon désir d'être martyr et d' « achever dans ma chair ce qui manquait aux souffrances du Christ ». J'offrais alors mon sang versé pour la réconciliation des juifs, des musulmans et des chrétiens...

C'était une bien mauvaise exégèse des paroles de l'apôtre Paul. Le Christ a assez souffert, il n'y a rien à ajouter à sa souffrance, par contre je peux accepter de ne pas être totalement heureux tant qu'un seul homme souffre, de ne pas être totalement en paix tant que la paix n'est pas revenue à Jérusalem et dans le monde...

Tant que Dieu n'est pas « Tout en tous » (*pleroma*), le travail inauguré par le Christ n'est pas « achevé », me semble aujourd'hui une meilleure interprétation des paroles de l'apôtre.

De retour au couvent de Strasbourg, je comprenais mieux tout ce que mes désirs d' « expiation » pouvaient avoir de narcissique. Certains tableaux montrant saint Sébastien exprimaient bien l'ambiguïté de ce désir de martyre. Les flèches qui le transpercent et l'extasient sont plus proches des flèches d'Éros que de la flagellation de Jésus-Christ.

Je devinais également comment la culpabilité peut se frayer un chemin dans tout cela... Dans la prompte obéissance d'Abraham, lorsque Dieu lui demande de sacrifier Isaac, n'y a-t-il pas la secrète culpabilité d'avoir déjà « sacrifié » son premier fils Ismaël ?

Les frères d'Isaac ne souffriraient-ils pas encore aujourd'hui de la culpabilité de leur père Abraham ?

Lorsque Ismaël et Isaac pardonneront à leur père Abraham de les avoir « sacrifiés » et « séparés », y aura-t-il moins de sang innocent versé à Jérusalem ?

Mais Dieu n'est pas là pour entretenir nos culpabilités (personnelles ou collectives), Dieu ne veut pas de sacrifice :

« Le messager de YHWH crie vers lui des ciels et dit : Abraham ! Abraham ! Il dit : Me voici.

» Il dit : Ne lance pas ta main vers l'adolescent, ne lui fais rien. »

Si le couteau doit « toucher » quelque chose dans la relation d'Abraham avec Isaac, ce n'est pas le fils mais « mon » fils, ce n'est pas l'autre qui est à tuer, mais l'attachement ou l'image qu'on a de l'autre. Le rendre à lui-même, le « délier » pour qu'une véritable alliance soit enfin possible...

Je méditais alors René Girard et sa lecture non sacrificielle de l'Évangile : ce n'est pas Jésus qui se sacrifie pour obéir à son Père qui lui demandait sa vie, mais c'est Jésus, homme de paix, qui refuse, fût-ce au prix de sa vie, de tuer, de sacrifier l'autre... « Ma vie, on ne me la prend pas, c'est moi qui la donne », disait-il, affirmation royale de sa liberté...

Moi, ma vie on me la prenait, mais je ne la donnais pas...

Mes séjours à Beaufort, en chartreuse et à l'Athos avaient développé en moi une passivité, juste et bonne en milieu contemplatif, dangereuse dans un monde où on se sert facilement de votre *a priori* de bienveillance pour toute sorte de manipulations nocturnes. Je pouvais me servir des paroles de Graf Dürckheim sur « l'acceptation de l'inacceptable » pour accepter n'importe quoi.

Si dans le Christ « il n'y avait que oui », il savait aussi dire non, non aux marchands du temple, non à l'injustice et au péché. La force de ces « non » authentifiait la qualité de son oui à la Vérité et à un Amour sans complaisance.

Moi, je continuais à chercher dans l'Évangile de Matthieu une justification à ma lâcheté et à ma peur des conflits :

« Vous avez entendu qu'on a dit : œil pour œil, dent pour dent ? Et moi je vous dis de ne pas vous opposer au mauvais. Quelqu'un te gifle sur la joue droite, tends-lui aussi l'autre ; et celui qui veut te faire juger pour prendre ta tunique, laisse-lui aussi ton manteau.

« Quelqu'un te requiert pour un mille, fais en deux avec lui... » (Mat. 5,38-41).

Chacune de ces paroles je peux dire les avoir vécues à la lettre, mais je ne suis pas sûr que ce soit toujours l'Amour qui en ait été le moteur. Souvent ce n'était que la peur de refuser, de dire non. Jean et Hildegarde Goss Mayer, ces deux apôtres de la non-violence qu'il me fut donné de rencontrer lors d'un passage à Vienne, me faisaient remarquer qu'entre la violence et la lâcheté « Gandhi préférait encore la violence ». Mais ma vision sacificielle de l'existence ne me permettait pas d'entendre ces paroles.

Marie Balmary dit aussi : « Le masochisme, c'est présenter la même joue à celui qui frappe, pour qu'il recommence. La " sainteté ", c'est présenter une " autre " force à celui qui frappe pour qu'il s'éveille. »

Trop de fois j'ai présenté la même joue... quelle scène primitive étais-je en train de répéter ? Cette attitude, je l'ai retrouvée souvent en analyse chez des personnes qui avaient été battues dans leur enfance et pour qui les coups étaient comme désinvestis affectivement de leur agressivité. Ils étaient signes de reconnaissance, signes du « violent » amour de leur père, ou de leur mère, ou d'un autre tuteur. Il sera difficile pour ces personnes de croire à un amour qui ne leur fait pas mal, qui ne les fait pas souffrir. Il leur sera difficile aussi de croire à un Dieu qui ne les châtre pas, pour leurs impuretés, pour leurs faiblesses. « Qui aime bien châtie bien », n'est-ce pas ?... Votre vie est difficile, douloureuse, n'est-ce pas le signe que Dieu vous aime ?

A ce propos Thérèse d'Avila répondit à Dieu :

« Si c'est ainsi que vous traitez vos amis ce n'est pas étonnant que vous en ayez si peu. »

Mon goût du martyre fut encore développé par la rencontre des chrétiens de l'Est qui vivaient alors dans des conditions difficiles et qui payaient parfois, sinon de leur vie, au moins de leur carrière sociale, le fait de pouvoir témoigner de leur foi. Je me rendis à Prague pour apporter des Bibles et d'autres livres spirituels, mais aussi pour célébrer la messe — il n'y avait plus de prêtre et on se méfiait de ceux qui se présentaient comme tels, ils pouvaient être des dénonciateurs. Je me souviens de ces messes célébrées en toute hâte dans des appartements ou en pleine forêt. Il y avait toujours quelqu'un pour surveiller l'environnement et nous étions prêts à nous disperser rapidement en « cas d'alerte ».

Je fus très impressionné par la foi de ces gens, souvent des intellectuels. Pour eux la foi c'était se garder libre. Dieu n'était pas un opium pour endormir leur souffrance, c'était l'exigence de demeurer conscient et vivant quand tout était fait pour qu'ils deviennent les rouages anonymes de la grande machine État. C'est la même réalité qu'il me fut donné de vivre quelques semaines plus tard lors d'un séjour en Union soviétique.

Je me rappelle une soirée à Moscou où, m'étant installé devant un verre de vodka, je fus rejoint par quelques jeunes. Malgré les difficultés du langage, la vodka aidant, un climat de confiance s'établit. Ils m'invitèrent dans leur appartement, là ils me dévoilèrent un à un ce qu'ils considéraient comme leur trésor. Ce fut d'abord un jean Levis, il passa de main en main, on le caressait comme un péché… ou pire, comme un drapeau américain, comme une statue de la Liberté… Ensuite on me fit entendre un enregistrement des Beatles. Je ne comprenais pas vraiment ce que pouvait avoir de révolutionnaire des chants comme « All you need is love » ou « Yellow Submarine » !

Quand nous fûmes assez ivres pour ne plus avoir peur de rien, quelqu'un sortit du fond de l'armoire une vieille icône de la *theotokos* ou « mère de Dieu », on alluma une petite bougie, un étrange silence se fit. Je n'en croyais pas mes yeux, tout le monde priait… prière qui fut interrompue par le ronflement du plus âgé qui venait de s'endormir, suivi d'un éclat de rire. On remit alors l'icône dans l'armoire. On venait de poser l'acte le plus révolu-

tionnaire qui soit, l'affirmation de notre non-appartenance à
l'État, à la terre. Nous étions des hommes et des femmes libres,
des enfants de Dieu !

Un des buts de mon séjour en Russie était de pouvoir prier sur
le tombeau de saint Serge au monastère de la Trinité à Zagorsk (à
71 kilomètres de Moscou). Avec le groupe organisé par Serge et
Catherine Aslanoff (la fille de Vladimir Losski) et l'Institut slave
de Paris, nous pûmes, non sans quelques difficultés, nous y
rendre de bon matin. Je me souviens être resté plus d'une heure à
pleurer auprès du tombeau de saint Serge. Était-ce la présence du
saint, la prière ardente de ces hommes et de ces femmes qui
m'entouraient ? De vieilles femmes vinrent m'embrasser les
mains comme si j'étais prêtre orthodoxe, ou comme si j'avais à le
redevenir...

C'est vrai que, malgré toute l'amitié de mes frères dominicains,
je me retrouvais ici comme dans ma famille. Tout ce que je
demandai à saint Serge ce jour-là fut exaucé.

Il n'y a que l'unité des chrétiens, pour laquelle j'intercédai de
nouveau, qui tarde encore à se réaliser ! Mais je sais que cela se
réalisera, il y a trop de gens intelligents et aimants aujourd'hui
dans l'Église de Rome pour qu'on ne revienne pas, à travers la
connaissance de nos sources communes, à la tradition de l'Église
indivise.

La difficulté viendra peut-être davantage des Églises orthodoxes, dans leur prétention à « détenir la vérité » et la « pure foi
des apôtres ». Cela nous fut perceptible à Saint-Pétersbourg
auprès de certains membres de l'Académie théologique :

— Les catholiques romains ont perdu depuis longtemps la
vraie foi. Ici, grâce aux persécutions, nous savons ce que cela veut
dire « être orthodoxe ».

De nouveau, je compris qu'on pouvait être plus fier de souffrir
que d'appartenir au Christ. Même de nos plaies on pouvait faire

des médailles d'orgueil, on pouvait être martyr sans cesser d'être
Narcisse.

Malgré tout, les moines de Zagorsk étaient sereins, je me
souviens des commentaires de l'un d'eux tandis que nous
visitions le musée des icônes (il devait avoir lu Pavel Florenski) :

— Le monde spirituel, invisible, n'est pas loin de nous, il nous
entoure, mais nous, qui sommes comme sur le fond de l'océan,
submergés par cet océan de lumière, par suite de notre manque
d'accoutumance et de l'immaturité de nos yeux spirituels, nous
n'apercevons pas ce royaume de lumière, nous n'en soupçonnons
même pas la présence... L'icône est et n'est pas identique à la
vision céleste, elle est la ligne qui dessine le contour de la vision...
Elle est semblable aux algues encore parfumées d'iode qui
témoignent de la mer... Elle est semblable à une fenêtre à travers
laquelle se répand le pouvoir de la lumière, et cette même fenêtre
qui nous inonde de lumière. Elle « est » lumière, elle ne se
contente pas de lui ressembler...

Ces paroles me semblèrent particulièrement vraies lorsque je
me trouvai devant l'icône de la Trinité de Roublev au musée
Tretiakov à Moscou. Aucune reproduction ne peut rendre la
qualité « visiblement invisible » de ces bleus, ors et rouges mêlés.
« Si j'étais peintre, me disais-je, c'est ce bleu or qu'il me faudrait
chercher, cette couleur que doit prendre le ciel quand il nous
regarde. »

A la Laure-Saint-Serge, malheureusement, il n'y avait qu'une
reproduction de cette fameuse Trinité. Devant elle le moine
continua son commentaire :

— Vouant un culte particulier à la sainte Trinité, saint Serge
lui érigea un sanctuaire dans lequel il voyait un appel à l'unité de
la terre russe au nom d'une réalité transcendante. Il construisit
l'église de la Sainte-Trinité pour vaincre dans la contemplation
perpétuelle la peur de la détestable division du monde. La Trinité
une et indivise est principe de vie, source de vie, parce que l'Unité
dans l'amour est vie et source de vie, tandis que les divisions, les
inimitiés et les discordes détruisent et conduisent à la mort. A la

division porteuse de mort s'oppose l'Unité, source de vie, inlassablement vécue dans un élan d'amour, dans la compréhension réciproque. Selon l'idée de son fondateur, l'église de la Trinité est le symbole de la Russie unie dans l'amour fraternel. Elle doit être le centre de l'unification culturelle, le point d'appui et la justification suprême de tous les aspects de la vie russe.

« La sainte Trinité est notre programme social », disait déjà Nicolaï Fiodorov au XIXe siècle, mais aussi l'anglican Frederik Demison Maurice et le luthérien Nicolas Grundtvig. Qu'en penserait aujourd'hui Gorbatchev ?

Si l'homme est à l'image et à la ressemblance de Dieu et si la révélation de l'Uni-Trinité en Jésus-Christ est vraie, n'y aurait-il pas là une grande image, un archétype de ce que pourrait être une communauté d'hommes et de femmes, sortis de leur individualisme ou de leur collectivisme, capables de relation, sans confusion régressive, sans opposition aliénante, à l'image et à la ressemblance de Dieu Un et Trine, communion de personnes où chacune est elle-même. Dans la mesure où elle reçoit et se donne à l'autre, l'icône de la Trinité de Roublev est ici un beau symbole de cette « perichorèse », chaque visage et chaque corps trouve sa stabilité et son centre dans ce mouvement « vers » l'autre. Même les plis des vêtements sont regards...

Un théologien contemporain (Jürgen Moltmann) vient de reprendre ce thème de la Trinité programme social, et ce qu'il dit n'est pas sans écho avec ce que j'entendis à Zagorsk dans la bouche de ce moine tout de noir vêtu, surmonté de son *klobouk*, chapeau au long voile, comme d'un corbeau endormi et attentif.

« La doctrine sociale de la Trinité est en position pour triompher du monothéisme, dans le concept de Dieu, et de l'individualisme, dans l'anthropologie, en développant simultanément un personnalisme social et un socialisme personnel. Combien cela apparaît important pour le monde divisé dans lequel nous vivons et pensons !

» Considéré du point de vue de la religion, le personnalisme du monde occidental est marqué par le monothéisme. De ce fait, il est toujours plus perverti en individualisme. D'autre part, le socialisme du monde oriental est de son côté non pas athée, mais panthéiste. De ce fait, il revient toujours au collectivisme. Le personnalisme social et le socialisme personnel pourraient se rejoindre en un point de convergence avec l'aide de la doctrine sociale de la Trinité.

» Ce qui seul correspond au Dieu en trois personnes, c'est une communauté chrétienne unie et unifiante, sans domination et sans assujettissement, c'est une humanité unie et unifiante sans domination de classe et sans oppression tyrannique. C'est là le monde auquel sont destinés les humains par leurs relations sociales, et non par leur pouvoir ou leurs biens. C'est là le monde dans lequel les humains ont toute chose en commun et partagent tout entre eux, c'est-à-dire tout sauf leurs caractéristiques personnelles.

» Le Dieu en trois personnes, qui est le Dieu communautaire, doit en définitive être compris comme le Dieu vivant qui fait une brèche dans l'isolement humain et les divisions religieuses [10]. »

De retour en France, j'eus à faire face aux conséquences de la lâcheté et de la passivité qui pouvaient laisser croire à une jeune femme que je l'aimais assez pour me marier avec elle.

Je lui avais pourtant écrit dans un sursaut de lucidité, dont Jean-René Bouchet fut le témoin, que je ne voulais plus la revoir et mon désir, malgré mon indignité, de rester religieux dominicain. Cette lettre fut reçue de façon dramatique, les parents de la jeune fille s'en mêlèrent et vinrent me menacer au couvent.

Brigitte m'écrivit : « Si tu ne te maries pas avec moi, je me tue. Si tu ne le fais pas pour moi, fais-le au moins pour les autres. »

Tout se mélangeait alors dans ma tête, l'Évangile, mes propres sentiments, « plutôt mourir que tuer, plutôt souffrir que faire souffrir »...

J'oubliais qu'on ne se marie pas par « sacrifice » ou pour répondre à un chantage ou à des menaces... Cela ne pouvait que mal tourner. On ne bâtit pas un couple sur le mensonge. Dire que je n'aimais pas Brigitte serait faux, mais je me sentais totalement incapable de vivre avec elle. J'avais reçu beaucoup de dons, mais certainement pas le charisme du mariage. J'ai beaucoup de respect pour celui-ci, mais il demande un niveau de sainteté, de respect et de « sens de l'autre » que je n'ai pas.

Il m'est particulièrement pénible de me rappeler cette période de double vie, de double langage. Qui peut comprendre cette incapacité de choisir, de trancher ? de sortir d'une confusion qui allait se révéler par la suite plus douloureuse que n'importe quelle séparation brutale ? L'attitude de Jean-René Bouchet, mon ami et mon prieur, fut aussi difficile à comprendre, certains l'ont condamné, pensant qu'il aurait dû m'aider à rompre et à réaliser cette différenciation nécessaire... Mais lui disais-je toute la vérité ? Savait-il que Brigitte devait me rejoindre à New York où j'avais, mes études de doctorat terminées, trouvé un poste de *research assistant* à l'Université ?

Toujours est-il qu'aujourd'hui je comprends son attitude comme celle du messager de YHWH à Abraham : « Ne sacrifie rien... » Alors que mon âme était altérée de sacrifice et ne pensait qu'au martyre sous une forme ou sous une autre !

Ne sacrifie pas, cela veut dire aussi étymologiquement : ne fais de rien quelque chose de sacré, n'accorde pas tant d'importance à une femme ou à la vie dominicaine, ne fais pas de la forme une idole. Mariage, vie religieuse, n'ont de valeur que par l'amour qu'on y introduit. Dieu seul est Dieu. « Aime et fais ce que tu voudras. »

— Ne sacrifie rien, ce n'est pas à toi de trancher. Dieu pourvoira, un jour tu sortiras de cette contradiction.

J'acceptais ainsi l'inacceptable : être ambigu, mener une double vie, être marié, être dominicain. En même temps, j'acceptais peut-être de devenir un homme ! J'atterrissais ! Mon petit planeur se cassait les ailes, il fallait apprendre à marcher à pied, à mettre un pied l'un devant l'autre, « sans savoir où on allait ». Ma belle mystique, il fallait la vivre au quotidien. J'appris de nouveau que la grâce, c'est de « garder son esprit en enfer et de ne pas désespérer ».

Le père Jean-René Bouchet, par son attitude « non duelle », ne me disait-il pas de ne pas dramatiser :

— Tout cela, n'est-ce pas encore vanité, buée de buée, poursuite du vent ? Dieu seul Est. C'est à Lui qu'il s'agit de demeurer fidèle. Tu as promis obéissance à Dieu. Dieu c'est la Réalité... La Réalité ne te plaît pas ? Elle t'aidera à aller au-delà de ce qui te plaît et ne te plaît pas, au-delà du petit moi qui juge, elle te fera sortir de « ton » monde. Tu viendras au monde. Tu es déjà mort, tu n'es pas encore né.

L'écho de ces paroles me revint lorsque j'allai voir le film de Wim Wenders *Les Ailes du désir* : cet ange qui ne connaissait pas le goût du sang ; il l'avait vu pourtant couler de nombreuses fois, mais « d'en haut ». Voilà que l'ange avait du sang sur ses lèvres, sur ses mains. L'Esprit descendait dans un corps, un corps enfin sensible à sa vulnérabilité, et non seulement réceptacle plus ou moins conscient d'une altérité. Dieu en moi décidait-il de s'incarner vraiment ? Quelle était cette nouvelle vie qui venait se coucher dans mon étable ?

CHAPITRE XV

New York

Comme quelqu'un qui revient d'un long voyage dans de lointaines tribus angéliques, il me fallait donc atterrir, apprendre à marcher ; me servir d'une humanité ordinaire, redécouvrir le goût du café et, puisque j'étais en Amérique, le goût du Coca-Cola. Les premières semaines à Syracuse, dans l'État de New York où se trouvait mon université, furent particulièrement pénibles. J'étais incapable de vivre avec quelqu'un dans la même chambre. Face à mon mutisme, les scènes, les cris, les jalousies invraisemblables de Brigitte (par exemple pour m'être attardé quelques instants de trop sur une jolie femme dans un magazine), faisaient des quelques mètres carrés où nous vivions un véritable enfer. Je fuyais autant que possible dans mon travail, qui se révéla vite des plus passionnants.

J'étais chargé d'accompagner de jeunes « doctorants » dans leur recherche en théologie ou en philosophie et j'avais décidé d'entreprendre pour moi-même un Phd, dont les éléments viendraient compléter ma thèse en théologie sur la « divinisation » (théosis). Après avoir montré la possibilité « révélée » de l'union du divin et de l'humain à travers l'étude des textes sacrés et de la patrologie grecque, il me fallait montrer maintenant les possibilités psychologiques et philosophiques d'une telle divinisation, ce qui me conduisit à une réévaluation de mon image de l'homme, et à mettre en relief les présupposés anthropologiques des grands courants de la psychologie contemporaine. Ma thèse

sur *Les Étapes du développement de la conscience* * me permit de
situer l'apport freudien comme constituant une étape parfois
nécessaire, mais nullement suffisante, sur un chemin de réalisation personnnelle. C'est à cette occasion que je plaçai la notion de
« normose » à côté de celles de névrose et de psychose pour
décrire l'état d'un homme « adapté » à une société malade,
malade lui-même de vouloir se conformer à une folie collective,
entravant ainsi un plus profond désir (ses « metamotivations »,
disait Maslow).

Autant je m'intéressais aux découvertes récentes de la psychologie américaine, autant les jeunes universitaires américains
s'intéressaient aux intellectuels français, alors à la mode. On me
demanda de traduire des textes de Roland Barthes et de
commenter les aphorismes les plus compréhensibles de Lacan :
    « Le style c'est l'homme, en rallierons-nous la formule, à
seulement la rallonger : l'homme à qui on s'adresse ? »
    « L'inconscient est un concept forgé sur la trace de ce qui
opère pour constituer le sujet. »
    « Le sujet n'est pas cause de lui-même, il porte en lui le ver de
la cause qui le refend. »
    « La structure c'est le réel », etc.
    Lacan me séduisait davantage par son approche du désir et de
la vérité du désir : « le manque ». Je me sentais en curieuse
affinité avec l'éthique lacanienne, qui prône « le manque »
comme idéal, seul capable de nous faire échapper au crime par
l'acceptation de la perte. Comment, étant donné ce que je vivais,
n'aurais-je pas approuvé ce que disait Lacan sur la fin de l'analyse
comme acceptation du « désêtre » et destitution subjective ? Ne
plus être du côté des sujets supposés savoir (qui savent d'ailleurs
qu'ils ne savent rien, comme Socrate), mais être réduit à n'être
que « l'objet a », cause du désir de l'autre ? Or « l'objet a » doit
devenir déchet, rebut, objet de dégoût. Lacan précise que

---

* Cf. Pleroma et Kenosis, « Deux modes d'appréhension de l'Ouvert », in
Tradition et modernité, éditions de l'Originel.

l'analyse doit accepter d'être *sicut palea,* comme du fumier. Je n'avais pas oublié que Lacan, très tôt, parlait de « constituer à chaque instant son monde par son suicide » *, ni qu'à la fin de sa vie il songeait à la mort comme à celle qui le ferait enfin l'Autre.

Curieusement, le commentaire de ses *Écrits* me ramenait dans le climat de mon adolescence : « La Vérité c'est la mort. » Je pouvais témoigner à mes étudiants que c'était la vérité, mais non pas Toute. La mort n'était que le mi-dire de la vérité, l'*anastasis* (résurrection) était son autre moitié.

Le bureau que j'occupais à Syracuse University avait été celui de G. Valhanian. Tout le mouvement des « théologiens de la mort de Dieu » était, paraît-il, sorti de ce petit bureau, au dernier étage du Department of Religion.

Au moment où je m'y trouvais, la théologie de la mort de Dieu était déjà moribonde, on vivait plutôt le « retour des dieux ». David Miller, dans le bureau voisin, venait d'écrire *Le Nouveau Polythéisme.* Sa critique des différentes formes de totalitarisme que pouvait engendrer le monothéisme n'était pas sans intérêt ni, hélas, sans actualité.

C'est David Miller qui attira davantage mon attention sur l'œuvre d'Henri Corbin, il me fit rencontrer Quispel, le grand spécialiste de la gnose, et James Hillman, philosophe « jungien » qui m'initia brillamment aux « grands mythes » de la psychanalyse.

La pensée de ce dernier était proche de celle de David Miller. Les dieux étaient toujours vivants dans les profondeurs de l'âme, il ne s'agissait pas tant de leur rendre un culte que de les reconnaître pour qu'ils ne se « jouent » pas de nous à notre insu :

« Pendant longtemps, je n'ai pu comprendre pourquoi les cliniciens investissaient tant dans l'ego fortement structuré, dans l'intégration suppressive de la personnalité, et dans l'indépendance unifiée de la volonté aux dépens de l'ambivalence, aux dépens des conduites partielles, des complexes, des imagos, des vicissitudes — sans parler des hallucinations et des personnalités

---

* L'Agressivité en psychanalyse, *Écrits,* 1948, p. 124.

scindées — jusqu'à ce que j'entende résonner, à travers ce langage clinique, l'ancienne et puissante *basso profundo* de l'Un. La rhétorique clinique a été aussi persuasive (surtout lorsqu'on lui prête une main secourable et qu'on la dote d'articulations de bronze grâce à la pharmacologie clinique et à l'appareillage légal), parce qu'elle parle avec la rhétorique supérieure, cette rhétorique de supériorité de la conscience monothéiste. Dans les situations cliniques, cette conscience renforce la notion du Moi *(the « I », das Ich)* — et alors, que peuvent faire les dieux, si ce n'est devenir des maladies, dans l'état même où Jung les découvrit[11] ? »

L'ambiance des universités américaines me plaisait : quel que soit le sujet de votre thèse, du moment que vous travaillez on vous respecte. Il n'y avait pas ce côté nominaliste et sectaire qu'on trouve souvent dans les universités européennes. Je découvrais également le côté « provincial » de notre enseignement. Limiter l'histoire de la philosophie aux Grecs et aux modernes, oublier les apports de la pensée de l'Inde, de la Chine, et omettre le « massif hébraïque », n'est-ce pas « malhonnête » ? Le désintérêt des universitaires français à cet égard peut faire comprendre l'oubli, mais ne pardonne pas l'ignorance. A Syracuse University, les cours de philosophie et de religions comparées étaient particulièrement bien suivis.

Un des maîtres en ce domaine était Huston Smith, auteur d'un best-seller aux États-Unis, *The Religions of Man.* Il me prit en amitié et me confia la traduction de son dernier livre, *Forgotten Truth,* où il reprend en bon disciple de Schuon les grands thèmes de la *philosophia perennis.* Lors de ses longues absences à l'étranger, il me confiait sa maison, son chien, son chat, ses livres.

C'est ainsi que je découvris les manuscrits encore non publiés de Ken Wilber, qui devait avoir une influence si importante sur mes recherches d'un « nouveau paradigme » où sciences, philosophie, psychologie et spiritualité ne seraient « ni confondues ni séparées »...

C'est Huston Smith qui me fit également rencontrer le Dalaï Lama, son « ami », lors d'un passage dans notre université.

— Pour les Tibétains, le Dalaï Lama n'est pas d'abord une personne, un individu (l'aspect auquel s'intéresse le biographe), ni même le tenant d'un office politico-religieux, pape ou patriarche (l'aspect qui intéresse les hommes politiques et les historiens). Il est davantage une sorte d' « émetteur cosmique », un nœud de forces à travers lequel les énergies divines, les énergies de la compassion sont diffusées sur l'univers, et plus particulièrement sur le peuple tibétain. « Précieux protecteur » est un des noms du Dalaï Lama ; son activité est donc avant tout une « activité de présence » au-delà de ce qu'il peut dire et faire. Dans ce contexte, on comprend quel drame peut représenter son exil pour les Tibétains.

Huston Smith me faisait aussi remarquer :

— Être aussi simple, aussi humble, lorsque depuis l'âge de deux ans on vous considère comme Dieu incarné, c'est là qu'il faut chercher le miracle, le pouvoir suprême.

C'est ainsi que Tenzin Gyatso, le Dalaï Lama, me toucha profondément par son humanité, sa joie, intactes au milieu même des tribulations qu'il endurait avec son peuple. Me souvenant de l'enseignement de Silouane et du père Sophrony, affirmant que le seul signe sûr de la présence de l'Esprit saint dans un homme était son amour des ennemis, je fus frappé non seulement d'entendre, mais aussi de voir incarnée en lui cette qualité si importante.

Voici les notes que j'ai prises lors d'une conférence à Syracuse :

« Au milieu des crimes les plus atroces que les Chinois ont commis dans mon pays, je n'ai jamais senti de haine dans mon cœur ; nous ne chercherons pas à nous venger. Le désir de tous les hommes est la paix de l'esprit. Mon espoir est dans le courage du peuple tibétain et dans cet amour de la vérité et de la justice qui reste encore au cœur de la vie humaine.

» Un cœur humble et doux n'est la propriété d'aucune religion, d'aucune race. Tous les hommes sans exception ont le devoir et la capacité de développer en eux cette douceur et cette compassion qui fera d'eux de véritables êtres humains.

» La compassion envers tous les hommes est à la base de la philosophie bouddhiste.

> *Si vous n'avez pas la force*
> *d'échanger votre joie*
> *contre la souffrance des autres*
> *vous n'avez aucun espoir*
> *d'atteindre l'état du Bouddha*
> *ni même le bonheur durant cette vie.*

» Ces versets des Écritures expriment notre idéal qui est de considérer les besoins des autres comme les nôtres propres. Mettre cet idéal en action peut résoudre non seulement les problèmes de notre vie quodilienne, mais nous pouvons également par cette pratique trouver la paix de l'esprit et même l'illumination.

» Notre expérience quotidienne nous montre qu'une attitude centrée sur soi, lorsqu'il s'agit de résoudre un problème, ne fait que le compliquer.

» L'égoïsme ne résout aucun problème, il les multiplie. Ce n'est que lorsque nous cherchons le bonheur pour les autres que nous le trouvons pour nous-même. Compassion et bonheur, c'est la même chose.

» Si nous jugeons les autres, cela crée en nous des émotions négatives, comme la colère, la haine, la jalousie, et cela entrave notre santé physique et psychique. L'agitation mentale causée par nos jugements peut même nous faire perdre le sommeil et nous vivons sans cesse sous tension.

» Respecter les autres tels qu'ils sont, c'est ce qu'il y a de plus salutaire pour notre corps et notre esprit. C'est l'essence même du *Mahāyana* : " Je considère tous les êtres vivants plus précieux que les perles les plus précieuses. Puis-je en tout temps prendre soin d'eux et cela me mènera au but. "[12] »

Nous devons avoir cette attitude d'esprit même envers ceux qui nous veulent du mal. C'est une des conditions essentielles pour développer en nous l'humilité.

« La compassion dont nous parle le bouddhisme *Mahāyana* n'est pas l'amour ordinaire que nous pouvons ressentir envers ceux qui nous sont chers et proches ; cet amour-là peut coexister avec l'égoïsme et l'ignorance. Nous devons également aimer nos ennemis. Si j'ai aidé quelqu'un de mon mieux et si cette personne m'outrage de la façon la plus ignoble, puissé-je regarder cette personne comme mon plus grand maître. Quand nos amis sont en bons termes et proches de nous, rien ne peut nous rendre conscient de nos pensées négatives. Ce n'est que lorsqu'on nous combat et qu'on nous critique que nous pouvons avoir accès à la connaissance de nous-même et que nous pouvons juger de la qualité de notre amour. Aussi nos ennemis sont-ils nos plus grands maîtres. Ils nous permettent de tester notre force, notre tolérance, notre respect des autres. Si, au lieu de ressentir de la haine envers nos ennemis, nous les aimons davantage, alors nous ne sommes pas loin d'atteindre l'état de Bouddha, la conscience illuminée, qui est le but de toutes les religions. »

Lorsque je lui demandai si je pouvais, en tant que chrétien, utiliser une méthode de méditation bouddhiste, il me répondit :

« On peut se servir d'une technique de méditation bouddhiste sans devenir bouddhiste pour autant, l'important c'est que cette technique soit efficace pour vous, qu'elle vous transforme et vous rende meilleur. »

Je fus particulièrement attentif à son enseignement sur les deux vérités : la vérité conventionnelle et la vérité ultime, d'où découle une compassion à l'égard de la réalité relative, sans les attachements qui s'y projettent quand on la prend pour une vérité absolue :

« Lorsque nous percevons un phénomène il nous semble exister objectivement, de sa propre autorité, en lui-même et par lui-même. Mais lorsque nous l'analysons au-delà de son apparence, afin de voir si sa réalité correspond à ce que nous percevons, nous ne trouvons rien. Si nous le divisons en ses éléments, le tout n'en ressort pas. Quoi que nous fassions, l'ensemble se dérobe et reste introuvable.

» Par ailleurs, nous ne connaissons rien qui ne soit composé de parties. Tout phénomènes matériel possède des parties directionnelles. Par exemple, si nous considérons les quarks que comprennent les protons dans le noyau d'un atome, ces particules, si minuscules soient-elles, occupent une région de l'espace et possèdent donc des parties directionnelles.

» Dans ses *Vingt Stances (Vimshatika)*, Vasubandhu, grand érudit de l'école de l'Esprit seul, s'étend longuement sur ce sujet. Il fait apparaître que la particule la plus infime possède nécessairement des parties dont l'orientation est relative à celle des autres particules environnantes. Il démontre ainsi que rien n'est indivisible. Puis, à partir de cette preuve et de l'argument que les objets n'apparaissent pas à l'analyse, il conclut qu'ils n'existent pas. Mais bien que l'école de la Voie du milieu reconnaisse qu'il n'existe aucune particule indivisible, le fait qu'en dernière analyse les objets extérieurs ne ressortent pas signifie simplement, pour elle, que leur réalité n'est pas démontrée, et non qu'ils n'existent pas. Elle considère donc qu'ils ne sont ni existants ni inexistants.

» Les phénomènes existent. L'aide et le tort qu'ils causent en sont la preuve. Mais ils n'existent pas tels qu'ils nous apparaissent [13]. »

« Étant donné que le désir, la haine et toutes les passions douloureuses viennent de la croyance en l'existence intrinsèque, elles ont moins de prise sur vous dès lors que vous percevez ce qu'il y a de fictif en toutes choses. En vous libérant des conflits qu'engendre une fausse estimation de la réalité, vous gagnez du terrain dans le contrôle des émotions aliénantes. Cette vision du monde permet d'entretenir dans l'esprit de saines dispositions ; au demeurant les qualités n'ont nul besoin, pour s'exprimer, de l'idée fausse que les phénomènes existent par eux-mêmes. La vérité ultime fait grandir en sagesse, la vérité conventionnelle fait jaillir la compassion et la bonté envers les autres. Sagesse, compassion, ces deux courants doivent se mêler dans la pratique. Tel est le chemin pour l'union de l'alliance entre sagesse et méthode [14]. »

Mais l'enseignement qui me marqua le plus profondément fut

sans doute celui qu'il donna sur le *Bardo Thodol*. Il ne s'agissait pas pour lui d'un livre pour les morts, mais d'un livre pour les vivants. Il m'obligea ainsi à relire d'un autre œil ce texte, apparemment exotique et obscur, et à y découvrir des expériences proches des *near death experience* dont nous parle la psychologie contemporaine. Lorsqu'il me sera demandé d'accompagner des mourants et de former à mon tour des « accompagnateurs », médecins, infirmières et bénévoles, je me souviendrais de ses paroles :

« En faisant vaciller votre croyance en la permanence, vous réduisez d'autant votre attachement à cette existence ; jusqu'au jour où le caractère transitoire de toute forme de vie imprégnera constamment votre esprit. Dès lors, vous savez que par nature tout est voué à se désintégrer, et vous risquez peu d'être traumatisé dans le face-à-face avec la mort. Pour en triompher radicalement, vous devrez venir à bout de vos passions, car leur extinction met fin à la fois à la naissance et à la mort.

» Quant à la maîtrise des passions parasites, vous la devrez à l'effort ; cet élan nécessaire vous sera fourni par la méditation sur la mort et l'impermanence, qui fera naître en vous un sentiment de révolte. Celui-ci, à son tour, vous poussera à rechercher des techniques pour vaincre la mort. De plus, la méditation sur ce sujet vous donnera du recul par rapport aux préoccupations mineures limitées aux buts de cette vie. La mort viendra immanquablement. Si vous consacrez le meilleur de votre temps à des choses futiles en négligeant de vous y préparer, le moment venu vous serez incapable de penser à autre chose qu'à votre désespoir ; votre peur sera telle que l'opportunité d'une pratique quelconque vous échappera. Ce serait un grand dommage. Si vous lui réservez de fréquentes pensées, vous saurez que la mort va venir, vous aurez tout le temps de vous faire tout doucement à cette idée et, quand elle se présentera, vous serez plus serein [15]. »

Si mes études et toutes ces rencontres à l'Université étaient pour moi passionnantes, la vie était plus difficile pour Brigitte.

Mon côté taciturne, mes maigres revenus financiers avaient de quoi l'aigrir et je ne revenais pas sans appréhension le soir dans notre appartement. Nos conflits atteignaient parfois une grande violence, et au milieu des larmes je me demandais à quoi bon avoir fait tant d'études, fréquenter le Dalaï Lama, tant de sages et de saints... et être incapable de vivre simplement et heureusement avec ma « prochaine ». Je voyais grandir en moi davantage d'indifférence et de dureté que de compassion.

Mais la grâce veillait. Non loin du campus nous découvrîmes une petite église au bulbe doré. Le dimanche suivant, nous étions ensemble à la liturgie. Brigitte aima les chants, la gentillesse du prêtre, de sa femme et de ses cinq enfants. Un grand monsieur au français impeccable nous adressa la parole, c'était le petit-fils du comte Tolstoï ! Nous étions dans une chapelle de l'Église russe hors frontières, cette église proche des « vieux calendaristes », qui m'avaient, un peu rapidement il est vrai, baptisé au mont Athos.

A mon grand étonnement, Brigitte manifesta le désir de se faire baptiser elle aussi. Je ne pense pas que c'était seulement pour me faire plaisir. Ce n'était pas non plus sans calcul de sa part : dans les Églises orthodoxes, en effet, un prêtre marié ne constitue pas un problème comme chez les catholiques romains. On redoute davantage les prêtres devenus non croyants qui accompliraient leur ministère par habitude ou par crainte de l'opinion publique.

C'est ainsi que nous nous sommes retrouvés à Jordanville pour une préparation au baptême, où j'avais décidé d'accompagner Brigitte... Les quelques mois qui précédèrent la pâque furent particulièrement éprouvants. De nouveau la violence, le désespoir. Je me souviens de certains soirs où je m'attardais dans un coin de l'appartement à célébrer l'eucharistie, oubliant le lit conjugal. Je me faisais traiter de tous les noms, de « sale curé égoïste », de « sale hypocrite ». Tout ce qu'il y avait de sale était toujours « plus propre que cette saleté de mec », on ne pouvait croire à un Dieu qui engendre de tels monstres ! Je pouvais aller me faire foutre avec mon baptême... !

Par quel miracle sommes-nous parvenus à ce jour béni ? (la

prière de saint Serge ?). Nous et le diable avions tout fait pour rendre ce baptême impossible... C'est le père Hilarion qui reçut la confession de nos haines. Par trois fois on nous plongea dans l'eau, au nom du Père, du Fils et du Saint-Esprit. Brigitte s'appelait désormais Barbara, et moi on me donna le nom de Séraphim, nom que je porterais de nouveau lors de mon ordination sacerdotale dans l'Église orthodoxe française. Le monastère de Jordanville était un lieu hors du temps et de l'espace, un coin de vieille Russie en plein état de New York. Les bouleaux, les maisons, la présence de « fols en Christ », les photos du tsar, les starets aux longues barbes blanches et aux regards ardents, tout semblait conçu pour nous faire oublier qu'on était dans les années quatre-vingt aux États-Unis !

Après la tolérance et l'ouverture que je venais de trouver auprès du Dalaï Lama, j'étais parfois choqué par l'intransigeance des moines, leur certitude d' « avoir » la Vérité et leur méfiance à l'égard de tout ce qui pourrait ressembler de loin ou de près au *New Age*. .

Ce nouvel âge, dans lequel certains mettaient toute leur espérance, ne pouvait être que celui de l'Apocalypse et de l'Antéchrist. Marilyn Ferguson n'avait pas encore écrit son *Aquarian Conspiracy,* mais les idées et les modes de vie des « enfants du Verseau » étaient dans l'air.

Le *Brain / Mind Bulletin* nous apportait chaque semaine des sujets à méditation. Un éditorial de 1976 ne nous avait-il pas prévenus :

« Quelque chose de remarquable est en cours et se développe à une vitesse vertigineuse. Mais ce mouvement n'a pas de nom et il échappe à toute description.

» A mesure que le *Brain/Mind Bulletin* rapporte l'existence de nouvelles organisations, de groupes dont l'intérêt converge dans de nouvelles approches de la santé, de l'éducation humaniste, de la nouvelle politique et de la gestion, nous avons été frappés par la qualité indéfinissable du *Zeitgeist*. L'esprit du temps que nous vivons est chargé de paradoxes. Il est à la fois pragmatique et transcendantal. Il apprécie l'illumination et le mystère, le pouvoir et l'humilité, l'interdépendance et l'individualité. Il est simultanément politique et apolitique. Ses auteurs et ses acteurs se recrutent aussi bien auprès des conservateurs que parmi leurs adversaires.

» En quelques années, le mouvement a contaminé, par ses implications, la médecine, l'éducation, les sciences sociales, les sciences exactes et même le Gouvernement. Il est caractérisé par des organisations fluides opposées aux dogmes et qui répugnent à créer des structures hiérarchiques. Il opère selon le principe que le changement peut seulement être facilité, et non pas décrété. Il est dépourvu de manifestes. Il semble, par son désir d'intégrer la magie et la science, l'art et la technologie, traiter d'un sujet très ancien [16]. »

Fritjof Capra et son *Tao de la physique* était alors la référence. Il nous donnait à espérer qu'après un long divorce la science et la religion allaient de nouveau mener vie commune. Les noces étaient un peu hâtives, on mélangeait un peu vite les trous noirs de la physique et la nuit obscure de saint Jean de la Croix. Il n'en restait pas moins que les découvertes récentes de la physique impliquent une nouvelle façon d'envisager le réel que les philosophes, souvent coupés de la recherche scientifique, n'ont pas encore explorée :

« L'investigation expérimentale de l'atome, au début de ce siècle, produisit des résultats sensationnels et parfaitement inattendus.

» Loin d'être les petits corps durs et solides qu'ils étaient censés être depuis l'Antiquité, les atomes se révélèrent être de vastes régions d'espace dans lesquelles d'extrêmement petites particules, les électrons, tournaient autour du noyau, liés à lui par des forces électriques.

» Quelques années plus tard, la théorie quantique fit apparaître clairement que même les particules subatomiques, les protons et les neutrons dans le noyau, les électrons autour de lui, n'ont rien à voir avec les objets solides de la physique classique.

» Ces unités subatomiques de la matière sont des unités très abstraites qui ont un double aspect. Selon la manière dont nous les observons, elles apparaissent tantôt comme des particules et tantôt comme des ondes ; or cette double nature apparaît également dans la lumière, qui peut prendre la forme d'ondes électromagnétiques ou de particules. Les particules de lumière furent tout d'abord nommées " quanta " par Einstein, de là l'origine du terme " théorie quantique ", et sont actuellement appelées photons.

» Cette propriété de la matière et de la lumière est très étrange. Il paraît impossible d'accepter le fait que quelque chose soit à la fois une particule, c'est-à-dire une entité contenue dans un très petit volume, et une onde, dispersée sur une vaste région de l'espace.

» Et pourtant, c'est exactement cette idée que les physiciens devaient accepter. La situation paraissait désespérément para-doxale jusqu'à ce qu'on réalise que les termes " particule " et " onde " faisaient référence à des concepts classiques qui n'étaient pas parfaitement adaptés à la description des phéno-mènes atomiques. Un électron n'est ni une particule ni une onde, mais il peut, dans certaines situations, se comporter comme une particule et dans d'autres comme une onde. Cela signifie que l'électron, pas plus qu'aucun autre " objet " atomique, n'a de propriété intrinsèque indépendante de son environnement. Les propriétés qu'il exprime sous sa forme de particule ou d'onde dépendront de la situation expérimentale, c'est-à-dire de l'appa-reillage auquel il se trouvera confronté [17]. »

Ainsi, il n'y a pas de « chose », il n'y a que des relations, ou des « interconnexions ». Bernard d'Espagnat me dira plus tard, lors d'un cours donné en commun à de futurs polytechniciens :

— Nous devons admettre que des objets, même s'ils occupent des régions de l'espace très éloignées les unes des autres, ne sont pas vraiment séparés... Si nous sommes obligés par les faits d'admettre la non-séparation dans tel ou tel cas, nous n'avons plus alors de motif valable pour ne pas y croire également dans tous les cas où la mécanique quantique nous suggère son existence. Comme la mécanique quantique est la théorie très générale des atomes, et que « le monde est fait d'atomes », nous sommes ainsi conduits à estimer que la non-séparabilité est sans doute un fait général.

Comme je tentais d'expliquer cela à un vieux moine, et de lui montrer ainsi que les savants avaient découvert ce que les ermites vivaient depuis longtemps dans leurs prières, eux qui se disaient « séparés de tous pour être unis à tous » (Évagre), le vieux moine me répondit :

— Ils n'ont rien découvert tant qu'ils ne l'ont pas vécu. L'interconnexion de toutes choses dans l'univers est une théorie intéressante, mais non efficace tant qu'on n'a pas encore « renoncé à soi-même pour découvrir tout l'univers présent en soi ». Tant qu'on n'est pas passé par la grande *metanoïa* (au-delà du *noûs*, du mental), on n'a rien compris, savant ou pas.

Il y aurait encore beaucoup à raconter à propos de cette première année aux États-Unis : mes visites chez les Indiens Iroquois, un séjour en hiver aux chutes du Niagara, le congrès de l'Academy of Religion dans un grand hôtel de New York, la popularité de Thomas Merton, un restaurant de Broadway où je suis sûr que l'entrecôte aux petits oignons était de l'entrecôte d'homme abattu le jour même (un de ses membres, arraché par un chien errant, traînait près de la poubelle), la statue de la Liberté, la mort de John Lennon...

Le rapprochement peut sembler curieux. Pourtant, c'est dans le journal d'Etty Hillesum, *Une vie bouleversée*, écrit peu de temps avant son exécution à Auschwitz que je trouve l'écho le plus juste de ce que j'étais en train de vivre.

« La vie et la mort, la souffrance et la joie, les ampoules des pieds meurtris, le jasmin derrière la maison, les persécutions, les atrocités sans nombre, tout, tout est en moi et forme un ensemble puissant, je l'accepte comme une totalité indivisible et je commence à comprendre de mieux en mieux pour mon propre usage, sans pouvoir encore l'expliquer à d'autres, la logique de cette totalité ; je voudrais vivre longtemps pour être un jour en mesure de l'expliquer... J'ai réglé mes comptes avec la vie, je veux dire : l'éventualité de la mort est intégrée à ma vie ; regarder la mort en face et l'accepter comme partie intégrante de la vie, c'est élargir cette vie. A l'inverse, sacrifier dès maintenant à la mort un morceau de cette vie, par peur de la mort et refus de l'accepter, c'est le meilleur moyen de ne garder qu'un pauvre petit bout de vie mutilée méritant à peine le nom de vie. Cela semble un paradoxe : en excluant la mort de sa vie on se prive d'une vie complète, et en l'y accueillant on élargit et on enrichit sa vie. »

CHAPITRE XVI

Hollywood

L'année universitaire étant terminée, nous partîmes pour la « traversée de l'Amérique ». C'était un vieux rêve : rouler des journées entières sans apercevoir une maison, traverser les paysages et les climats les plus variés... Notre vieille Plymouth bleue faillit plusieurs fois rendre la mécanique. Des motards Hell's Angels nous serrèrent de très près comme dans les films...

Il y eut de grandes peurs et un très beau rire : un soir dans un hôtel quasi désaffecté, une jeune femme noire, sans doute une servante ou peut-être la patronne de l'hôtel, nous voyant venir, se mit à glousser de la tête aux pieds. Pas un pli de ses chairs opulentes, pas un poil qui ne fût secoué par cet étrange séisme qui chez nous s'arrête généralement à la commissure des lèvres ou dans le meilleur des cas au fond de la gorge... Je voyais rire pour la première fois.

— Il n'y a rien de risible, nous dit-elle comme pour nous rassurer. Mais parfois ça me prend. Il fait beau, n'est-ce pas ?

A en croire ses savates et son vieux tablier, elle devait être pauvre, mais elle se tenait devant nous comme une reine. Quand de nouveau elle fut reprise par ses secousses, on ne la sentait pas loin des plus lointaines étoiles.

Méditant alors l'enseignement de Don Juan, le sorcier yaqui rencontré par Carlos Castaneda, je me demandai si le rire de cette femme n'était pas sa façon à elle de « stopper le monde », de sortir du consensus d'images et de représentations que nous

appelions « le monde » et de « voir » ainsi quelque chose
d'infiniment plus réel, en tout cas d'infiniment plus heureux...

Les paroles de Joseph Chilton Pearce, qui m'avaient choqué
lorsqu'il comparait Don Juan à Jésus, me revinrent à l'esprit :

« Don Juan et Jésus considèrent le monde comme une
construction arbitraire, et non comme une illusion (Orient) ou
un obstacle (Occident). Puisque le monde est une construction
arbitraire, les moyens ou les produits de sa construction soulè-
vent une question importante. Don Juan et Jésus croient que la
matière du monde est sujette à des modifications et à des
réorganisations dues à l'activité de l'esprit. Les deux systèmes
s'emploient à diminuer le seuil entre la pensée ajustée à la réalité
et l'intériorité, et cela sans entraîner une perte d'identité. Ils
analysent les structures par lesquelles se forment les événements
de la réalité, et cherchent ensuite à dissoudre ces structures
communes, à savoir celles du consensus social. Une telle dissolution menace bien entendu l'ego qui a été « centré » et formé par
ces structures, mais c'est un risque à assumer [18]. »

Changer de regard, c'est changer de monde, et sans l'aide du
peyotl il me semblait important d'essayer différentes « opti-
ques » sur le monde. Toutes avaient leur cohérence interne et
leurs propres systèmes de validation, toutes apparaissaient également dérisoires :

« Nous sommes des êtres qui perçoivent. Nous sommes une
conscience, nous ne sommes pas des objets, nous n'avons pas de
solidité, nous sommes attachés, le monde des objets et des solides
n'est qu'une façon de faciliter notre passage sur terre. Ce n'est
qu'une description créée pour nous aider. Nous, ou plutôt notre
raison, nous oublions que la description n'est que description, et
ainsi la totalité de notre être est prise au piège du cercle vicieux,
dont nous n'émergeons que rarement au cours de notre vie »
(Castaneda, *Histoires de pouvoir*).

Mais qu'est-ce qui peut nous faire « émerger » : un rire, une
rencontre, une trop grande fatigue ? Le Réel est toujours là ; il est
donc imprévisible !

Nous étions attendus à Los Angeles par B. Mylonas, ancien collaborateur de Ken Russel et alors producteur de films. Il m'avait demandé d'écrire pour lui un certain nombre de scénarios qu'il utiliserait par la suite... En attendant il me demandait de travailler, l'argent viendrait plus tard :

— Vous savez, la situation du cinéma actuellement en Amérique... !

J'attends toujours l'argent, mais je ne regrette pas ce que j'ai écrit. Ce fut pour moi l'occasion d'apprendre l' « Art du script » et l'art d'un certain non-attachement. Un scénario, en effet, est considéré comme un « produit ». Le réalisateur prend à l'intérieur ce qui lui convient, images, idées et même quelques phrases qu'il arrange ensuite à sa guise et signe de son nom. J'ai écrit ainsi plusieurs textes qui devaient devenir des « séries télévisées ». L'un d'eux, *Peter et Jessica*, était l'histoire romancée du jeune homme « fou » de sa compagne et de leur enfant que j'avais connu à Toulouse. Derrière l'intrigue, assez violente, riche en rebondissements et en émotions, se profilait le débat aujourd'hui un peu dépassé entre psychiatrie et antipsychiatrie.

Deux autres scénarios étaient destinés à faire de « grands films », que sont-ils devenus ?

Solomon's Song avait pour personnage principal l'exposition de Marc Chagall sur le Cantique des Cantiques. C'est autour de cette exposition que se rencontrèrent une jeune femme conservateur du musée et un critique d'art. A travers les tableaux, ils découvrent leur propre histoire et une dimension de l'amour qu'ils n'avaient pas soupçonnée... Je voulais montrer cette émergence de l'amour sacré au cœur d'un amour profane et cette invitation à une « transfiguration de la chair » à laquelle l'art peut nous initier.

A côté d'un essai d'interprétation des tableaux de Chagall, ce livre fut pour moi l'occasion de proposer une traduction nouvelle du Cantique des Cantiques :

« Je vois le monde tel que je suis », disait Paul Eluard.

Chacun lit le Cantique de façon unique ; l'intensité de la lumière qu'il en reçoit dépend de la capacité et de l'ouverture de son regard. Ces différentes interprétations se complètent pourtant plus qu'elles ne se contredisent, comme un tableau de Chagall : on peut le tourner dans tous les sens, tous les sens sont vrais. Chacun apporte son regard pour plus de clarté. La confusion commence lorsqu'une interprétation s'affirme comme étant la « seule recevable ». Alors, les six cent mille chants deviennent autant de discours. On ne s'entend plus. La parole, qui était louange, devient argument, polémique, avant de tomber en lettres mortes.

L'écriture n'est pas la parole entendue par le poète. Elle n'est que son écho... L'écho est parfois riche, comme dans le Cantique, mais ce n'est qu'un écho. Il faut savoir les limites du poème ; il est loin du baiser. L'Écriture se tient là, en souvenir du Souffle, témoin de l'Haleine.

Ce qui a fait naître le Cantique reste intraduisible. Et c'est là pourtant qu'il faut retourner. A l'aide de ces pauvres mots, de ces quelques rythmes, il s'agit de retrouver l'expérience du prophète, du poète, son Amour, sa Joie... Et pour cela, il ne suffit pas d'un peu d'intuition et de beaucoup de dictionnaires. De même que « le Credo n'appartient qu'à ceux qui l'ont vécu » (Philarète de Moscou), le Cantique n'est compréhensible qu'à ceux qui le vivent.

« Connaître », dans le sens biblique, c'est « ne faire qu'Un avec... » « Adam connut Ève, sa femme... », ou encore, comme le disait Claudel : « Connaître, naître-vivre avec... »

« Celui qui n'a pas vécu un grand amour ne connaît rien de Dieu, car Dieu est Amour » (I Jn 7/8).

Celui qui n'a pas vécu un grand amour, quelle intelligence aura-t-il du Cantique ? Que comprendra-t-il à la Bible, cette histoire d'amour entre un Dieu jaloux et un peuple infidèle ? Que comprendra-t-il au Christ, cet homme que l'Amour écartèle et ressuscite ?

Sans doute faut-il avoir été soi-même blessé par l'amour pour être en mesure de traduire le Cantique et de trouver les mots qui viennent du cœur et de ses blessures.

Mais faut-il peindre les yeux fermés ce que nous voyons dans l'Invisible ? Comment dire ce que nous entendons dans le Souffle léger ? Il y aura toujours une fidélité à des couleurs, à des mots que nous n'avons pas inventés. Être fidèle au Cantique, c'est être fidèle d'abord au contexte dans lequel il a été composé, celui du paganisme de l'Orient ancien, et à la langue dans laquelle il fut écrit : l'hébreu.

Les langues sémitiques, faites d'images, transmettent davantage des « visions », des suites d'images. Une langue aussi exacte que le français a bien du mal à les représenter. Traduire le Cantique des Cantiques en français, c'est mettre un étalon sauvage dans une écurie, « modèle » sans doute, mais ô combien étroite !

Pourtant, il faut oser. L'oiseau de feu, avec la grâce du vent, même enfermé dans sa cage, nous livrera peut-être un peu de son chant...

Il s'agira pour moi d'un « essai de traduction », c'est dire que j'ai essayé d'approcher le cheval sauvage sans trop le domestiquer (cela lui ferait perdre sa nature), sans lui laisser trop de liberté non plus (trop de ruades à la langue française, trop d'hébraïsme, rendraient le texte illisible). Ma traduction se situerait entre la « lisibilité » trop peu poétique des traductions de la Bible de Jérusalem et de la TOB, et la préciosité hébraïsante d'André Chouraqui. Mais il n'y a pas de traduction « exacte », pas plus qu'il n'y a de traduction « autorisée ». Chacune approche le texte avec sa crainte et son émerveillement, sa science et son désir...

Plus on avance en profondeur dans le Cantique, plus la lumière se fait obscure... C'est que l'Amour n'est pas facile. Il ne se livre pas au premier regard. Il ne se raconte pas, il nous déroute et les images les plus hautes, les plus inattendues ne sont là que pour nous couper le souffle, nous changer le cœur. Plus on lit le Cantique, moins on y trouve de sens, plus on y trouve de « charme* ».

La Vérité, si elle demeure indissociable de l'Amour, est peut-être ce « charme », au sens « magique » du terme. Quelque chose qui nous fait vibrer à une autre réalité, au centre même de nos réalités les plus quotidiennes.

Le corps de la femme ou la terre d'Israël, souvent pris pour l'objet des symboles, se révèlent eux aussi comme des chemins, des signes et il faut marcher plus loin...

« La parole s'effaçait dans le Sens, le Sens lui-même doit céder la place à un Chant pur [19]... »

Je pensais au cinéma comme à un écho visuel de ce « chant pur », la musique, le mouvement, les couleurs devaient donner au texte sacré son corps d'images et de sons...

Il paraît que la difficulté fut de trouver des acteurs capables de laisser le premier rôle à l'invisible...

Dans le même esprit j'avais écrit un autre scénario, *L'Assise et la danse,* ou l'histoire d'une jeune femme fascinée par l'assise impeccable d'un moine zen. Elle se rendit alors au Japon auprès d'un *roshi* pour être initiée à cet art du silence et de l'immobilité. C'était une bonne occasion de montrer à l'écran quelques jardins à l'ordre impeccable et la beauté de quelques gestes quotidiens, « suspendus » par une caméra « un rien ailée » au-delà du temps.

Ayant reçu comme *koan* : « On n'est bien assis que sur un coussin que l'on a donné », la jeune femme revient à New York et y rencontre un danseur qui, lui, ne tient pas en place. En bon nietzschéen, il ne veut croire qu'à un dieu qui saurait danser et crache volontiers sur tous les dieux assis, immobiles ou crucifiés. C'est, à travers l'histoire d'un homme et d'une femme, la rencontre de l'assise et de la danse, de la méditation et de l'action, de la forme et du sans forme. J'imaginais des plans où, dans leur quête l'un de l'autre, la femme sort lentement de sa « posture » pétrifiée et l'homme ralentit ses courses et ses danses agitées.

---

* Charme : du latin *carmen,* qui veut dire à la fois « chant » et « envoûtement ».

Mon but était de donner à voir quelque chose de ce « mouvement immobile », de cette « danse assise » ou de cette « assise dansée », que demeurait pour moi l'icône de la Trinité de Roublev, et, de nouveau, à travers les images, laisser pressentir la réalité de cet Être stable et serein qui fait danser « la terre, le cœur humain et les autres étoiles ». Envisager l'art cinématographique comme un art de l'icône, plus qu'un art du portrait ou encore de la caricature, était sans doute trop ambitieux ou tout simplement déplacé à un moment et dans un milieu où ce qui « faisait recette » était saturé de sexe et enrichi d'hémoglobine. Quant à la spiritualité, il fallait la chercher du côté des extraterrestres, gentils comme dans *E.T.*, visqueux comme dans les *Gremlins*...

Je continue à croire, pourtant, que des réalisateurs « icônographes » pourraient donner au cinéma la dimension d' « art sacré » qui lui manque encore.

Bien que vivant à Hollywood, je rencontrais peu d'artistes, acteurs, metteurs en scène ou producteurs. Pourtant notre maison n'était pas loin de celle d'Orson Welles. Curieusement, le lieu où je pouvais en rencontrer quelques-uns c'était auprès de Swami Muktananda, gourou alors célèbre et vénéré qui avait établi ses quartiers de printemps dans un hôtel de Santa Monica Bd, face à la mer. Cela faisait « bien », pour certains milieux du cinéma et de la télévision, d'avoir un gourou et de se montrer capable de « vie spirituelle ». Par ce mot, on pouvait entendre diététique, ondes alpha, méditation transcendantale, etc., mais aussi authentique quête du soi, quand, ayant épuisé toutes les formes du désir, on se demande : « Et puis quoi ? »

Les gourous ne manquaient pas à Los Angeles, ni les sectes en tout genre, et je voulus écrire un petit livre qui s'appellerait *Le Pèlerin de Sunset Boulevard*, où je raconterais mes aventures dans chacun de ces ashrams, églises, groupes, clubs ou associations que l'on peut rencontrer en remontant le célèbre boulevard. Le temps me manqua. Je le regrette, parce qu'il y aurait eu là un beau témoignage à donner sur la spiritualité et ses ersatz en cette fin de siècle (pardon, de millénaire), en cet extrême Occident où on peut se trouver parfois extrêmement mal à l'aise. Je pense souvent à ce jeune homme qui venait de tuer devant moi à bout portant un vieillard. Comme on lui demandait : « Pourquoi avez-vous fait cela ? » il répondit simplement :

— Je m'ennuyais, je voulais voir si ça faisait quelque chose de tuer un homme... Non, ça ne m'a rien fait ! Maintenant je vais peut-être moins m'ennuyer, je vais avoir des ennuis.

On comprend mieux alors pourquoi beaucoup d'Américains restent chez eux, enfermés à double tour, devant la télé, s'engrossant d'ice-creams et de cacahuètes sucrées, tandis que les sermons vengeurs d'évangélistes bien cravatés les préparent d'une voix humide au jour sans pitié du Jugement. On comprend aussi la prolifération des sectes et des gourous. Ce n'est pas toujours la vérité qui est cherchée, ni l'amour véritable. Davantage la sécurité, un besoin d'appartenance, ou la satisfaction d'un besoin moins noble : être le « meilleur », le « pur », être dans le petit nombre des « sauvés » quand tout le « reste » est irrémédiablement perdu...

L'enseignement de la philosophie au Lycée français de Los Angeles me laissait de longues heures de loisirs, je pouvais donc non seulement écrire mes scénarios, travailler à l'UCLA dont j'appréciais particulièrement la bibliothèque, mais aussi rendre visite à ceux que je considérais comme des maîtres authentiques. J'en retiendrai seulement trois : Muktananda, Krishnamurti et Maezumi Roshi, le *roshi* du Zen Center of Los Angeles.

Muktananda venait d'acheter un nouveau dentier, son visage rayonnait. Je suivis la longue file qui allait se prosterner devant lui pour recevoir *shaktipat*, la grâce du gourou qui d'un simple toucher ou regard peut éveiller la *kundalini*. Comment oublierais-je ce regard infiniment grave et enfantin, cette douce autorité avec laquelle il me dit :

— Le cœur est le plus saint des lieux saints. Vous avez raison de vous y rendre sans cesse et de l'explorer, c'est là qu'est la réalité, nous l'appelons Shiva, ou le Self, vous vous l'appelez autrement... C'est l'expérience de Je Suis. Ce Je Suis est en vous, vous êtes cela...

Une étrange chaleur, un « grand bleu roux » m'envahit alors. Lumière, émotion ? Une qualité d'énergie jamais ressentie auparavant m'habitera pendant quelques jours, accompagnée de joie et de certitude.

Sans que je participe vraiment aux mouvements de dévotion et à un certain cinéma fait autour de la personne de Muktananda, je suivis attentivement à son enseignement du soir sur les *Shiva Sutras*.

« Nartakatma : l'Atman est un danseur (*Shiva Sutras* 3/9). »

« C'est à juste titre qu'on qualifie le dieu du Soi de danseur ou d'acteur. Suprêmement libre, la lumière parfaite, Il accorde sa grâce partout, et en même temps Il dissimule sa vraie nature et crée les états de veille, de rêve et de sommeil profond dans son Être même. Il est l'Atman parce qu'Il engendre de Lui-même, dans un jeu conscient, le spectacle merveilleux de l'état de veille qui nous aveugle et nous abuse, les mondes étranges du rêve et le néant du sommeil profond.

» Qui d'autre que Shiva peut produire l'originalité des personnalités et des différentes formes de vie ? Qui d'autre que Lui a le pouvoir de donner naissance au spectacle des trois mondes ? Parashiva seul est l'Auteur et l'Acteur des univers objectifs et subjectifs. Dans ce théâtre, les costumes, les dialogues, les gestes et le comportement des personnages, les scènes de rires ou de larmes, le héros Rama ou le méchant Ravana, sont tous des créations du même scénario. Toutes les créatures, sensibles ou non, constituent de même le ballet infini de l'Atman. On réalise grâce à la connaissance juste que le dieu du Soi exécute des pièces sur sa propre scène par amour, pour s'enivrer de sa propre joie, de sa propre extase [20]. »

Un soir où il est absent, une jeune femme, sa secrétaire, parle à sa place, avec la même joyeuse autorité, le charme féminin en plus. Le même enseignement. C'est elle qui lui succédera, prenant le nom de Guru Mayi. Elle chante *Nashivam vidyate kvachit* : Rien n'existe qui ne soit Shiva.

« Shiva pénètre tout et n'est différent de rien. Que peut-il y avoir d'autre que Lui ? Parashakti Chiti se déploie partout dans l'univers. Elle est la matière des objets matériels et la Conscience des êtres conscients. Elle se donne des milliers d'attributs et cependant, Elle est sans attribut. C'est Elle qui se divertit partout. Que peut-il exister qui soit différent d'Elle ? Et dans cet univers qui est le jeu de Chiti, comment peut-il y avoir quelque chose d'impur ou de vil ? Seuls sont dépourvus de Shiva ceux qui considèrent que l'univers, qui est Shiva, existe sans Lui. C'est son ignorance qui donne à l'homme l'impression d'être impur, pécheur et méprisable. Il projette son dégoût sur les autres et s'attribue leur pureté. Il se crée son propre enfer et s'exclame : « Le monde existe sans Shiva ! » Penser qu'il puisse exister une particule, si infime soit-elle, sans Shiva est la croyance de l'aveugle égaré dans les ténèbres de la confusion.

» Ce que l'ignorant perçoit comme l'univers n'est en fait que la manifestation extérieure du jeu de la Conscience. Que faire si certains se laissent abuser en prenant une corde pour un serpent ? Le serpent, ainsi que la peur, les tremblements et les palpitations qu'il provoque ne sont qu'une illusion. La corde seule est la vérité. Le serpent imaginaire est le jeu de la corde.

» Shiva est l' « état d'être » de tout. Shiva est réel. Shiva est omnipénétrant. Il est éternel, qu'Il soit ou non perçu ainsi. Il est tout autant en celui qui s'est perdu qu'en celui qui est sauvé ; autant dans le faible que dans l'être réalisé ; dans le pécheur que dans le saint ; dans l'atome que dans le cosmos ; autant dans la goutte que dans l'océan. Il est au-delà de toute limitation de temps, d'espace et de matière. Il est partout. Il est éternel. Il est en tout. Il est toujours parfait. En vérité, penser que rien n'existe sans Shiva, c'est voir Shiva[21] ! »

Si à la place du nom Shiva je mets le nom de YHWH, Celui qui Est, Adonaï Elohim, ou le nom du Christ, « Celui qui incarne Celui qui Est », n'aurais-je pas un texte proche de ceux que pouvaient écrire les Pères de l'Église ou les théologiens du Moyen Âge ? N'est-il pas dit que « la Sagesse pénètre tout, les corps, les esprits grâce à sa pureté, elle se répand dans l'âme des saints et en fait des amis de Dieu » ? Y a-t-il une autre Réalité que la Réalité ?

Après l'ashram de Muktananda, se rendre à Ojaï auprès de Krishnamurti offrait un parfait contraste. Là, pas de prosternations, pas de dévotion au gourou, pas de coup de plumeau pour vous éveiller la *shakti,* pas de mantras, pas de chants... Un grand silence, le vent dans les arbres, une voix sèche presque tranchante, un homme assis, raide sur sa chaise. Pas de gestes inutiles, pas de réponses à nos questions, l'invitation à le suivre dans un plus profond questionnement :

« Qu'est-ce que l'intelligence ? Vous en parlez beaucoup et je voudrais avoir votre opinion à ce sujet.

» — Les opinions et les discussions à ce sujet ne sont pas la vérité. Vous pouvez les examiner indéfiniment dans leur diversité, évaluer ce qu'elles ont de vrai et de faux, mais quelque juste et raisonnable qu'une opinion puisse être, elle n'est pas la vérité. Une opinion est toujours basée sur quelque préjugé, colorée par une culture, par une éducation, par les connaissances que l'on a. Pourquoi l'esprit devrait-il se surcharger du fardeau des opinions sur telle personne, tel livre, telle idée ? Pourquoi ne serait-il pas vide ? Et pourtant seul l'esprit vide peut voir clairement.

» — Mais nous avons tous des opinions sur tout. J'ai mon opinion sur le leader politique actuel, basée sur ce qu'il a dit et fait, sans quoi je ne pourrais pas voter pour lui. Les opinions sont nécessaires pour agir, ne le pensez-vous pas ?

» — Les opinions peuvent être cultivées, affermies, durcies, et la plupart des actions sont basées sur ce qu'on aime et ce qu'on n'aime pas. Le durcissement de l'expérience et des connaissances s'exprime dans l'action, mais une telle action divise et sépare l'homme de l'homme ; ce sont les opinions et les croyances qui empêchent l'observation de ce qui est. La capacité de voir « ce qui est » fait partie de cette intelligence qui est l'objet de votre question. Il n'y a pas d'intelligence sans une sensibilité du corps et de l'esprit, c'est-à-dire une sensibilité sensorielle et une clarté dans l'observation. L'émotivité et la sentimentalité sont des entraves à cette sensibilité. Être sensitif en un domaine et endurci en un autre, c'est être dans un état de contradiction et de conflit qui dénie l'intelligence. Rassembler en un tout des morceaux éparpillés n'engendre pas l'intelligence. La sensibilité est attention, laquelle est intelligence. L'intelligence n'a aucun rapport avec les connaissances et les informations. Les connaissances sont toujours le passé ; on peut leur faire appel en vue d'agir dans le présent, mais elles limitent toujours le présent. L'intelligence est toujours dans le présent [22]. »

La route pour aller à Ojaï était merveilleuse, nous traversions de grands champs d'orangers. Les couleurs, les parfums, nous « forçaient » à cette attention dont nous entretenait Krishnamurti, « source de la véritable intelligence ».

Une école pour enfants avait été fondée à Ojaï. L'enseignement qui y était donné visait moins au développement de la mémoire qu'à un éveil de l'attention. Il ne s'agissait pas seulement d' « étiqueter » les choses, mais de pouvoir les nommer, c'est-à-dire d'entrer en relation avec elles, les écouter... Krishnamurti est un des rares sages ou penseurs contemporains qui se soit préoccupé de l'éducation des tout-petits. N'est-ce pas par là pourtant qu'il faut commencer ? N'est-ce pas le mode d'apprentissage acquis dans l'enfance qui conditionne notre regard d'adulte ? « Apprendre à apprendre » n'était pas un vain mot dans cette école, tout semblait fait pour susciter l'intérêt et l'étonnement devant « ce qui est »... Les enfants qui étaient là semblaient heureux, ils savaient distinguer les oiseaux d'après leurs chants, ils connaissaient l'âge des écorces et n'ignoraient rien de la variété des vents, autant d'univers que je ne savais pas toujours « décrypter » : *intelligere,* lire au-dedans...

Krishnamurti m'apparaissait comme l'incarnation parfaite du gnostique dont parle l'Évangile de Thomas, « un et nu », ne proposant pas une nouvelle religion ou une nouvelle pratique particulière, demandant seulement d'arrêter le mensonge, plus radicalement encore d'arrêter le mental, pour « voir » enfin ce qui est avec innocence. Le temple c'est l'espace qui nous entoure, toute situation est l'occasion d'une rencontre avec le Réel.

Observer ce qui est, instant après instant, sans auto-analyse, sans jugement. Comme pour Graf Dürckheim, le quotidien était pour lui la plus exigeante ascèse, l'exercice le plus efficace pour conduire à la réalisation de l'homme « extraordinairement ordinaire » qui a cessé de chercher « ailleurs » ce qui lui est donné depuis toujours. Pourquoi Prométhée chercherait-il à dérober un feu dont le foyer est son propre cœur ?

« Méditer c'est se vider du connu. Le connu est le passé. Il ne s'agit pas de l'éliminer après l'avoir accumulé, mais plutôt de ne pas l'accumuler du tout. Ce qui fut ne peut être éliminé que dans le présent, et cela non par la pensée, mais par l'action de ce qui est. Le passé est un mouvement de conclusion en conclusion, auquel s'ajoute le jugement de ce qui est, prononcé par la dernière conclusion. Tout jugement est un règlement, et c'est cette évaluation qui empêche les esprits de se débarrasser du connu ; car le connu est toujours une appréciation, une définition. Le connu est l'action de la volonté, et la volonté en acte est le prolongement du connu, de sorte que l'action de la volonté ne peut jamais vider l'esprit. On ne peut pas acheter un esprit vide dans les sanctuaires des aspirations ; un tel esprit prend naissance lorsque la pensée devient consciente de ses actes, non lorsque le penseur devient conscient de la façon dont il pense.

» La méditation est l'innocence du présent ; elle est donc toujours seule. L'esprit complètement seul, intouchable pour la pensée, cesse d'accumuler. Ainsi l'acte qui vide l'esprit est toujours dans le présent. Pour un esprit solitaire, le futur, qui appartient au passé, disparaît. La méditation est un mouvement, non une conclusion, non une fin à poursuivre[23]. »

Je n'oubliais pas que cet homme avait été attendu comme le Messie, vénéré comme un dieu. On pouvait mieux comprendre alors ses réactions contre toute forme d'Église et de religion établie, contre toute forme de dépendance à l'égard d'une doctrine, d'une idéologie ou d'un gourou. Un homme qui le suivait depuis longtemps me dit que ces derniers temps il était moins violent à l'égard des religieux et des religions.

— Certaines personnes peuvent en avoir besoin, c'est une aide pour un moment. C'est toujours mieux que les endoctrinements du consensus social ou des spots publicitaires, mais cela ne dispense personne d'être seul et d'avoir à faire face à sa propre réalité...

Pourtant, la montée récente des fanatismes et des intégrismes lui aurait donné raison, et son discours lors de la dissolution de l'Ordre de l'étoile reste pour moi toujours d'actualité :

« La vérité est un pays sans chemin que l'on ne peut atteindre, par aucune route quelle qu'elle soit : aucune religion, aucune secte... S'il n'y a que cinq personnes qui veuillent entendre, qui veuillent vivre, dont les visages soient tournés vers l'éternité, ce sera suffisant. A quoi cela sert-il d'avoir des milliers de personnes ne comprenant pas, définitivement embaumées dans leurs préjugés, ne voulant pas la chose neuve, originale, mais la voulant traduite, ramenée à la mesure de leur individualité stérile et stagnante. Je désire que ceux qui cherchent à me comprendre soient libres, et non pas qu'ils me suivent, non pas qu'ils fassent de moi une cage qui deviendrait une religion, une secte. Ils devraient plutôt s'affranchir de toutes les craintes : de la crainte des religions, de la crainte du salut, de la crainte de la spiritualité, de la crainte de l'amour, de la crainte de la mort, de la crainte même de la vie. Comme un artiste qui peint un tableau parce que c'est son art qui est sa joie, son expression, sa gloire, son épanouissement, c'est ainsi que j'agis, et non pour obtenir quoi que ce soit de qui que ce soit. »

J'aime également beaucoup cette citation rapportée par un de ses amis, qui fut pour moi un écho d'une parole entendue au mont Athos : « On ne connaît pas la vérité, mais seulement ce qui fait obstacle à la vérité. »

« Je n'ai jamais imaginé, disait Krishnamurti, ce que pouvait être la vérité. Je n'ai jamais eu la soif de la posséder. Comment pouvez-vous vouloir posséder quelque chose si vous ne savez pas ce que c'est ? Mais je connaissais toutes les choses qui m'enchaînaient, qui mutilaient ma pensée, mes émotions, qui gaspillaient mon énergie. Je connaissais en somme les choses qu'il est très facile de connaître. Et, en me libérant de la soif intérieure, cause de nombreux obstacles, j'ai su ce qu'est la vérité ; mais si quelqu'un m'avait dit ce que c'est, si je l'avais imaginé et si j'avais conformé ma vie à cette idée, cela n'aurait pas été la vérité, cela aurait été une chose morte, un accomplissement transformé en cendre[24]. »

Krishnamurti c'était pour le week-end. En semaine, quand Swami Muktananda fut parti, je me rendis régulièrement au Zen Center de Los Angeles. C'est un des avantages d'une grande ville : on peut y faire le tour du monde assez rapidement ; dans certains quartiers chinois on est vraiment en Chine, au Zen Center on était vraiment au Japon. L'habillement, la nourriture, les gestes, le cérémonial..., pas un jean ne dépassait sous les robes noires, pas un Coca-Cola ne traînait dans les Frigidaire... pour nous rappeler que nous étions en Amérique. Dans le Japon contemporain, au contraire, tout est là pour nous rappeler l'Amérique. Nous étions ici dans le Japon traditionnel, celui de Kyōto, celui des moines et des samouraïs.

C'est Graf Dürckheim et Jacques Breton qui m'avaient initié à la pratique de l'assise silencieuse. Cette assise s'accordait bien avec la prière du cœur et m'aidait à ne pas perdre « le centre » parmi les différents groupes plus ou moins spirituels que je rencontrais. J'étais heureux de pouvoir vérifier cette pratique auprès d'un maître japonais authentique : Maezumi Roshi.

Son enseignement c'était avant tout sa posture, le poids d'une présence, totalement rassemblée, là.

— Je m'assois pour m'asseoir, disait-il. Qui parle de méditation ?

Il ne peut y avoir aucune signification dans le simple fait d'être. Mais le zen tient que le fait d'être est la signification elle-même :
« Quelle merveille, quel mystère
je respire, je bois un peu d'eau. »

Ce que me disait Maezumi Roshi ne me semblait pas loin de ce que j'avais entendu auprès de Krishnamurti : « Le Zen dans son essence est l'art de voir clair dans sa propre nature. » S'asseoir immobile de longues heures lui semblait la méthode la plus adéquate pour « voir clair ». L'eau boueuse, quand elle n'est plus remuée, devient limpide, les nuages se dissolvent, le ciel pur apparaît. C'est auprès de lui que je commençai à traduire le *Hakuin Zenji Zazen Wasan* :

> « *L'eau ruisselle dans la glace.*
> *Selon leur nature originelle,*
> *tous les êtres sont des bouddhas.*
> *Hors l'eau, où est la glace ?*
> *Hors des êtres sensibles,*
> *où trouverons-nous des bouddhas ?*
>
> *Comme un homme plongé dans le fleuve*
> *qui meurt de soif,*
> *nous oublions combien la Vérité est proche.*
> *Nous partons au loin à sa recherche, hélas !*
> *Nous sommes de riches héritiers*
> *qui errent parmi les mendiants.*
>
> *Perdus dans les ténèbres de l'ignorance,*
> *nous nous enfonçons chaque jour*
> *un peu plus dans l'Obscur ;*
> *c'est pourquoi nous transmigrons*
> *à travers les six mondes.*
> *Quand serons-nous libérés de la naissance et de la mort ?*
>
> *Les mots nous manquent pour faire un juste éloge*
> *de la pratique de zazen dans le* Mahāyana.
> *Elle développe les nobles énergies*
> *de la compassion, de l'attitude juste,*
> *de l'invocation du nom de Bouddha, de l'acceptation,*
> *de l'ascèse et des autres actions favorables.*
>
> *Tout ce que nous faisons est la*
> *simple affirmation de « Cela qui Est ».*
> *Ceux qui ont l'expérience de « Cela »,*
> *ne serait-ce que le temps d'une assise,*
> *tout leur mauvais Karma est effacé.*

Ils ne s'égarent plus dans les impasses
La Terre pure est sous leurs pas.

Si nous écoutons cette Vérité,
ne serait-ce qu'une seule fois,
avec un cœur plein de révérence,
et si nous la faisons nôtre avec joie,
nous serons bénis infiniment.

Si nous sommes intérieurement attentifs,
attestant la non-existence d'une nature propre de l'ego,
nous sommes au-delà des vains discours.
L'Unité de la cause et de l'effet nous apparaît,
Le chemin de la non-dualité et de la non-multiplicité
s'ouvre droit devant nous.

Voir la forme du sans-forme comme forme,
avancer, reculer,
nous sommes toujours là où nous sommes.
Voir la pensée de la non-pensée comme pensée,
Chanter, danser,
Nous sommes le Chant du Dharma.

Sans bornes, le ciel pur du Samadhi!
Transparence, la quadruple Sagesse!
Clair de lune — pleine lumière!
Il y a cet Instant, quoi de plus?
Éternellement, la Vérité se déploie d'elle-même.
Ici est la Terre pure du Lotus,
ce corps est le corps du Bouddha[25]. »

Je découvrais aussi les dix tableaux sur l'art d'apprivoiser le buffle. J'aimais cet enseignement où l'image, la poésie et l'humour ont autant d'importance que le dogme ou l'explication. Dans la tradition chrétienne, c'était le « style » des Pères du désert et de leurs apophtegmes.

« Dans ce paysage de printemps, il n'y a ni meilleur ni pire : Les branches en fleurs poussent naturellement, certaines sont longues et certaines sont courtes. »

Pour Maezumi Roshi, le but de zazen était l'acceptation de Cela, que nous sommes, ni le meilleur ni le pire, rien que Cela. Comme je l'interrogeais sur les implications thérapeutiques qu'une telle attitude pouvait avoir sur des esprits névrosés ou psychotiques, il m'envoya vers un petit immeuble proche du Zen Center. Là je découvris les *quiet therapies* inspirées de l'attitude lucide et méditative des moines japonais : la *Morita therapy*, la *Naikan* et la *Shadan*. Ces trois thérapies ont en commun le fait de ne pas chercher à guérir les symptômes immédiatement, mais d'offrir à la personne souffrante le lieu et le temps nécessaires pour qu'elle découvre la cause de son mal.

Le personnel hospitalier n'est là que pour aider à découvrir le thérapeute que chacun porte en lui. Ce « thérapeute » est « l'esprit de Bouddha », l'esprit éveillé, le « non-né », « non-créé », libre de toute souffrance, qui est notre vraie nature.

Comment l'observation de la souffrance peut-elle conduire à la disparition de la souffrance ? On rejoint là une des grandes attitudes du bouddhisme : la constatation de l'impermanence de toutes choses. La douleur (comme le bonheur) ne fait que passer. Ne pas s'y attacher, c'est-à-dire ne pas en faire une réalité objective, « comme le souffle, comme les émotions, observer leur apparition, observer leur disparition, observer cela c'est le chemin de la liberté ».

Je ne pensais pas que thérapeutique et ascèse dans certains hôpitaux japonais pouvaient être si proches. Je ne suis pas sûr que dans un contexte occidental, où on ne vit pas selon les mêmes présupposés métaphysiques et anthropologiques, la pratique d'une telle thérapeutique soit aussi efficace ; peut-être redoutons-nous également que l'éveil de la conscience ou l'éveil du thérapeute intérieur fasse du malade un mauvais client pour notre industrie pharmaceutique dont on connaît les enjeux économiques.

En tout cas, je puis témoigner qu'il existe aujourd'hui des contextes hospitaliers, comme celui proche du Zen Center de Los Angeles, qui ressemblent beaucoup aux anciennes Écoles de sagesse. N'était-ce pas aussi l'idéal des thérapeutes dont nous parle Philon d'Alexandrie, au premier siècle de notre ère, ces thérapeutes qui allaient donner naissance aux monastère chrétiens ? Ne pensaient-ils pas que la source de nos malaises était un « oubli de l'Être », « l'oubli de notre être fait pour Être », et qu'en prendre soin par l'assise, le silence, l'observation sans jugement des pensées, pulsions et émotions qui nous traversent, pouvait avoir une influence bénéfique, non seulement sur l'esprit et la psyché, mais aussi sur le corps, dont les maux ne font souvent que traduire une souffrance plus essentielle ?

La sagesse, ce n'est pas vouloir à tout prix ne plus jamais souffrir, c'est accepter la souffrance et la mort comme éléments inévitables de la vie humaine (inévitables et transitoires).

Devant les difficultés que j'avais encore à « accepter » ce mot d' « acceptation », Maezumi Roshi me disait en souriant :

— La sagesse c'est d'accepter de ne pas être le saint ou le sage qu'on voudrait être. C'est accepter le raté qu'on est.

Et il continua, me citant Alan Watts que par ailleurs il n'appréciait guère :

« L'illumination, c'est d'abord la liberté d'être le raté que l'on est. Il nous faut commencer là où nous sommes, mais tout entier sans réserve et sans regret. En dehors de cette acceptation, toute tentative de discipline morale ou spirituelle demeure le combat stérile d'un esprit divisé et de mauvaise foi... »

Ce n'était pas si facile d'accepter l'état dans lequel je me trouvais alors, ni un vrai moine, ni un vrai mari. Et que faisait ce chrétien assis en zazen, se réchauffant la *kundalini* auprès de Muktananda et se nettoyant l'esprit dans la proximité de Krishnamurti ?

Pourtant je ne me sentis jamais autant chrétien qu'à cette époque. Toutes ces expériences, au lieu de relativiser ou de dissoudre ma foi, ne faisaient que l'approfondir. Il me semblait m'approcher davantage du Christ réel, pur Je Suis, d' « avant Abraham ». Mais je prenais, il est vrai, quelques distances à l'égard des représentations instituées et utiles de certaines Églises.

Toutes les nuits, autant que possible, j'essayais d'être fidèle à la célébration de l'eucharistie. Je venais de terminer la préparation de mon cours de philo pour le lendemain, Barbara dormait, les bruits d'Hollywood se faisaient plus calmes...

« On devient ce que l'on mange », « devenez ce que vous mangez », disait saint Augustin. Toutes les nuits, j'avais besoin de me nourrir de cette paix, de cette énergie, Vie-Amour plus forte que la mort, j'avais besoin de me nourrir de résurrection, même si au petit matin mon comportement ne témoignait pas totalement de ce que je pensais avoir « assimilé » durant la nuit...

C'est alors que je reçus de Toulouse une lettre du prieur provincial, me demandant par « précepte formel » (c'est-à-dire sous peine d'exclusion de l'ordre, sinon d'excommunication), de revenir aussitôt en France, on avait besoin de moi à la Sainte-Baume. Mes années d'études et de rencontres aux États-Unis avaient pour but de me préparer à la direction de ce centre dit « international » dont les dominicains étaient propriétaires mais dont aucun frère ne voulait s'occuper, étant donné la difficulté de la chose et sa « mauvaise réputation »...

Je lui écrivis pour le rassurer : je rentrerais en France à la fin de l'année scolaire, le temps d'honorer mes contrats avec M Productions et le Lycée français. Je ne lui disais mot de Barbara, et je ne dis mot à Barbara de la lettre du père Vesco... ni de ce « précepte formel » qui fit remonter en moi des craintes archaïques. De quoi craignais-je donc d'être exclu ? De Dieu, de moi-même ? Peur de renier cet acte par lequel j'avais librement renoncé à ma liberté, faisant vœu d'obéissance ?

De nouveau ce fut la déchirure, la culpabilité... Un matin, après avoir pris les dispositions nécessaires pour que Barbara puisse financièrement subvenir à ses besoins, je pris l'avion, via

Bangkok, pour Bombay puis Poona, en Inde. Toute la nuit, j'avais médité un texte ouvert dans ma Bible « au hasard » :

« Quiconque aura quitté maisons, frères, sœurs, père, mère, enfants ou champs à cause de mon Nom recevra le centuple et aura en partage la vie éternelle » (Mat. 19,29).

En regardant le texte de plus près aujourd'hui je vois que ni le centuple, ni la vie éternelle ne sont promis à celui qui quittera sa femme...

CHAPITRE XVII

Poona

L'avion n'arrivait pas à décoller de l'aéroport de Los Angeles : tempête de sable et trop forte chaleur, le goudron de la piste avait fondu ! Fallait-il y lire un signe, retourner à Lanewood Avenue où Barbara pleurait ? Mais il est écrit de « ne pas se retourner en arrière ». Je pensais sincèrement ne plus jamais la revoir. Dans la lettre que je lui avais laissée, je ne faisais que lui répéter ce que ma bouche lui avait dit mille fois : « Le mariage n'est pas mon choix. On ne peut rien bâtir de solide sur un chantage ou un mensonge. Dieu me demande autre chose, je suis dominicain, je veux le rester. »

Être dominicain et orthodoxe ne me posait pas de problème, être dominicain et marié m'en posait un ! Je lui reprochais de ne m'avoir jamais rencontré, de ne pas chercher à me connaître. Quel était donc cet amour qui ne respecte pas l'autre, son choix, sa liberté ?...

Je crois bien que j'ajoutai : « Si je n'avais pas été prêtre, je ne me serais jamais marié. » C'était un paradoxe, mais cela voulait dire :

« Si j'avais été un homme " normal ", non encombré d'Évangile et de charité, je ne me serais jamais laissé " avoir ". »

Fallait-il ajouter : « Si je n'étais pas chrétien, je ne t'aurais jamais aimée ? » N'avais-je pas appris qu'il faut aimer les créatures « à cause de Dieu » ? Mais les créatures veulent être aimées pour elles-mêmes, n'est-ce pas ? pour leur « je » qui n'existe pas vraiment. C'est là le drame ! Aimer et être aimé, à un certain niveau, ne peut qu'entretenir l'illusion au lieu de nous conduire à l'Éveil... On peut utiliser toute sorte d'arguments religieux, psychologiques ou métaphysiques pour justifier sa sécheresse de cœur !

Dans mon cas, je croyais plutôt vivre une histoire comme celle-ci :

« Un fakir vivait dans une cabane. Une nuit où la pluie tombait à verse, il fut réveillé par des coups frappés à la porte. Il dit à son épouse :

» — Il y a quelqu'un dehors, un voyageur. Un ami inconnu cherche un abri.

» — Un ami inconnu attend dehors, va lui ouvrir la porte, dit-il à sa femme.

» — Mais nous n'avons pas de place, protesta la femme. Cette cabane est déjà trop petite pour nous deux. Où mettre une troisième personne ?

» — Ma chère, répondit le fakir, ce logis est tellement petit qu'il ne peut pas le devenir davantage. Un palais, oui, un palais semble rétrécir chaque fois que quelqu'un y pénètre. Cela ne peut pas arriver à cette cabane.

» — Qu'est-ce que cela a à voir avec notre situation ? rétorqua la femme. Cette hutte est trop petite, un point c'est tout.

» — Du moment qu'il y a de la place dans ton cœur, cette cabane sera une maison superbe, dit le fakir. Mais si ton cœur est étroit, même un palais te semblera insuffisant. Ouvre la porte, je t'en prie. Peut-on refuser d'accueillir une personne qui frappe à la porte ? Nous étions couchés, eh bien ! si nous restons assis, il y aura assez de place pour nous trois.

» La femme ouvrit la porte et un homme entra, trempé jusqu'aux os. Ils s'installèrent et se mirent à converser lorsque deux autres voyageurs arrivèrent.

» Le fakir demanda au premier d'ouvrir la porte.

» — Ouvrir la porte ? Mais il n'y a plus de place !

» Il n'avait pas compris que le fakir ne l'hébergeait pas par affection personnelle, mais tout simplement parce que la cabane était pleine d'amour. Des gens se présentaient à la porte et l'amour les recevait, c'est tout.

» L'homme insista :

» — N'ouvrons pas, c'est déjà si peu commode de se tenir assis à trois dans cette hutte !

» — Mon ami, dit le fakir, nous avons fait de la place pour toi parce que l'amour règne sous ce toit. L'amour est toujours là, il n'a pas pris fin lorsque tu es arrivé. Ouvre la porte, je t'en prie. Nous nous serrerons les uns contre les autres, c'est aussi simple que cela. Cela nous tiendra au chaud, il fait froid cette nuit.

» La porte fut ouverte et deux hommes entrèrent.

» Puis ce fut le tour d'un âne qui vint cogner son front contre la porte. Il grelottait, il était tout mouillé, il avait besoin d'aide. Le fakir s'adressa à l'homme qui était assis contre la porte :

» — Ouvre, s'il te plaît, voici un nouvel ami.

» L'homme jeta un coup d'œil dehors et dit :

» — Non, ce n'est rien, ce n'est qu'un âne.

» — Sais-tu, fit le fakir, qu'à la porte des riches les hommes sont reçus comme des chiens ? Ici tu te trouves dans la cabane d'un pauvre fakir. Nous ne faisons pas de différence entre les gens et les animaux. Ouvre la porte, je te prie.

» Les visiteurs protestèrent en chœur :

» — Mais il n'y a plus de place !

» — Mais si, dit le fakir. Nous resterons debout. S'il le faut, j'irai dehors [26]. »

Il me semblait être mis dehors par celle à qui j'avais ouvert mon cœur ; dans ma maison il n'y avait de place que pour elle, ni moi ni personne d'autre ne pouvait entrer. Partir ce n'était donc pas pour moi seulement obéir à l'Évangile, c'était aussi une réaction de survie, partir pour ne pas être asphyxié : mort à moi-même...

Ainsi l'ego dont je prônais théoriquement le sacrifice ou l'inexistence avait la vie dure ! et voilà que je me sentais maintenant coupable de ne pas être mort ! Et l'Amour dans tout cela ?

Il ne disait rien, il ne pensait pas, il pleurait comme un enfant et il buvait comme une cloche. Ego ou pas ego, la souffrance d'autrui, garce ou méchant, folle ou fou, n'a jamais fait de bien à personne.

L'avion ne décollait pas, le goudron me collait aux pneus, fallait-il revenir à Lanewood Avenue ? Je me dirigeais vers un taxi quand une hôtesse vint me chercher, disant qu'on me prenait dans un avion de la Japan Air Lines avec un petit détour par Tokyo et Hong Kong avant d'arriver à Bangkok. J'acquiesçai. Dans l'avion, on me mit en première classe, ce qui me donnait le droit à des chaussons, à un peigne en plastique et à autant de saké que je voulais.

Je ne me souviens pas beaucoup de Tōkyō ni de Hong Kong, sinon d'un moment d'extase devant une foule chinoise et compacte dans le hall de l'aéroport. Dieu était bien l'Unique Créateur de la mouche et de l'éléphant, nous étions tous de la même race. « Nous étions tous créés à son image et à sa ressemblance, c'est pourquoi nous étions tous si différents. » Après cela plus rien, j'arrivai ivre à Bangkok. On me conduisit à un hôtel, le chauffeur de taxi pensa profiter de mon état d'ébriété pour me dérober le petit sac que je tenais attaché à ma ceinture, le malheureux ! je poussai un tel cri, sans doute ce fameux « cri qui tue », dont parlent les samouraïs : nous nous retrouvâmes dans le fossé !

Le lendemain matin, de retour à l'aéroport, j'appris que mes bagages avaient disparu, ou peut-être n'étaient-ils pas arrivés. Plein d'espoir je décidai d'attendre et de passer quelques jours à Bangkok. Je voulais faire une sorte de pèlerinage sur les lieux mêmes où Thomas Merton était décédé. J'avais avec moi son *Asian Journal* et je me souvenais de ses paroles dans *Semences de contemplations* :

« Je me demande s'il y a, au monde, vingt hommes vivants qui voient les choses telles qu'elles sont réellement. C'est-à-dire vingt hommes libres, qui ne soient pas dominés ou même influencés par leur attachement à une chose créée, à leur moi, à un don de Dieu, ou même à la plus élevée, à la plus pure de Ses grâces. »

Voir les choses telles qu'elles sont, être libre, libre même à l'égard de Dieu, trop humainement ressenti ou pensé, n'est-ce pas avec cette ouverture du cœur et du regard que Thomas Merton était « retourné chez lui », vers cet Orient intérieur dont les déplacements géographiques et les rencontres réveillaient d'incessants échos ?

Il ne partait pas en missionnaire, ni en sage chrétien qui apporte un message, ou une fine synthèse d'Orient et d'Occident, encore moins en écrivain célèbre qui partirait à la rencontre de ses innombrables lecteurs à travers le monde. Il partait pour apprendre, pour progresser :

« Je pars l'esprit totalement ouvert, sans particulièrement, je l'espère, me faire d'illusion. Je désire simplement jouir de ce long voyage, en bénéficier, apprendre, changer, et peut-être trouver quelque chose ou quelqu'un pour m'aider à progresser dans ma propre recherche spirituelle. »

Ce n'était pas un novice qui avait ainsi le désir d'être « enseigné », mais un homme d'une maturité spirituelle étonnante. Il se refusait aux pièges de ceux qui croient « posséder la vérité » et prétendent l'imposer aux autres... Comme si on pouvait posséder l'espace qui nous contient, comme si on pouvait arrêter le fleuve où on a plongé quelques instants Son vase d'argile...

« Il me semble que l'une des raisons pour lesquelles mes ouvrages attirent tant de gens c'est que précisément je ne suis pas si sûr de moi et ne prétends pas avoir réponse à tout. En fait, je suis parfois ouvertement perplexe... Le mieux que je puisse faire, c'est de chercher les questions. »

Son *Journal d'Asie* n'était pas là pour m'apporter des réponses mais pour stimuler mes plus anciennes questions : le sens ou le non-sens de l'ego, la place du christianisme parmi les grandes religions du monde, le nirvāna et la grâce, la réalité ultime, l'aboiement des chiens, la vie monastique.

Marchant sur ses traces dans les rues de Bangkok, peut-être

voulait-il me conduire vers la « liberté » pleine et transcendante qui se trouve au-delà de toutes les différences culturelles purement extérieures ? Ne pas renier notre héritage et notre enracinement dans le christianisme mais découvrir que « tout est vacuité, tout est compassion »...

On a pu s'étonner qu'un moine cistercien, un catholique, semble davantage préoccupé de « vacuité » que de Trinité... Thomas Merton savait pourtant de quelle vigne il était issu, de quel cep il était le sarment... Mais à quoi bon, si on a perdu l'art des vendanges ? A quoi bon le vin nouveau si on ne sait plus où est la coupe qui le portera à nos lèvres ? Thomas Merton, comme Henri Le Saux, cherchait la coupe : Le Graal qui lui donnerait l'ivresse : la joie la plus forte, l'Amour plus grand que la mort...

On a pu s'étonner aussi de lire dans ce journal des extraits de Shankara mêlés aux dernières nouvelles du *Hong Kong Standard*, le récit d'une visite au Dalaï Lama suivi d'un moment de nostalgie pour son monastère de Gethsémani ou une plus profonde solitude en Alaska... C'est là un des intérêts et une des beautés de ce journal : vie spirituelle, vie quotidienne, réflexions et silences ne sont pas séparés ; Thomas Merton y reste proche de son ami Basho qui connut l'illumination en entendant une grenouille sauter dans la tranquillité de l'étang.

Il demeurait ainsi sans cesse attentif à cette transcendance dont l'accès pourrait bien être un clapotis, ou le miaulement du chat, cette nuit, à Bangkok...

> *On meurt là où on a toujours vécu.*
> *Brother Louis est mort en voyage,*
> *au plus lointain — qu'il appelait sa patrie —,*
> *nu, dans un court-circuit de lumière...*

Quant à moi je n'étais pas nu, mais néanmoins sans bagages. Sans tristesse non plus : la mémoire de Thomas Merton, le sourire des innombrables bouddhas rencontrés dans les rues, m'avaient redonné un cœur serein. Je m'envolais vers Bombay, puis vers Poona, dans un petit avion qui se mit à tousser en haute altitude et menaça de s'écraser à l'atterrissage.

A mon arrivée à l'ashram de Poona, on me dit que mon avion avait dû croiser celui de Bhagvan Shree Rajneesh. Celui-ci venait de partir pour l'Amérique. C'était, paraît-il, un beau présage que de se « rencontrer » ainsi dans le ciel...

Aux États-Unis, Rajneesh avait déjà une très mauvaise réputation, celle d'un obsédé sexuel, accumulant les Rolls, manipulant de jeunes drogués. Son ashram était une grande partouze où l'encens se mêlait à la vapeur des saunas et où les grands noms de sagesse de l'humanité étaient invoqués pour mieux camoufler les pratiques les plus perverses... Pourtant, lorsque j'ouvrais ses livres, j'entendais une tout autre musique. Pour un obsédé sexuel, il prônait plutôt la chasteté, mais il précisait aussi qu'une chasteté fondée sur le refoulement ou sur la crainte n'était certainement pas source d'éveil, et que les déplacements de la libido pouvaient faire de certains hommes soi-disant religieux des êtres violents, assoiffés de pouvoir et dangereux.

En somme, rien de très original ! Il fallait suivre sa nature, ne pas l'entraver, mais ne pas s'y arrêter non plus, pour être conduit au-delà de la nature vers une béatitude plus durable, dont l'acte sexuel n'était que l'écho fugace...

« Si l'homme et la femme se donnaient la peine d'examiner ensemble leur vie sexuelle, ils pourraient devenir des amis et s'entraider pour la transformer. Le jour où ils parviendront à transformer le sexe, un sentiment d'absolue gratitude les animera. Actuellement, ce qui domine entre les conjoints est une sourde hostilité. L'animosité est constante, il n'y a jamais d'amitié sereine et joyeuse. Un profond sentiment de reconnaissance s'installe dans le couple lorsque chacun aide l'autre à transformer le désir sexuel. La plus belle des amitiés peut fleurir lorsque l'homme et la femme deviennent des compagnons de route vers les sommets où le sexe sera transcendé. Et chacun éprouvera un respect immense pour cet ami, cette amie, qui aura pu défaire les chaînes du désir. Ils vivront désormais dans l'harmonie authentique de l'amour. L'homme deviendra un dieu pour sa femme, la femme deviendra une déesse pour son époux. Cette merveilleuse évolution est devenue impossible...

» J'ai dit hier qu'il n'y a pas plus grand adversaire de la sexualité que moi. Je ne reproche rien au sexe, ne vous méprenez pas. Je parle de la nécessité de nous libérer de la sexualité et de transcender le sexe. Je suis un ennemi de la stagnation, il faut transformer le charbon en diamant. Je souhaite que le sexe soit transformé.

» Comment faire ? Quelle est la procédure à suivre ? Une autre porte doit être ouverte, une nouvelle porte.

» Le sexe ne s'impose pas dès la naissance. Le corps se fortifie, il grandit, il faut du temps pour qu'il se développe totalement. L'énergie sexuelle mûrit lentement et à la puberté elle pousse une porte fermée jusque-là. L'adolescent aborde le monde du sexe.

» Lorsque cette porte est ouverte, il est très difficile d'en ouvrir une autre. Étant donné sa nature, cette énergie vitale se rue dans la direction indiquée par l'ouverture de la porte. Le Gange s'écoule dans le même lit, il ne se fraie pas un nouveau passage tous les jours. Il est sans cesse alimenté par de l'eau nouvelle, mais le flot coule selon le trajet prétracé. La force vitale de l'homme aussi se creuse ainsi un canal et continue ensuite à l'utiliser.

» Pour que l'homme puisse éviter à la fois la sexualité anormale et la stagnation du sexe au niveau animal, il est extrêmement important qu'une nouvelle issue soit trouvée avant que la porte sexuelle ne s'ouvre. Cette issue est la méditation.

» L'enfant devrait apprendre à méditer dès son jeune âge. Il faut lui enseigner la méditation et supprimer tout ce qui évoque une condamnation du sexe. La méditation est une porte positive, supérieure. Il faut choisir entre le sexe et la méditation : cette dernière est l'alternative supérieure. Ne réprimez pas le sexe : enseignez la méditation[27]. »

Je pense souvent à ce que disait saint Augustin : « Celui qui est charnel l'est jusque dans les choses de l'esprit ; celui qui est spirituel l'est jusque dans les choses de la chair. »

Dans les milieux monastiques que j'avais fréquentés jusqu'alors, je n'avais rencontré que peu de regards spirituels sur le sexe. Certains textes des Pères du désert en faisaient même une chose immonde et dégoûtante. Le résultat, c'était souvent des êtres déchirés en eux-mêmes, craintifs ou méprisants. Je n'avais pas beaucoup rencontré de « chasteté heureuse », discours freudiens et discours ascétiques se faisaient la guerre dans mon esprit, or il me semblait que les uns et les autres avaient leur part de vérité à nous transmettre.

Chez certains collègues dominicains, j'avais pu observer le passage d'un excès à l'autre, les plus intransigeants dans leur jeune âge se montraient les plus dévoyés après la cinquantaine, ils chantaient des cantiques à la Vierge et fréquentaient les prostituées. Émile Coué disait que le cerveau moyen est gouverné par la loi de l'effet contraire. Nous allons droit vers ce que nous voulons éviter, parce que l'objet de notre crainte occupe le centre de notre conscience. Les religions ont voulu nous délivrer du sexe, résultat : les religieux ne pensent « qu'à ça ». Autant j'étais surpris lorsque Sonia, la prostituée de Marseille, m'avouait n'avoir « jamais menti » et me disait sur Dieu des paroles dignes des plus grands mystiques, autant j'étais surpris quand un moine m'avouait avoir « toujours menti », et me disait sur la chair des paroles dignes des plus grands pervers.

Il ne s'agit pas de sublimer l'un et de caricaturer l'autre, nous sommes la plupart du temps un mélange plus ou moins médiocre des deux, « ni ange ni bête ». Mais entendre quelqu'un parler du sexe comme de quelque chose de sacré, dans une langue où se mêleraient l'invitation poétique de Reich à « faire l'amour et non la guerre » et « l'éloge de la virginité » d'un Grégoire de Nysse, ne me semblait pas chose banale. Graf Dürckheim fut néanmoins le premier à me faire pressentir l'alliance possible de la sexualité et de Dieu qui « vit que cela était bon ». Mais son langage était sans doute moins explicite que celui de Rajneesh :

« Je le dis très clairement : le sexe est divin. L'énergie originelle, l'énergie sexuelle est une manifestation du divin. C'est évident : c'est l'énergie qui crée la vie. C'est la plus grande, la plus mystérieuse de toutes les forces.

» Abandonnez votre opposition au sexe. Si vous voulez que l'amour remplisse votre vie, cessez de le combattre. Acceptez-le avec joie. Reconnaissez son caractère sacré. Recevez-le avec gratitude et laissez-vous aller de plus en plus profondément. Vous serez étonnés de découvrir à quel point le sexe peut être sacré. Il dévoilera cet aspect dans la mesure où vous l'aurez accepté. Votre " sexualité " est laide et destructrice dans la mesure où vous manquez de respect envers le sexe, où vous le considérez comme entaché de péché.

» Lorsque l'homme s'approche de sa compagne, il devrait ressentir ce qu'il éprouverait en se rendant vers un lieu sacré, un temple. Et lorsque la femme se dirige vers son époux, elle devrait le faire avec la vénération qu'on réserve à un dieu. Durant leurs tendres ébats, les amants font l'amour et à ce moment-là ils sont très proches du sanctuaire divin, du lieu où Dieu se manifeste dans sa force créatrice dénuée de forme.

» Je suis persuadé que l'être humain a connu son premier éblouissement de *samadhi*, de conscience divine, durant l'accouplement. C'est à ce moment-là que l'homme se rend compte des sentiments d'amour intenses dont il est capable, de la félicité profonde qu'il peut ressentir. Les êtres qui ont correctement réfléchi à cela, qui ont observé le phénomène sexuel et le coït, ont remarqué que lors de l'orgasme l'esprit se vide de toute pensée. Ce vide, cet apaisement du mental, est la source de la joie extatique, de la félicité divine.

» Après avoir décrypté le début du secret, l'homme continua de creuser. Si le mental pouvait être libéré des pensées, si les rides que sont les pensées sur le lac de la conscience pouvaient être effacées par un autre processus, se dit-il, l'être humain pourrait atteindre la béatitude absolue. De là est issu le système du yoga, de là viennent la méditation et la prière. Cette approche nouvelle prouva que, même sans coït, la conscience pouvait être apaisée et les pensées se dissiper. L'homme découvrit que l'extase procurée par le coït pouvait être atteinte sans relation sexuelle.

» Par la nature des choses, l'union sexuelle est limitée dans le temps ; elle consomme en effet une quantité d'énergie. Les amants ne connaissent que pendant quelques instants la joie pure, l'amour parfait, la sérénité bienheureuse dans lesquels le yogi (authentique) baigne en permanence. Mais fondamentalement il n'y a aucune différence. Celui qui a dit que le *vishyanand* et le *brahmanand,* c'est-à-dire l'être qui s'adonne aux plaisirs des sens et celui qui s'abîme en Dieu, sont frères a formulé une grande vérité sans le savoir. Les deux vécus ont une seule et même racine. La différence est une question de degré d'évolution ; c'est la différence qu'il y a entre la terre et le ciel [28]. »

Franchement, qu'y a-t-il à redire à cela ? Comment comprendre que cet homme, après son expulsion des États-Unis, fut déclaré indésirable dans vingt et un pays au total ? A qui l'amour fait-il si peur ?

Sans doute ne voit-on que ce qu'on regarde, en tout cas à l'ashram de Poona je ne fus jamais invité à une partouze et je n'ai jamais été témoin de « harassement sexuel ». J'ai rencontré là-bas plus de délicatesse, plus de respectueuse tendresse que dans beaucoup d'endroits dits religieux. Mon témoignage ne vaut sans doute pas puisque je ne suis resté dans cet ashram qu'une trentaine de jours. Ce n'est pas suffisant pour donner un avis bien fondé sur les faits, c'est suffisant pour rêver d'un monde ou d'une société qui n'opposerait pas le charnel et le spirituel, l'amour humain et l'amour divin, la santé et la sainteté, la nature et l'Esprit saint. N'est-ce pas rêver d'un grand Noël ? La nuit où le Verbe se fait chair ? N'est-ce pas rêver d'un mont Thabor, la montagne où la chair se fait Verbe ?

Inutile de préciser que Rajneesh n'a jamais été pour moi un dieu, ni même un gourou, mais un homme qu'on peut aimer ou ne pas aimer... Je ne sais pas ce que son ashram est devenu, le pire serait qu'il devienne le lieu d'un nouveau culte, d'une nouvelle Église. Restent ses livres et ses nombreux commentaires des grands textes sacrés de l'humanité. L'interprétation peut en sembler parfois naïve, mais il y a en elle une réelle vertu d' « actualisation ». Les mots du passé semblent être ceux d'aujourd'hui et peut-être ceux de demain :

« L'Évangile a bien saisi qui est Jésus : vérité et grâce. Il était vrai, profondément, totalement, absolument vrai. C'est pourquoi il a eu des ennuis : vivre dans une société qui n'est que mensonge, y vivre avec une sincérité absolue, c'est s'attirer des ennuis. Il était la grâce même. Il n'était ni politicien ni prêtre. Il aimait la vie et la vivait. Il n'était pas là pour prêcher quoi que ce soit ; il n'avait pas de dogme à inculquer aux gens, pas d'idées à leur imposer. Il menait, en fait, une vie pure, gracieuse, fluide, et il était contagieux. Quiconque entrait en contact avec lui le suivait. Il se produisait comme un courant électrique. Cet homme était un enfant, un enfant innocent. Les gens étaient attirés. Ils quittaient leur maison, leur métier : ils se mettaient simplement à le suivre.

» Jésus n'était pas un prédicateur, il n'apportait au monde ni révolution politique ni réforme. Il enseignait comment vivre avec grâce et naturel. Cela créa de nombreux problèmes car les juifs étaient très inhibés : répressifs, moralisateurs, puritains. Ils vivaient suivant des principes selon la Loi.

» Les juifs réussissent brillamment dans la société. Si vous suivez la loi, vous réussirez. Si vous vivez par amour, vous serez un raté. C'est dommage, mais c'est ainsi : dans le monde, la loi réussit, l'amour échoue. Par contre, en Dieu, l'amour réussit, la loi échoue.

» Mais qui se soucie de Dieu[29] ? »

Étrange personnage. Peu auront suscité en notre siècle autant de haine et autant d'amour. L'étude non partisane de son œuvre reste encore à faire.

Au chrétien que j'essayais d'être, il rappelait que Jésus n'est pas la propriété de quelques-uns ;

Comme le souffle Il se donne à ceux qui respirent ;
Comme la lumière Il se donne à ceux qui ouvrent les yeux ;
Comme l'amour Il est au cœur de ceux qui aiment.

Rajneesh me disait que « Jésus n'a jamais voulu faire de nous de bons chrétiens, mais d'autres Christ » : « Là où Je Suis je veux que vous soyez aussi... »

Chacun de nous se découvre alors une façon unique d'incarner la Vérité, la Vie... une façon unique de laisser être Celui qui Est..

Celui qui Est me poussa sans doute vers l'aéroport, il fallait retourner en France.

Poona, Bombay, Paris, là je retrouvai Jean-René Bouchet, alors prieur des dominicains de la province de France. Nous avons beaucoup bu ce soir-là. Il me confia ses angoisses quant à l'avenir de l'ordre. Il me parla des difficultés au Moyen-Orient, de la souffrance de certains frères et des contradictions de sa propre chair. Je n'avais plus un sou et pas un vêtement de rechange, il me donna un velours noir et quelques pulls de laine blanche.

Il fallait ne rien dire à propos de mes liens avec Barbara et avec les Églises orthodoxes. Offrir mon silence à la miséricorde et à la justice de Dieu. Celui-ci m'écrivait « droit avec des lignes courbes ».

Je partis vers la Sainte-Baume.

CHAPITRE XVIII

La Sainte-Baume

« Lorsque le voyageur descend les pentes du Rhône, à un certain moment, sur la gauche, les montagnes s'écartent, l'horizon s'élargit, le ciel devient plus pur, la terre plus somptueuse, l'air plus doux : c'est la Provence... Il y a des lieux bénis par une prédestination qui se perd dans les secrets de l'éternité...

» On était tout à l'heure au sein d'une ville riche et ardente, l'une des reines de la Méditerranée. On entendait le bruit des vagues et le bruit des hommes ; on voyait arriver de tous les points de l'horizon des vaisseaux moins poussés par le vent que par les trésors qu'ils portent : maintenant tout est calme en même temps que tout est pauvre, et, à la paix comme à la nudité de ce désert, on se croirait transporté par des routes mystérieuses aux inaccessibles retraites de l'antique Thébaïde.

» Quelques murailles tombées s'aperçoivent au milieu de la plaine ; quelques maisons debout à l'extrémité, derrière un mamelon : mais ces vestiges de vie ne diminuent pas la solennelle réalité du lieu.

» Le cœur pressent qu'il est dans une solitude où Dieu n'est pas étranger.

» Au centre de ces roches hautes et alignées, qui ressemblent à un rideau de pierre, l'œil découvre une habitation qui y est suspendue, et à ses pieds une forêt dont la nouveauté le saisit. Ce n'est plus le pin maigre et odorant de la Provence, ni le chêne vert, ni rien des ombrages que le voyageur a rencontrés sur sa route ; on dirait que, par un prodige inexplicable, le Nord a jeté là toute la magnificence de sa végétation.

» C'est le sol et le ciel du Midi avec les futaies de l'Angleterre. Tout proche, à deux pas, sur les flancs de la montagne, on retrouve la nature vraie du pays ; ce point-là seul fait exception. Et si l'on y pénètre, la forêt vous couvre aussitôt de toute sa majesté, semblable en ses profondeurs, en ses voiles et ses silences, à ces bois sacrés que la hache des Anciens ne profanait jamais. Là aussi les siècles seuls ont accès ; seuls ils ont exercé le droit d'abattre les vieux troncs et d'en rajeunir la sève ; seuls ils ont régné et règnent encore, instruments d'un respect qui vient de plus haut qu'eux, et qui ajoute au saisissement du regard celui de la pensée.

» Qui donc a passé là ? Qui a marqué ce coin de terre d'une empreinte si puissante ? Quel est ce rocher ? Quelle est cette forêt ? Quel est enfin ce lieu où tout nous semble plus grand que nous [30] ? »

Ce lieu c'est la Sainte-Baume. On peut en parler de façon moins romantique que Lacordaire, on n'est pas moins touché par la force et la beauté du lieu. J'y étais déjà venu, novice du couvent de Toulouse. Le centre culturel et spirituel, au pied de la montagne, était alors dirigé par Philippe Maillard. Son action était très controversée et toute sorte de critiques pleuvaient contre le centre. Cela ne m'intéressait pas que Philippe fût avocassier, cabotin et de mœurs douteuses, quelle importance ? Il n'était pas là pour prêcher une morale mais un évangile (une bonne nouvelle). Je me souviens de son sourire quand il prononça le nom de Jésus-Christ, ce fut un grand coup de vent sur la tête de ceux qui lui mentionnaient « quelques éléments oubliés » du droit canonique.

Philippe me rappelait ces amants assez bien dans leur peau (assez narcissiques) pour penser à autre chose qu'à eux, à leur pureté ou à leur justice… Comme si être bien avec soi-même était la condition d'une authentique reconnaissance de l'autre ? Les grands narcissiques ne sont pas les moins capables d'amour. « Aimer son prochain comme soi-même » a peut-être pour eux davantage de sens ?

Je ne restais pas longtemps dans les salles enfumées et chargées de sourds règlements de comptes. J'allais dans la forêt me rouler dans les feuilles humides. La nuit, je ne rentrais pas dans ma chambre, je dormais au pied d'un arbre. Parfois le grognement d'un sanglier venait me signifier que ce n'était pas encore le jour de partir pour les étoiles... Déjà j'aimais cette forêt comme un temple. Je comprends que les Marseillais d'autrefois y venaient pour vénérer leur déesse, vierge et mère, Artémis.

« Il y avait un bois sacré, qui depuis un âge très reculé n'avait jamais été profané. Il entourait de ses rameaux entrelacés un air ténébreux et des ombres glacées, impénétrables au soleil », disait le poète Lucain à propos du siège de César contre Marseille en l'année 49 avant Jésus-Christ.

On peut trouver aussi à l'entrée de l'église du plan d'Aups une stèle sur laquelle est gravé un ex-voto d'un notable romain adressé aux « mères nourricières », c'est-à-dire à des déesses de la fécondité vénérées ici depuis des temps anciens. Bien sûr, je n'invoquais pas ces déesses, mais j'étais sensible à la magie du lieu, et je ne pouvais « accuser » Philippe Maillard ou Claude Pelletier de venir y pratiquer le yoga. La Sainte-Baume me rappelait les montagnes sacrées de l'Inde (Arunachala). J'avais été impressionné par ces yogis ouverts aux énergies dispensées par un site « numineux » et se rendant ainsi disponibles à la Présence. Pourquoi taxer tout de suite de telles pratiques de « païennes » ?

A côté des présences historiques et sacramentelles du Logos, n'y a-t-il pas Sa présence dans la grande nature ? Le Christ cosmique dont parlent saint Jean, saint Paul et Teilhard de Chardin à leur suite n'est-il réservé qu'aux pratiquants de méditations orientales ? Il y a là toute une dimension oubliée dans le christianisme que la mode nécessaire de l'écologie nous oblige à retrouver. Ainsi, seul dans la nuit, non loin des salles enfumées, je dansais avec les druides, ils m'indiquaient les versets des psaumes où il est dit que « toutes créatures louent le Nom de YHWH, Celui qui Est, leur Créateur », et je leur répondais avec le Cantique de saint François « Loué sois-tu mon Seigneur, pour notre frère le vent, pour notre sœur la terre ».

Nous sommes poussières d'étoile, le lieu où l'univers prend conscience de lui-même, se prosterne et prie... Ces paroles, je me disais qu'un jour j'aimerais les partager avec des amis sur ces chemins et avec eux rompre le pain, verser le vin, sur la montagne au coucher du soleil, et dans le tutoiement innombrable des signes et des pierres accueillir la Toute Présence avec un cœur magdaléen...

Car plus fort que la mousse des chênes était un parfum de femme, au-delà de sa robe boisée elle m'invitait en sa grotte. Sophia ? Sainte Sophie, Sagesse qui aurait grandi jusqu'à la folie ? Sagesse de l'Amour, crucifiée, ressuscitée avec lui, Marie la Magdaléenne me donnait rendez-vous...

Dix ans plus tard, la vie me permettait de lui répondre enfin, mais la vie ne lui ramenait pas le petit jeune homme qu'elle avait connu qui fuyait ses frères pour se rouler dans la mousse, le jeune novice tout heureux de retrouver à la Sainte-Baume une falaise, une forêt et des grottes comme au mont Athos. C'était un homme redevenu vieux comme « avant » son baptême, qui pouvait comprendre comment elle aussi était « avant » sa « Rencontre »... lorsque, humiliée et orgueilleuse, elle disait :

« J'ai laissé la jeune fille bleue à l'ombre du figuier, comme un songe un peu lourd.

» J'aurais pu, à mon tour, verser le sang. Mais mes mains ont toujours tremblé devant les couteaux et les pierres tranchantes. J'aurais pu me murer dans le silence et la douleur. Je croyais en la vie, et que tous les chemins partent d'une femme perforée. Alors je me suis donnée, à ceux qui avaient soif, qui avaient mal, aux brutes, aux criminels, aux bancals, aux maniaques, aux puceaux maladroits, aux seigneurs vénéneux.

» Je suis la femme de Magdala. Donnée à tous car je suis belle comme la vie, irrésistible comme la jouissance et le malheur. Ils ont mangé mon corps, mordu mes épaules et mes cuisses, bu à mon ventre. Je les ai bercés, griffés et consolés, méprisés et flattés. Je me suis traînée à leurs pieds. Je les ai fait hurler sous mes caresses.

» Ils ont cru me posséder, m'acheter, m'asservir, et tous sont repartis immensément creux.

» Je suis la femme, la blessure, et le gouffre. Ils viennent tous chercher la mort auprès de moi, respirer leur néant sur ma peau parfumée, et manger leur opprobre.

» J'aurais pu me murer. Je me suis ouverte à tous. Laquelle se damne, celle qui se garde, celle qui se perd [31] ? »

Cela peut choquer, mais je ne crois pas que Jacqueline Kelen ait totalement tort lorsqu'elle remarque que le destin de Jésus répond étonnamment à celui de la prostituée : homme public, prêchant l'amour universel et donnant à tous son corps en nourriture (eucharistie).

« Sa passion et sa mort sont celles de la prostituée : par moquerie Jésus est revêtu d'un manteau de pourpre (dans l'Antiquité, la pourpre est portée par le roi, le prêtre, la courtisane sacrée, signe du pouvoir temporel et spirituel) ; puis il subit le châtiment réservé aux Filles de Babel : " Je te livrerai entre leurs mains (…), ils t'arracheront tes vêtements et te prendront tes bijoux ; ils te laisseront toute nue. Puis ils exciteront la foule contre toi, on te lapidera, on te percera à coups d'épée, on mettra le feu à tes maisons… " » (Ezéchiel 16, 38 s.).

« Ils vont prendre en haine la Prostituée, ils la dépouilleront de ses vêtements, toute nue, ils en mangeront la chair, ils la consumeront par le feu » (Apocalypse 17, 16 s.).

» Comme la femme ouverte, bafouée, Jésus écartelé et en sang sur sa croix [32]. »

En observant ceux qui remplissent les églises (en Russie plus qu'ailleurs), je me suis quelquefois demandé si la religion n'était pas une affaire de femmes et de « femmelettes » (clercs et autres gentils membres). Dans l'Évangile n'est-ce pas la même chose ? Il n'y a que les femmes qui semblent comprendre ce que dit Jésus (voir la Samaritaine, la femme adultère, etc., et Marie de Magdala, bien sûr). Quand Pierre se trouve devant une femme, il se conduit comme une femmelette (voir l'épisode du reniement). Au moment de l'arrestation du Christ, tous les « hommes » prennent la fuite, il n'y a que Jean, sans doute le plus « féminin » et le moins femmelette de tous, qui reste avec les femmes au pied de la croix.

Graf Dürckheim avait attiré mon attention sur la répression du féminin, chez les femmes comme chez les hommes d'ailleurs, qui empêche un certain accès à l'Être essentiel. De la même façon, pourrait-on dire qu'on ne peut comprendre l'Évangile sans avoir éveillé en soi une certaine dimension féminine, contemplative ? que le Logos ne se révèle en nous qu'à la Sophia ?

« La culture occidentale est une culture d'esprit masculin. Du développement unilatéral des qualités viriles résulte la méconnaissance, sinon la répression, des potentialités féminines. Parce que la vision de la réalité dans laquelle nous vivons est déterminée en priorité par ce qui est accessible à la définition rationnelle et à la maîtrise technique, l'âme est nécessairement brimée. Un critère d'appréciation basé sur l'efficacité et ses résultats mesurables refoule le monde de la sensibilité, de l'harmonie intérieure et des sentiments. Jusqu'ici l'émancipation féminine a plutôt représenté l'émancipation de l'élément masculin chez la femme, car nous nous trouvons encore sous le signe d'un monde du " père ", orienté vers une activité efficace, le travail et un comportement respectueux des lois.

» L'égalité de la femme concerne ses droits à l'intérieur d'une société de la productivité. Le féminin est souvent condamné, non seulement chez l'homme mais aussi chez la femme, à un destin fantôme. Son énergie refoulée prend alors une place importante parmi les forces d'ombre de notre temps, celles qui bloquent le chemin de l'Être essentiel.

» L'éveil à la vie initiatique contribuera donc très probablement à rendre au féminin sa place dans la synthèse intégrale de la vie. Pour accéder librement à l'initiation, il faut que soient dégagées les forces émancipatrices du féminin[33]. »

Il ne s'agit pas de « déviriliser » l'Église, mais de permettre aux hommes et aux femmes de mieux intégrer cette dimension du féminin, ce qui nous délivrera des volontés de puissance plus ou moins « ombreuses » d'un certain nombre de femmelettes avec ou sans mitre, ce qui nous aidera aussi à sortir des théologies « rationalistes » du début du siècle pour retrouver la « théologie mystique » des origines, où la célébration, autant que l'explication, a droit de cité : « Dieu n'est pas un problème à résoudre, il est un mystère à célébrer. »

L'histoire de Marie de Magdala peut certainement nous aider à retrouver les multiples archétypes du féminin, les uns oubliés, les autres trop développés dans l'Église et la société :

« L'archétype de la pécheresse qui devient vierge sous le regard du " Tout-Autre-Amour " (Marie chez Simon) ; l'archétype de celle qui Écoute et que Féconde la Parole (Marie à Béthanie) ; l'archétype de la femme à l'ombre de la croix qui épouse la douleur et la transcende (Marie au pied de la Croix) ; l'archétype de la femme aimée et aimante. Témoin de l'Amour plus fort que la mort (Marie, au matin de la Résurrection).

» Le déploiement de ces archétypes dans le récit historique décrit les étapes d'un itinéraire initiatique, l'itinéraire même de la Bien-Aimée du Cantique des Cantiques :

— Joie de l'Étreinte et de la Rencontre qui culmine dans une contemplation silencieuse...

— Puis l'Épreuve de la Différence et de la Séparation, la Descente aux Enfers à la Recherche de l'Amour perdu,

— Enfin, la Ré-union au-delà des contraires, au-delà de la vie et de la mort, dans la " Paix qui surpasse toute connais-sance " [34]. »

Les recherches récentes d'un Carl Gustav Jung, d'un Henry Corbin ou de Gilbert Durand, qui discernent dans le récit historique les symboles d'une méta-histoire, peuvent ainsi nous aider à mieux lire les présences parfois déroutantes de la Magdaléenne dans nos vies.

En tout cas, à la Sainte-Baume, « Je ne sais pas si elle y est venue, je sais qu'elle y est » (P. Vayssière).

Parfois elle y est même un peu trop, quand elle prend la forme très sensuelle et très « spiritueuse » de ceux ou de celles qui se prennent pour ses « réincarnations ». On a bien étudié l'emprise de l'archétype de « la grande mère » sur un être, on ne sait pas encore assez l'emprise, douloureuse et exaltée, de l'archétype de « la grande amoureuse ». En tant que berger du lieu, j'aurais sans doute quelques histoires à raconter quant à l'assaut de quelques chèvres folles... Les explications par l'hystérie ne me suffisent plus, elles oublient l'Autre qui vient au cœur de ces paroles et de ces présences parfois étranglées. C'est un des aspects de la Sainte-Baume qui me semble le plus important : « Les fous y ont leur place », l'Église y ressemble davantage à une cour des miracles qu'à un synode de vestons graves. Quand je dis : « Les fous », je ne parle pas des autres. Si j'en ai tellement rencontré durant ces années à la Sainte-Baume, c'est que quelque part ils me savaient plus atteint qu'eux, ils voyaient en moi quelqu'un qui avait reçu la grâce de survivre à l'absurde mais qui franchement n'en « savait » pas plus qu'eux.

Je commençais à comprendre que l'efficacité d'un thérapeute ne réside pas dans ce qu'il sait mais dans ce qu'il ignore. Tant qu'on est supposé savoir, l'oreille n'est pas totalement ouverte, la grande folie et la parole sacrée ne peuvent pas y pénétrer. Moins savoir, davantage écouter... Mais pourquoi est-ce si difficile d'Écouter ? Pourtant n'est-ce pas le premier commandement ?

En écoutant davantage me revint de loin une voix que je ne voulais plus entendre, des cris et des larmes qui m'empêchaient d'entendre d'autres cris et d'autres larmes. J'aurais voulu m'arracher les oreilles mais trop tard, j'avais entendu :

« Tu soignes les voisins et tu laisses mourir les gens de ta maison, tu es disponible aux plus folles projections et tu laisses dans l'inachevé celle à laquelle tu as répondu. Tu t'émerveilles de l'hystérie « divine » de Marie Madeleine, n'y aurait-il pas une hystérie plus humaine à consoler ? »

De nouveau Barbara était sur ma route. Je décidai de la revoir. Avec l'accord de mon prieur, je pouvais lui remettre chaque mois une certaine somme d'argent. Il ne s'agissait pas seulement d'idéaliser ou de fuir le féminin, je devais accepter qu'il y ait une femme dans ma vie. Vivre cette ambiguïté, cet interdit : être marié et être dominicain en même temps, dans le secret pour éviter tout scandale. Cela ne devait pas durer très longtemps, le temps néanmoins d'apprendre ce que c'est « être pécheur ». Être à côté de ce pour quoi on est fait, manquer la cible, ne pas être ce qu'on paraît, je cherchais la transparence, j'apprenais l'art du voile...

J'avais bien essayé de tourner l'Évangile dans tous les sens, je ne pouvais renoncer à un élément ou à un autre de ma vie. Ne plus être prêtre ou ne plus être marié c'était handicaper, mutiler ce que je sentais être la vérité, et je priais l'Esprit de me conduire dans « la vérité tout entière ».

Je découvrais aussi davantage le sens de la Miséricorde. Nul n'est « juste » en amour, nul n'aime jamais assez. « La charité excuse tout, croit tout, espère tout... » Le christianisme m'apparaissait de plus en plus comme une folie. « Celui dont la maladie s'appelle Jésus ne guérira jamais », disait un mystique musulman. On ne parlait pas encore du sida à l'époque. L'image est horrible, mais je ne peux m'empêcher d'y penser, si on entre dans cette voie proposée par saint Paul dans l'Épître aux Corinthiens, « l'Amour excuse tout, supporte tout... », on n'a plus de défenses, plus de système immunitaire, plus un poil de carapace, on risque ce qui est arrivé à cet Innocent au mont des Oliviers, on

prend de plein fouet tous les virus et toute la méchanceté du
monde. On a beau dire non, l'amour a érodé toutes nos défenses,
il n'y a plus qu'à dire oui : « Oui, que Ta volonté soit faite. » « A
mourir pour mourir, je choisis l'âge tendre. »

Mourir d'amour : si cela était désiré, voulu, ce serait masochisme, cela ne peut être que subi. Jésus n'a jamais voulu souffrir,
il a voulu aimer envers et contre tout. De nouveau, je retrouvais
« le prêtre et la victime », mais avec un je-ne-sais-quoi de moins
tragique. L'acceptation d'un destin en fait une destinée, Marie
Madeleine n'était-elle pas là pour m'apprendre à accepter non
seulement le féminin, mais aussi la femme dans ma vie ?

Mais heureusement, à la Sainte-Baume il n'y avait pas que
Marie Madeleine, il y avait aussi saint Jean Cassien, un des
fondateurs de la vie monastique en France. L'histoire nous dit
qu'en effet il y eut à la Sainte-Baume de nombreux ermitages de
cassianites, ce sont eux d'ailleurs qui instaurèrent la dévotion de
Marie Madeleine dans ces lieux. Cassien lui-même venait chaque
année vivre son carême près de la grotte. Un des sommets du
massif, une source, un ermitage portent encore son nom en
souvenir de sa présence. Une de mes premières réalisations à la
Sainte-Baume fut la création avec Bernard Rerolle du monastère
Saint-Jean-Cassien.

Il y avait eu avant notre arrivée un projet de « moûtier » qui
n'avait pu aboutir. Je me mettais donc à l'œuvre et écrivis
quelques pages pour signifier dans quel esprit nous aimerions
vivre cette expérience de retour aux sources du monachisme et
d'ouverture au monde contemporain :

« Originellement, le moine est un laïc qui, fatigué ou insatisfait
de la médiocrité d'une existence " mondaine ", rompt avec un
certain type d'insertion dans la société pour se consacrer à la
recherche de la Vérité. Si la Vérité a des visages multiples (qu'on
l'appelle " réalisation ", " libération " ou " salut " selon le
contexte culturel dans lequel elle s'inscrit), elle a aussi des
exigences multiples (silence, solitude, exercices psychophysiques,
sobriété, etc.).

» C'est à tous ces hommes et ces femmes qui cherchent la Vérité, à tous ces laïcs qu'on appela par la suite des moines tant cette quête les occupait tout entiers (*monos :* un : celui qui tend à unifier le champ de son désir), que le monastère Jean-Cassien voudrait ouvrir ses portes.

» Selon Marie-Madeleine Davy, la vie monastique orientale remonterait aux Apôtres. Cassien s'inspire du *De vita contemplativa* de Philon. Ce dernier évoque les thérapeutes dont l'existence lui rappelle les ascètes chrétiens qui se multiplièrent dès le IIIe siècle. Conscient de cette ressemblance, Eusèbe de Césarée avait déjà vu dans la vie des ascètes, décrite dans le *De vita contemplativa,* une allusion à la première communauté chrétienne d'Alexandrie. Celle-ci aurait reçu sa règle de Marc l'Évangéliste. Étudiant les origines du monachisme, Antoine Guillaumont insiste sur les analogies entre la vie des thérapeutes commentée par Philon et celle menée par les moines égyptiens, en particulier dans les déserts de Nitrie et de Scété. L'histoire Lausiaque de Pallade, les différents recueils d'*Apophtegmata Patrum* nous renseignent sur cette vie monastique dont les ancêtres remonteraient au premier temps de la vie apostolique.

» Mais les moines chrétiens n'auraient-ils pas une origine encore plus ancienne ? ne seraient-ils pas les successeurs des " renonçants " de l'Inde qui fuirent le monde, comme le fera Arsène, pour mener une vie de silence et de solitude dans les forêts et les montagnes ? »

« Bien avant que les premiers moines chrétiens aillent se cacher dans les déserts d'Égypte et de Syrie, les disciples du Bouddha avaient répandu cette manière de vivre dans tout l'Extrême-Orient. »

Ainsi à travers les moines bouddhistes et les thérapeutes*

---

* A propos des thérapeutes, cf. Philon, *De vita contemplativa,* intr. et trad. par F. Daumas et P. Miguel, Paris, 29e éd., Editions du Cerf, 1963 ; Antoine Guillaumont : « Philon et les origines du monachisme », dans *Philon d'Alexandrie,* colloque de Lyon, 1966, Paris, Éd. de la Recherche scientifique, 1967, p. 361 ; « Aux origines du monachisme chrétien », *Spiritualité orientale,* numéro 30, abbaye de Bellefontaine, 1979, p. 215.

décrits par Philon, tous les moines chrétiens, en particulier les ermites, peuvent discerner ce long mouvement d'anachorèse qui devait subjuguer des hommes épris d'absolu. Cette continuité qui s'impose provoque l'émerveillement à l'égard du mystère divin et de l'homme capable, à toutes les époques, indépendamment de ses origines religieuses, de s'y plonger totalement.

« Une telle constatation s'étend sur deux niveaux :
— celui de la vocation monastique elle-même ;
— celui plus important encore de la nécessité contraignante pour certains hommes de s'engouffrer dans la profondeur du mystère divin auquel ne peuvent accéder que les parfaits renonçants, moines ou laïcs » (Marie-Madeleine Davy, *Dom Le Saux*, Éditions du Cerf, 1981).

Ce qui caractérisait l'esprit du monastère Jean-Cassien, c'était son ouverture à des traditions spirituelles autres que les traditions occidentales, non pour tomber dans le syncrétisme ou des analyses savantes de philosophie des religions, mais pour davantage tenter un travail d'intégration des différentes voies permettant l'éveil de l'homme à la réalité transcendante qui l'habite.

A ce sujet, je rappelais deux beaux textes du pape Pie XII et de Jacques Winandy, abbé de Clervaux :

« Lorsque l'Église convie les peuples à s'élever sous la conduite de la religion chrétienne à une forme supérieure d'humanité et de culture, elle ne se conduit pas comme celui qui sans rien respecter abat une forêt luxuriante, la saccage et la ruine, mais elle imite plutôt le jardinier qui greffe une tige de qualité sur des sauvageons pour leur faire produire un jour des fruits plus savoureux et plus doux... » (Pie XII, encyclique *Evangelii Praecones*, 2 juin 1951).

« Nous avons pris l'habitude de lier à l'institution monastique certaines formes concrètes qu'elle a prises en Occident depuis le Moyen Âge : communautés nombreuses, bâtiments vastes et d'aspect imposant, splendeur du culte, œuvre missionnaire, civilisatrice et culturelle. Fruit de circonstances historiques qui les justifient pleinement, ces formes accidentelles ne sont que le vêtement parfois somptueux d'un fond plus austère et plus essentiel. Celui-ci est commun, non seulement aux diverses époques et aux lieux divers du monachisme chrétien, mais, pour une large part, à toutes les manifestations d'une tendance qui se retrouve dans la plupart des grandes religions.

» Partout il s'est trouvé des hommes en qui s'est allumée la soif de l'Absolu. Le désir de se connaître et de connaître ce qui est à la source de leur être. Tourmentés par cette soif, animés par ce désir, ils ont éprouvé le besoin de se libérer d'un certain nombre de contraintes sociales, de la vanité et de la superficialité des conversations mondaines, de tout ce qu'il y avait de superflu dans leurs possessions, comme dans leurs affections, de tout ce qui détourne le corps, l'esprit et le cœur de l'Unique Nécessaire.

» Le but étant le même, les pratiques essentielles n'ont guère varié : soumission à un ancien expérimenté dans les voies de l'esprit, méditation et concentration intérieure, prière, apaisement progressif des passions par la pauvreté, la solitude, le silence, le travail manuel, la lecture des écrits inspirés, le jeûne, les veilles. Il n'est pas possible d'imaginer un monachisme authentique qui n'inscrive pas à son programme tous ces " exercices ". La mesure de chacun varie, les formes extérieures et les pratiques accessoires aussi : le fond reste inchangé. » (Jacques Winandy, abbé de Clervaux.)

Le but de la vie monastique étant de faire de nous des « éveillés », des hommes et des femmes en qui l'Être peut s'éprouver et se manifester sans entraves, un monastère devrait pouvoir offrir un milieu, une discipline qui faciliterait cet éveil (cette réalisation, ce salut). Le travail proposé au monastère Jean-Cassien se situait ainsi à plusieurs niveaux.

Au niveau corporel d'abord

Nos contemporains ont reconnu l'importance du corps. Le corps n'est pas perçu comme le « tombeau de l'âme » (Platon), mais plutôt comme le « temple de l'Esprit » (saint Paul) : un temple demande plus de soin et d'entretien qu'un tombeau. Il

s'agit de le rendre de plus en plus accueillant, transparent à la
Présence infinie qui l'habite. La pratique du yoga, un certain
nombre d'exercices psychophysiques, la relaxation, la bioénergie
pourront faciliter cette ouverture du corps aux énergies vivi-
fiantes de Celui qui veut que « l'homme ait la vie et la vie en
abondance ».

Au niveau psycho-affectif

Au-delà de la dimension corporelle, il existe d'autres niveaux
où le travail se fait tout aussi exigeant et subtil. « La pureté du
cœur, disait Jean Cassien, tel est le but de la vie monastique. »
C'est aussi la grâce que demandaient les Prophètes : « Que nos
cœurs de pierre deviennent cœurs de chair. » Ce travail au niveau
du cœur profond, c'est ce qu'on appelle dans la tradition
chrétienne la *metanoïa* ou « conversion » : « le retour de ce qui
est contraire à la nature vers ce qui lui est propre » (Jean
Damascène). Ce retournement de tout l'être et la maturation
psycho-affective qui l'accompagne se réalisent lorsque l'homme
cesse de « s'idôlatrer lui-même », lorsque le « petit moi » se
transforme en présence de l'Autre qui l'habite, pour devenir
capacité d'accueil, amour ontologique pour tous les êtres.

Le retour à notre cœur profond est parfois un long voyage, et
quelle aventure ! La vie commune, une existence plus simple et
plus vraie nous aideront à « ôter nos masques », « nos justifica-
tions », pour découvrir notre véritable identité « à l'image et à la
ressemblance de Dieu ».

Au niveau noétique et spirituel

Dans la transformation de l'homme total, on ne peut négliger
l'éveil de l'intelligence, l'ouverture noétique à la lumière Vérité
qui « éclaire tout homme venant en ce monde » (cf. Prologue de
saint Jean). Par l'étude, la lecture des livres sacrés, mais surtout
par la méditation et l'assise silencieuse, les membres du monastère devaient apprendre à se pacifier, à se délivrer de toutes ces
« turbulences » mentales qui les empêchent de voir le Réel « tel
qu'il est ».

Ces trois dimensions de l'homme : dimension corporelle, dimension psycho-affective, dimension noétique et spirituelle, sont inextricablement liées. Jésus-Christ les récapitule en un seul commandement : « Tu aimeras le Seigneur ton Dieu de tout ton cœur, de tout ton esprit, de toutes tes forces. »

« Tu aimeras », ce n'est pas seulement un commandement, c'est une promesse, un avenir, c'est un programme, qui, s'il est réellement vécu, réalise l'Union avec Dieu et l'Unité dans l'homme.

Ce monastère n'est pas un lieu où l'on développe ses muscles, où on accumule des connaissances et où on enrichit ses passions, c'est une école où on s'initie à l' « art d'aimer » humblement et intelligemment.

On n'entre dans un monastère que pour devenir plus vivant, plus intelligent et plus aimant, à l'image de Celui qui Est vie, amour, lumière (*Sat-cit-ananda* — Être-conscience-béatitude). Si cela ne se « réalise pas », mieux vaut alors quitter ce lieu. Il n'est plus étape mais obstacle sur le Chemin. Une des originalités du monastère Jean-Cassien était de proposer une forme de monachisme temporaire, comme cela se vit déjà en Orient depuis des siècles, et plus particulièrement au Japon dans les monastères zen. La vie monastique n'est pas une fin en soi, elle n'est qu'un moyen. L'Union avec Dieu qui est le but n'est le privilège d'aucune forme de vie particulière, et il faut savoir, le moment venu, s'affranchir de ces formes pour une disponibilité totale et combien plus exigeante aux impulsions de l'Esprit.

On pouvait rester au monastère tout le temps voulu et nécessaire à cette transformation de tout l'homme. Mais quand le fruit était mûr, on ne le condamnait pas s'il se séparait de la branche, on ne se lamentait pas non plus si le vent l'arrachait avant l'heure. Dieu seul est juge, et l'homme est libre de faire ce qu'il veut du peu de temps qu'il lui est donné de vivre.

La longueur des séjours au monastère pouvait varier selon les désirs et les besoins de chacun (de quarante jours à quarante ans, selon le désert).

Toutes les traditions insistent cependant sur la dure nécessité de durer et sur la fidélité aux engagements qu'on se propose. Il ne s'agit pas de « jouer au moine » et d'aller au monastère comme on va à la plage. Il ne s'agit pas de se divertir mais de revenir à l'Essentiel. Quand tant d'hommes et de femmes passent des années sur les bancs des écoles et des universités à apprendre des choses plus ou moins utiles, il semble raisonnable de consacrer au moins quelques années à la recherche de « ce qui est vraiment » et, avant de mourir, il n'est pas ridicule de chercher à se connaître soi-même.

« Si tu ne te connais pas toi-même et si tu n'as pas vu Dieu dès cette vie, tu ne le verras pas non plus dans l'autre », disait Syméon le Nouveau Théologien.

Tel est brièvement résumé l'esprit dans lequel nous avions conçu ce monastère. J'y animais plusieurs week-ends et semaines de « religions comparées » — Maître Eckhart, Shankara, Kakouan, saint Jean de la Croix, Ramdas, le pèlerin russe, etc. Le temps des entretiens et des exposés alternait harmonieusement avec les temps d'exercices, de méditation et de prière... Nous avons vécu les premières années de ce monastère des moments à la fois simples et intenses.

La Sainte-Baume me semblait ainsi rester fidèle à sa vocation de « désert ». Tenir ensemble cette double dimension de miséricorde et de vie contemplative me semblait également demeurer en droite ligne de la vocation dominicaine et assurer l'authenticité de l'enseignement et de la « prédication » qui pouvaient être donnés au centre culturel. J'insistais peut-être trop sur la dimension de vie contemplative, mais je ne voyais pas comment « tenir » dans un lieu pareil ouvert à tous les vents si on n'était pas centré en Jésus-Christ par la méditation et la prière.

C'est pour cela que je demandai à des « chartreusines » de fonder un monastère au pied de la falaise. Ce projet reçut l'accord du provincial de l'époque. Marie-Madeleine Davy, qui connaissait bien les moniales, semblait ravie. Simone de Boisé avait déjà fait les plans des ermitages. Mais rien ne put aboutir, Bernard Rerolle étant sur la liste politique opposée à celle du maire du

Plan-d'Aups, celui-ci ne voulut pas donner son accord pour le droit de construire. Malgré tout, le monastère Jean-Cassien poursuivit son existence, un peu en veilleuse par manque de moines ou de moniales pour l'animer au quotidien, Bernard Rerolle étant de plus en plus pris par la gestion du centre et moi de plus en plus absent, demandé à l'extérieur pour des retraites ou des conférences.

Il fallait aussi s'occuper du centre culturel.

La synergie d'un centre culturel et d'un monastère ne pouvait être pour moi que féconde, car on rencontre trop souvent des intellectuels pour qui l'expérience des profondeurs ne veut rien dire, et des « spirituels » pour qui toute recherche intellectuelle semble superflue. Or le monde d'aujourd'hui a besoin de « saints qui aient du génie » ou de « génies qui soient des saints ». Si les hommes sont divisés entre eux, c'est d'abord parce qu'ils sont divisés en eux-mêmes. Travailler à la réunification de l'esprit, du cœur et du corps de l'homme, c'est travailler à la réunification de tous les peuples de l'humanité.

Utopie ? Pour moi c'était une orientation : « ne pas séparer ce que Dieu avait uni » à la Sainte-Baume, le gîte, le monastère, le centre culturel. C'est-à-dire la pratique de l'accueil à tous, qui implique discernement et miséricorde ; la vie contemplative, qui implique rigueur et disponibilité, *vacare a Deo*, être vacant, en vacance pour Dieu ; la recherche et l'étude, qui impliquent aussi rigueur et sens critique et la collaboration de réelles compétences, le tout entouré et vivifié par une nature splendide, un cosmotellurisme rare et l'enseignement touffu des grands hêtres.

Lors de la présentation du programme en 1984, un jeune scientifique me dit :

— A moins que des esprits mesquins ne vous en empêchent, la Sainte-Baume peut devenir une des premières universités du troisième millénaire...

Telle n'était pas notre ambition. On ne peut pas nier pourtant que beaucoup recherchent un lieu où s'harmoniseraient l'étude et la pratique des disciplines les plus diverses, une « université », un lieu d' « uni-vers », où la musique, la cuisine, la chanson, le yoga, la méditation tiendraient autant de place que les analyses socio-économiques, la rencontre des civilisations, le cinéma, la théologie, etc.

Il ne s'agissait pas de tout mélanger, ni de tout opposer, mais de rester fidèle à cet écho dans notre vie quotidienne et dans notre méthode de travail de la christologie chalcédonienne : « distinguer — unir — ne pas confondre — ne pas séparer » !

Il ne s'agissait pas non plus de hiérarchiser ces différentes disciplines selon l'arbitraire ou la santé de notre système corti-cothalamique : chacune a son importance et toutes ont à se référer à une certaine qualité d'être et d'attention, à un certain désir de transformation, de *metamorphosis* (pour parler comme les premiers chrétiens à propos de la Résurrection).

J'insistais particulièrement sur cet « accord » possible entre le spirituel et le culturel. Cela me semblait vraiment être une des vocations et des originalités du lieu. C'est ainsi que je pouvais écrire aux amis de la Sainte-Baume, dans la lettre numéro 22 du 15 janvier 1985 : « La Sainte-Baume est un centre " culturel et spirituel ". »

Tenir ensemble ces deux mots et tout ce qu'ils impliquent ne peut se réaliser sans efforts ni, parfois, sans conflits. Pourtant, si nous savons endurer leur « différence créatrice », nous éviterons les impasses où nous sommes conduits lorsque s'opposent culture et spiritualité. Une culture fermée à l'expérience spirituelle risque de manquer de souffle (*pneuma*) dans tous les sens du terme, de tourner à la répétition et à l'artifice ; on parlera de Dieu ou de la profondeur de l'homme comme d'un pays dont on a parcouru toutes les cartes sans marcher sur un seul de ses chemins.

Une spiritualité qui n'accepte pas de relativiser ses « expériences intérieures » au contact d'une culture respectueuse mais néanmoins critique risque de s'enfermer dans la peur ou le mépris de ce qu'elle ignore (cela peut être une partie du composé humain ou l'autre moitié du monde qui ne partage pas sa croyance). Angélisme craintif, sectarisme agressif, les caricatures du spirituel ne sont pas moins fréquentes aujourd'hui qu'hier et ne sont l'apanage d'aucune tradition. Le plus fréquent est d'utiliser la spiritualité tout comme la culture pour alimenter les eaux du moulin de Narcisse.

La Sainte-Baume, centre culturel et spirituel, échappe-t-elle à ces impasses ? Certainement pas, mais la « force » du lieu nous interdit d'en rester trop longtemps les dupes... Et le choix concerté d'un certain nombre d'éléments de notre programme indique que l'heureuse épreuve de l'expérience et de la réflexion ne nous sera pas épargnée :

— Féminisme, science et sacré ;
— Demeure de Dieu et demeures de l'homme (Colloque « Architecture et civilisations ») ;
— La médecine, la psychologie et le transpersonnel ;
— L'enseignement du Bouddha et l'enseignement du Christ ;
— L'orthodoxie et la gnose ;
— Les « harmoniques festives » et le tiers monde...

Autant de thèmes qui, *a priori*, semblent s'exclure mais dont la rencontre devrait porter du fruit, si nous en croyons Werner Heisenberg :

« Dans l'histoire de la pensée humaine, les développements les plus féconds croissent à l'intersection de deux courants d'idées (d'expérience ou d'énergies). Ces courants peuvent avoir leur origine dans des domaines totalement différents de la culture (de la spiritualité) à des époques et en des lieux divers. »

Dès lors qu'ils se rencontrent effectivement et entretiennent une relation suffisante pour qu'une réelle interaction puisse s'exercer, on peut espérer non seulement des développements nouveaux intéressants, mais aussi une conscience de la Vérité plus élargie, une ouverture à la lumière du Logos « qui éclaire tout homme venant en ce monde (Jean 1,9) ».

« L'ignorance engendre la misère... Avec la compréhension vient la Joie », « Lutter contre l'ignorance et le mépris qu'entretiennent souvent dans leurs rapports culture et spiritualité, c'est notre façon de prier Dieu que son Règne vienne, que vienne la Joie... et que la Paix, qui est intégration et non-dissociation des contraires, habite le cœur de l'homme »...

En créant l'Institut pour la rencontre et l'étude des civilisations (Irec) et en organisant un certain nombre de colloques transdisciplinaires je ne m'attendais pas à la réponse favorable de tant d'adhérents, qui allait faire de la Sainte-Baume un lieu unique en France, précurseur des rencontres interreligieuses d'Assise. Je pensais seulement aux avertissements de Dom Le Saux :

« Si le christianisme veut maintenir son affirmation à l'universalité, il est mis au défi d'intégrer les valeurs, les spéculations et les expériences des grandes traditions spirituelles de l'humanité, faute de quoi il lui faudra accepter d'être réduit à n'être qu'une secte particulière qui demeurera dans l'histoire de l'humanité comme ayant utilement pourvu pendant vingt siècles aux besoins religieux d'une certaine région du monde civilisé. »

De grands noms, qui devinrent aussi de vrai amis, nous aidèrent à instaurer un dialogue de qualité, sans *a priori* unitaires ou réducteurs, dans le respect des différences. Ce dialogue était porté de nouveau par la méditation et la force du lieu. En feuilletant les programmes d'alors, je retrouve quelques noms célèbres qui ont donné ici, selon leurs propres termes, « un je-ne-sais-quoi de neuf, qui était sans doute depuis toujours le meilleur de nous-même »...

Emmanuel Levinas, André Chouraqui, Armand Abecassis furent pour nous la présence vivante du judaïsme. Éva de Vitray Meyerovitch, Faouzi Skali, Maurice Gloton, Jean-Loup Herbert, celle de l'islam. Sogyal Rimpoché, Ozumi Roshi, Taikan Jyoji, lama Denis Teundroup, celle du bouddhisme. Arnaud Desjardins, Karl Keller, Shri Mahesh, Jean Klein, R. Pannikar, Anand Nayak, auxquels il faudrait ajouter Gérard Blitz et tous les animateurs des nombreuses sessions de yoga, nous aidèrent à mieux connaître les traditions multiples de l'Inde.

Se joignant aux responsables du centre le père Perrin, Xavier-

Léon Dufour, Stan Rougier, Michel Rondet, Y. A. Dauge, Marie-Madeleine Davy, Michel Delahoutre, Jacques Blache, Iegor Reznikoff, Cyril Argenti nous aidèrent à explorer le christianisme dans sa diversité.

Jacqueline Kelen, Raymond Abellio, François Cheng, Basarab Nicolescu, Xavier Sallantin, Henri Maldiney, Robert Faure nous stimulèrent pour entretenir le dialogue entre tradition et modernité.

De tout cela, quelques échos ont été gardés dans les livres des Éditions de l'Ouvert. On n'y trouvera nulle part ce relativisme qui suggère que « toutes les traditions se valent », qui inciterait à n'en pratiquer aucune plutôt que de les pratiquer toutes. Si nous avons vécu des moments d'unité, ce n'était que dans l'ouvert qui transcende toutes les formes. Mais ce n'était pas une invitation à abandonner ces « formes ». Ce qu'il fallait abandonner, c'était leur agressivité et leurs prétentions à dominer les autres.

D'un point de vue chrétien, des théologiens comme C. Geffré nous rappellent que nous sommes passés, en théologie, des religions d'un modèle « ptoléméen » à un modèle « copernicien »... Il s'agirait donc de dépasser l'ancien modèle, qui conférait un rôle central et exorbitant au seul christianisme par rapport à toute l'histoire religieuse de l'humanité, pour adopter un nouveau paradigme, un nouveau modèle selon lequel toutes les religions, y compris le christianisme, seraient relatives à ce mystère central que constitue l'expérience de la Réalité ultime.

Mais avant d'avoir accès à cette Réalité ultime, mon travail d'analyse, la fréquentation des milieux psychiatriques et mes études en psychologie me rappelaient la nécessité d'explorer, sinon de purifier, notre appareil psychique et les mémoires qui l'encombrent, souvent facteurs d'intolérance et de faux jugements. A ce propos, je me souviens des remarques du docteur J.-P. Schnetzler lors d'un congrès à Karma Ling :

« Dans une collectivité religieuse quelconque, l'intolérance et le fanatisme peuvent se rencontrer à différents niveaux.

» Au degré le plus bas se situent ceux que la clinique

psychiatrique décrit en son jargon comme des personnalités narcissiques et/ou paranoïaques, frappées dans les stades les plus primitifs de leur développement, où la fragilité centrale est recouverte par le culte exclusif de soi, et où l'autre n'apparaît guère que comme un ennemi porteur de toutes les tares projetées sur lui, car méconnues en soi. Ce genre de personnalité peut ne pas aboutir à l'hôpital psychiatrique, voire, il peut être hissé à la tête d'un État, où il ne manquera pas d'effectuer des abominations avec bonne conscience.

» Un degré plus haut — dans la mesure où nous dissimulons tous, plus ou moins, un fragment monstrueux de ce type — nous sommes exposés à trouver des satisfactions secrètes et inavouables à l'exercice d'activités légitimes et utiles, telles que la gestion d'une collectivité, l'enseignement, la théologie ou l'apologétique. Il peut arriver, dans ce cas, que la malignité perverse des motivations inconscientes gauchisse la rectitude des pensées et des actes. L'Histoire fourmille d'exemples. Ce n'est pas le Verbe divin qui est servi, mais le Moi qui est glorifié, dilaté aux dimensions de sa mégalomanie cachée, identifié à l'excuse honorable qui le voile derrière ses majuscules : la Cause, l'Ordre, l'École, la Religion, etc.

» Il peut même arriver qu'on fasse naufrage tout près du port. Des mystiques authentiques ont mis au service de la volonté de puissance d'un moi encore bien vivant les vertus et les pouvoirs acquis par leur vie contemplative, déchaînant ainsi la souffrance et la mort. Nous nous bornerons à citer, en milieu bouddhique, Nichiren et sa postérité combative ; en milieu chrétien, le père Joseph du Tremblay, l'éminence grise qui a contribué activement à plonger l'Europe centrale dans un bain de sang [35]. »

C'est ainsi que me vint l'idée de créer, à côté de l'Irec, un autre département, davantage orienté vers l'investigation psychologique et l'étude des présupposés anthropologiques de nos comportements. Ce fut l'occasion d'organiser un colloque autour de l'œuvre de Graf Dürckheim et de Maria Hippius, ainsi que le premier Congrès français de médecine et de psychologie transpersonnelles. Ce fut aussi l'occasion de belles rencontres avec Pierre Weil, Denise Desjardins, Anne Ancelin Schutzenberger, Boris Cyrulnik, Michel Random, Paul Chauchard, André de Peretti, Michel Boussat, et même Paul Amar, qui vint préparer dans les environs son livre sur *Freud à l'Élysée*.

On nous reprochera par la suite ce genre de colloques. Personnellement je ne voyais aucun mal dans tout cela, aucun obstacle à une saine pratique du christianisme. Ce que j'écrivais alors me semble encore aujourd'hui d'une banale évidence :

« Les découvertes récentes de l'interrelation étroite du somatique, du psychique et du spirituel renouent le dialogue entre les médecins et les thérapeutes contemporains et les sagesses anciennes, mais l'ouverture au transpersonnel n'est pas pour autant une nouvelle vision « spiritualiste » de l'homme et de l'univers.

» Il s'agit plutôt d'une approche de la réalité qui ne néglige ni ne renie aucune de ses composantes.

» C'est de la profondeur de ses racines dans l'obscur que l'arbre tient son assurance lorsqu'il s'agit de monter haut et de porter fruit dans la lumière... »

CHAPITRE XIX

La fin du Centre international
de la Sainte-Baume

La Sainte-Baume ce n'était pas seulement des sessions, des colloques, un monastère, de la mystique, de l'artisanat et des chansons, c'était aussi une communauté d'hommes et de femmes, de chiens et de chevaux, un coq et des chats.

« Tous ne mouraient pas, mais tous étaient frappés. »

La Sainte-Baume, si bénéfique pour ceux qui ne font que passer, est dangereuse pour ceux qui restent, disait-on. Le moins frappé me semblait être, après les chevaux, le cuisinier ; il s'accrochait à son persil et accompagnait le chant de ses casseroles de musiques fortes qui arrêtaient la pensée, il avait cette qualité inconnue à la Sainte-Baume : « il ne se mêlait pas de ce qui ne le regardait pas ». Aussi, sa cuisine était bonne et son fourneau fut plus souvent paisible que notre oratoire.

Il y avait aussi les chiens. On aurait pu monter un chenil avec tous ceux qui étaient abandonnés à l'orée de la forêt. Deux d'entre eux nous devinrent particulièrement intimes. Lors d'un week-end, que les dominicains taxèrent par la suite d' « ésotérique » (je parlais de la « philocalie », recueil des grands textes sur la prière des Pères du désert), ces deux chiens abandonnés manifestèrent de l'amitié pour mes livres. Un après-midi ils en prirent un sur ma table de travail et très délicatement, si on en juge à la trace de leurs dents sur la couverture, ils vinrent poser à la porte de l'oratoire l'anthologie de Jean Gouillard appelée justement *Petite Philocalie de la prière du cœur*. Depuis, ils eurent le droit d'assister aux offices. L'un s'appelait Kalie, l'autre Philo.

Après la mort de Kalie, Philo devint la fidèle compagne de Léonore. Tard dans la nuit la zone de silence pouvait retentir de ses aboiements, c'était l'heure de la promenade. Léonore était, avec Peponne et sœur Colette, un des personnages inévitables de la Sainte-Baume ; comme eux elle s'était probablement donnée au lieu, au point d'en faire parfois sa chose, ce qui posait évidemment des problèmes de territoire.... Quand tout le monde se considère comme « le propriétaire » du même endroit, tout le monde manque d'espace et est tenté d'exclure l'autre de son soleil. Mais de la même façon que Peponne cachait derrière son fusil et son armure un cœur généreux et enfantin, Léonore protégeait derrière ses grands airs secs et ses humeurs capricieuses une jeune fille blessée.

Dans cette équipe, je n'ai jamais rencontré quelqu'un de banal. A la Sainte-Baume tout prenait des allures exagérées, il n'y avait pas de journées sans drame et pas une nuit sans au moins un bonheur...

J'allais oublier Anima, ma petite chatte. Elle arriva au moment où je donnais un cours à la bergerie. Grandes explications sur l'*animus* et l'*anima* dans l'œuvre de Jung, j'insistais sur le fait que l'*anima* d'un homme pouvait se projeter à l'extérieur à tout moment et même, dans certains cas, « s'objectiver » au point qu'on puisse croire à une apparition. Dans les apparitions, si fréquentes aujourd'hui, de la Vierge-Mère, n'y a-t-il pas quelque chose de l'inconscient collectif occidental qui se projette ? n'est-ce pas sa dimension féminine, oubliée, refoulée ? son *anima* ? Au moment même où je prononçais ce mot, une magnifique chatte siamoise aux yeux de ciel provençal me sauta sur les genoux et commença à ronronner. A n'en pas douter elle était en chaleur et elle était abandonnée ; on avait dû la jeter par une portière, sa colonne vertébrale en était quelque peu endommagée, ce qui lui donnait une drôle de démarche, la privant de toute la grâce de sa « félinité ». Néanmoins elle était belle, et comme elle semblait vouloir rester avec moi que pouvais-je faire d'autre sinon l'accueillir et l'appeler Anima... nom auquel elle répondit d'ailleurs immédiatement.

Que sait-on des animaux ? on les sait intelligents, on oublie parfois qu'ils ont aussi une âme. De la même façon qu'on a pu dire que « le bébé est une personne », on pourrait dire aussi de certains animaux familiers qu'ils sont des personnes. En tout cas, Anima devint ma plus proche collaboratrice. Elle savait donner un coup de tête contre le bras au bon moment, s'asseoir sur les genoux de celui qui en avait besoin. Je ne comprends pas qu'on n'utilise pas davantage les animaux comme thérapeutes dans les hôpitaux, surtout avec les enfants. Combien m'ont dit avoir été consolés, sinon guéris, par Anima alors qu'ils étaient venus me rendre visite.

Lors de mon départ de la Sainte-Baume, elle vint curieusement se blottir sur mon cœur et là elle poussa un miaulement étrange. C'était son « au revoir ». Elle mourut quelque temps plus tard. Je suis sûr qu'elle avait pris quelque chose de ma peine. La grâce de Dieu, beaucoup le savent, ne passe pas toujours par les hommes ; un chat, une fleur, l'océan ou une montagne nous disent parfois d'étranges mots d'amour.

A la Sainte-Baume tous les plans de l'Être semblaient davantage communiquer ; le minéral, le végétal dialoguaient avec l'animal, l'humain et l'angélique. Le « don des langues », c'est aussi comprendre le langage des mouches, de la nappe phréatique et de la Grande belle Ourse par temps de mistral...

Tout allait bien, lorsque je fus nommé « définiteur » au Chapitre provincial qui eut lieu à Montpellier. Je dus annuler mes sessions de juillet, mais je le fis avec joie, étant heureux de participer davantage à la vie de l'Ordre. Je fus touché malgré mon jeune âge de la confiance de mes frères.

Ils me confièrent même la rédaction, dans un style nouveau, du prologue de nos constitutions :

« N'ayant rien à ajouter ou à retrancher au Livre des constitutions de l'Ordre des prêcheurs, la Province de Toulouse tient à rappeler dans un style particulier, avec toutes les insuffisances et les limites que cela implique, l'esprit de ces constitutions.

I. Fidèles à l'esprit évangélique et à la grâce de saint Dominique, les frères prêcheurs voudraient être un vivant mémorial de la première communauté chrétienne et se montrer assidus à l'enseignement des apôtres, fidèles à la communion fraternelle, à la fraction du pain et aux prières... mettant tout en commun... dans la joie et la simplicité du cœur (Act. 2:42 s.), n'oubliant pas que l'Ordre fut fondé par saint Dominique pour la prédication et le salut des âmes (Premières Constitutions des Prêcheurs, prologue) ils cherchent concrètement à vivre au milieu des hommes de ce temps cet idéal de la première communauté chrétienne et le charisme propre de l'Ordre.

II. Le prieur provincial est là pour nous rappeler que les hommes d'aujourd'hui ont besoin de ce charisme, c'est-à-dire d'une parole qui ne soit pas simple discours, mais parole de sagesse et de salut rejoignant l'homme au cœur de ses questions et faisant germer en lui l'espérance de « la liberté des enfants de Dieu » (Rom. 8:21), une parole qui rassemble tous les pauvres en « peuple de prêtres, de prophètes et de rois » (Petr. 2:5,9 ; Apoc. 5:10).

III. Plus grande est la vérité que nous avons reçue, plus grande doit être notre humilité pour la transmettre. Aussi ne devrions-nous pas prêcher à la manière des hommes pour nous assurer quelque pouvoir sur eux, mais pour « qu'ils aient la vie et la vie en abondance » (Jn. 10:10).

IV. L'Esprit nous parle dans tous les livres de la terre, et c'est le charisme propre de l'Ordre que de discerner sa présence non seulement dans les textes sacrés, mais aussi dans la nature et les événements de l'histoire, et de rendre cette parole intelligible aux croyants et aux hommes qui en cherchent le sens.

V. Les institutions dominicaines sont au service du charisme de l'Ordre, et non le charisme au service des institutions. Aussi les frères ont-ils à veiller les uns sur les autres afin d'entretenir en eux le goût des béatitudes et le souci de la mission qui les a rassemblés. « Ne pas se soucier du lendemain, de ce qu'ils mangeront, de la façon de se vêtir » (Mat. 5:25 s.) n'est pas inconscience ou velléité, mais témoignage, prédication de la foi, car « nous savons en qui nous avons mis notre confiance » (II Tim. 1:12).

Aussi nos communautés ne sont ni refuges ni structures à entretenir pour elles-mêmes ; elles sont un lieu évangélique privilégié où la vie fraternelle, l'étude et la prière nous préparent à la vision du Dieu vivant et à la prédication de sa miséricorde.

VI. Nos communautés sont diverses par l'âge, le nombre, le style. Aussi devons-nous demeurer vigilants pour garder l'unité et non l'uniformité de la Province, nous souvenant que nos divisions sont un scandale pour les hommes.

VII. Les grands axes et orientations de notre Province s'inspirent d'un certain nombre de constatations. Ce sont des faits, non des idées, qui sont autant d'appels et qui s'adressent particulièrement à notre vocation de frères prêcheurs.

1. Les pauvres, les opprimés existent. Qui défendra leurs droits ? Qui leur donnera la parole ? Qui parlera au milieu d'eux ? Qui changera leur plainte en action féconde et salutaire ?

2. On peut vivre sans Dieu, sans Jésus-Christ ; les athées nous interrogent sur nos raisons de croire et d'espérer. Qui leur répondra avec une foi intelligente capable de situer les sciences de l'homme dans leur grandeur et leur limite ?

3. Des milliards d'hommes vivent la référence à l'Absolu qui au premier abord ne semble rien avoir en commun avec le Dieu révélé en Jésus-Christ. Un investissement théologique et anthropologique important semble nécessaire pour comprendre les religions étrangères à la culture judéo-chrétienne : Jésus-Christ est-il la vérité ? Est-il un sage, un Homme-Dieu parmi les autres ? Est-il venu abolir ou accomplir ?

4. La famille dominicaine existe. Nous ne sommes pas un clan de clercs au célibat craintif qui s'approprierait la parole de Dieu, mais au contraire nous prenons plaisir à la partager avec nos frères et nos sœurs qui, dans l'esprit de saint Dominique, aiment « parler de Dieu et avec Dieu ».

5. Marseille existe, mais aussi Toulouse, Bordeaux, Nice, Montpellier, Verrettes ou Cusco. Il s'agit toujours d'un appel : « Abraham partit sans savoir où il allait » (Gen. 12:4). C'est la foi de notre Province, une foi sans cesse à renouveler en Dieu et en nos frères que nous envoyons dans ces lieux, où l'Évangile est toujours à annoncer.

Notre Province doit se montrer particulièrement à l'écoute de tous ces appels, par ses assignations, par le choix de ses formateurs et par un désir commun de conversion à l'Évangile. Elle espère y répondre concrètement avec générosité et intelligence.

VIII. En conclusion, nous rappelons quelques traits importants du frère prêcheur :

1. C'est un apôtre, un homme porté et porteur de la parole de Dieu. La Pentecôte n'est pas un événement du passé ! A lui de l'actualiser chaque matin en s'éveillant avec une oreille et une langue de disciple.

2. C'est un frère. L'Esprit saint divinise l'homme, il le fraternise dans le même mouvement : le Christ envoyait ses disciples deux par deux. La parole naît de la charité et la charité témoigne de la vérité de la parole que nous annonçons, « à ceci nous sommes reconnus pour ses disciples » (Jn. 13:35).

3. C'est un priant. Nos idées, nos comportements changent quand on les prie. Comme Abraham, comme Dominique, le frère prêcheur « marche en sa présence ». Sa parole n'étouffe pas le silence, mais l'exprime. Dans son action il ne cesse de contempler « Celui en qui nous avons la vie, le mouvement et l'être » (Act. 17:28).

4. C'est un homme d'étude. L'amour de la vérité lui donne le goût et la patience de scruter les Écritures. Aucun livre ne lui est étranger. Mais la vérité pour lui n'est pas seulement axiome ou concept, c'est une Personne. Aussi est-il particulièrement sensible quand on déforme ou quand on trahit son visage.

5. C'est un homme qui prend au sérieux certaines paroles de l'Évangile :

a) pauvre avec le Christ, prenant plus de plaisir à servir qu'à être servi ;

b) libre au point de renoncer par l'obéissance à un certain exercice de sa liberté, devenant peu à peu capable de dire avec le Christ : « non pas ma volonté, mais ta volonté » (Mat. 26:39) ;

c) sachant que les cœurs purs verront Dieu et que la pureté du cœur c'est de ne vouloir qu' « une seule chose », il se donne tout entier à l'Unique, cœur, corps et esprit, au service de son Royaume... »

Je ne renie pas ce texte. Il demeure mon « utopie directrice ».

Les dominicains sentaient par ailleurs que j'étais heureux et bien à ma place à la Sainte-Baume ; mes études en psychologie et en philosophie des religions semblaient porter fruit.

Le monastère et le centre n'avaient jamais eu une aussi bonne réputation. Le nouvel évêque de Fréjus-Toulon me demanda même de donner un cours sur la théosis à ses séminaristes. C'était dire que la Sainte-Baume et le clergé de Provence étaient réconciliés !

Devant l'ampleur de la tâche, je demandai au Chapitre d'envoyer de nouveaux frères. Il n'y en avait pas. On savait les risques et périls de la Sainte-Baume, on n'osait pas y « sacrifier » un frère à moins qu'on ne le sache « irrécupérable » pour une vie conventuelle ordinaire.

C'est alors que je vis arriver à la Sainte-Baume deux frères dont l'existence avait été quelque peu marginale ces dernières années. L'un était gardien de chèvres, l'autre tenancier de bar ; l'un et l'autre venaient de subir de dures épreuves et étaient en mauvaise santé physique et psychique. Je fus vraiment heureux de les accueillir : la Sainte-Baume, sa liberté, son climat leur ferait du bien et ils reprendraient vite leur place dans l'Ordre.

Assez vite en effet, ils se trouvèrent mieux ! Et ils trouvèrent insupportable que les dominicains, qui avaient été si longtemps les « propriétaires » et les « patrons » de la Sainte-Baume, fussent, selon eux, réduits à l'état inacceptable d' « employés » ! Le père provincial demanda alors au conseil d'administration du centre qu'un des frères nouvellement arrivés soit le directeur du centre. Ce que le conseil refusa, suite à un certain nombre de démarches dudit frère auprès d'un cabinet d'avocats pour que soit mis fin au contrat de prêt conclu entre les dominicains et l'association :

« Dans l'hypothèse où il survient au prêteur un besoin pressant et imprévu de sa chose, le juge peut, suivant les circonstances, obliger l'emprunteur à la lui rendre », disait une lettre adressée au père en question et ouverte par mégarde le jour même du conseil !

A partir de ce jour-là, ce fut une triste guerre. Comme j'avais eu le « malheur » de prendre le parti de l'association et de Bernard Rerolle, qui me semblait injustement accusé, on me considéra comme un traître ou un « faux frère ». Effectivement, je ne cédais pas à l'esprit de corps ou de caste, ce qui, dans un ordre religieux comme dans la Mafia, ne pardonne pas !

Ce qui jusqu'alors était tenu secret fut crié sur les toits, à savoir mon mariage légal. Ce fut là un motif suffisant de mon exclusion de l'Ordre. En quelques jours on me retira toute possibilité de célébrer, je n'étais plus prêtre, je devais démissionner de mon poste de vice-président de l'association et de codirecteur du centre, et, après avoir achevé mon programme de l'année, je devais partir, quitter les lieux. Que ne suis-je parti tout de suite ! Cela eût été sans doute plus simple pour tout le monde... Mais on me demanda de rester et j'entrai ainsi dans une polémique et dans des souffrances que je n'étais pas prêt à affronter. Les mass media s'en mêlèrent, on accusa le centre de syncrétisme ! Une interview de la revue *Question de* résume bien ce qu'était mon attitude à l'époque :

LA SAINTE-BAUME :
Ni syncrétisme ni sectarisme
L'enracinement et l'ouverture :
Les dominicains de la province de Toulouse et l'évêque de Fréjus-Toulon accusent le Centre international de la Sainte-Baume d'être une secte et de pratiquer le syncrétisme. Qu'en est-il exactement ?

Il est dommage que la majorité des « accusateurs » de la Sainte-Baume n'y soient jamais venus ou ne soient jamais entrés dans la pratique et dans l'étude de ce qui y est proposé. Ceux qui nous connaissent savent que la Sainte-Baume n'est pas une secte. Au contraire, pour beaucoup c'est un lieu de rencontres et de confrontations (comme il en existe peu en France) entre les cultures et les religions dans le respect de leurs différences.

Notre souci a toujours été d'éviter à la fois et le sectarisme et le syncrétisme : le sectarisme parce qu'il est limitation et enfermement sur soi, repliement sur un dogme ou une doctrine qui ne peut mener qu'à la sclérose, sinon à la stérilité. Il s'agit également d'éviter le syncrétisme parce qu'il est mélange disparate d'éléments traditionnels tirés de leur contexte, fusion hâtive de ce qui n'a pas été reconnu dans sa différence et son altérité, fusion-mélange qui est alors caricature de la véritable union-unité.

Ni sectarisme ni syncrétisme, notre attitude est celle de l'enracinement et de l'ouverture.

Nous sommes enracinés dans la tradition chrétienne (comment l'oublier auprès de la grotte de Marie Madeleine ?).

Cet enracinement, c'est lui qui nous rend libres et capables d'une ouverture authentique à des traditions autres que les nôtres. Faut-il le préciser ? cet enracinement ne se fait pas seulement dans le terreau du christianisme romain, mais plonge plus profond dans la terre même de l'Église indivise, dans ce premier millénaire où il n'y avait pas encore de « sectarisation » entre catholiques orthodoxes, catholiques romains, et protestants calvinistes ou luthériens. Le premier millénaire a laissé bien des traces de lumière à la Sainte-Baume. Avant la venue des dominicains, il y avait en effet Cassien et ses disciples, tous ces moines venus d'Orient...

C'est l'Esprit de ces sources qui rafraîchit aujourd'hui le cœur de ceux qui cherchent Dieu et qui ne peuvent plus se satisfaire des eaux vaseuses de prédications moralisantes au rationalisme désuet. Malheureusement beaucoup de chrétiens, et même des évêques, semblent ignorer ces sources. Ils prennent la « théologie apophatique » pour de l'ésotérisme, alors qu'il s'agit de la voie royale de la théologie aux premiers siècles de l'Église. Ils parlent du « théandrisme » comme d'une théorie occultiste, alors qu'il s'agit de la théologie de l'Incarnation dans la tradition des Pères.

Aujourd'hui les hommes ont soif de l'eau pure des Sources. Qu'on ne leur en veuille pas s'ils se détournent des égouts.

Y a-t-il encore quelque chose à dire à propos de cette accusation de syncrétisme ?

Oui, que la Bible est un chef-d'œuvre de syncrétisme ! Tous les exégètes sérieux savent ce que le peuple d'Israël a emprunté aux nations environnantes, que ce soit la sagesse des Égyptiens ou les grands mythes assyro-babyloniens. Qui pourrait nier par ailleurs les influences de la gnose et du stoïcisme dans les écrits de saint Paul ou de saint Jean ?

Il s'agit là d'un « syncrétisme inspiré », qui discerne, qui assimile et adapte à la vocation qui lui est propre ce qu'il y a de meilleur dans ce que l'Esprit inspire aux « autres ». C'est ce que continuera à faire par la suite la grande tradition chrétienne en assimilant autant que possible l'héritage grec sans trahir l'héritage sémitique. Qu'on songe à Origène, Clément d'Alexandrie, Grégoire de Nysse, Maxime le Confesseur, jusqu'à Thomas d'Aquin, qui « assimila » la philosophie d'Aristote au point d'en faire la « doctrine commune » de la théologie catholique romaine. C'est vrai qu'il fut en son temps accusé de dangereux syncrétisme !

L'enracinement des théologiens médiévaux les rendait beaucoup plus ouverts qu'on ne l'imagine. On ne dira jamais assez tout ce que leur enseignement doit aux « maîtres païens », non seulement Platon, Proclus et Aristote, mais aussi aux musulmans et aux juifs par lesquels ils connurent leurs œuvres : Averroès, Avicenne, Maimonide, etc.

Le seul texte catholique dans lequel je n'ai pas trouvé de syncrétisme, c'est le droit canon romain. Je n'y ai en effet trouvé aucune parole d'Évangile... Hélas !

Aujourd'hui ce n'est pas la découverte de Platon, d'Aristote, qui bouleverse l'Église mais celle de Shankara, de Lao Tseu, de Dogen...

Si le christianisme n'est pas capable d'accueillir toutes ces sagesses qui viennent d'Orient, il se condamne, comme le dit bien Henri Le Saux, à devenir une « secte » qui a contribué pour un temps au développement économique et spirituel de l'Occident.

Il y a aussi cette peur à l'égard de ce que nous découvrons dans la psychologie des profondeurs.

Qu'avons-nous à craindre ? Qu'avons-nous à perdre ? Si la psychologie et l'analyse peuvent nous aider à purifier nos représentations de Dieu, tant mieux. Nous n'avons rien d'autre à perdre que nos illusions, et chaque illusion perdue nous rapproche un peu plus du Réel, un peu plus de Dieu. La foi véritable passe par cette remise en question radicale de nos pseudo-certitudes, et aujourd'hui tout le monde sait qu'on ne parle pas toujours au nom de Dieu avec un cœur pur, mais qu'on peut se servir de lui, de Sa parole, de Ses Écritures pour dominer sur autrui, s'infiltrer dans les consciences et les manipuler...

Enseigner la psychologie aux chrétiens n'a pas d'autre but que de susciter leur discernement, préserver leur liberté. Il ne s'agit nullement de détruire leur foi mais de la rendre plus intelligente. C'est-à-dire moins manipulable, plus libre...

Dans le rapport intitulé : Sectes ou mouvements religieux, défi pastoral, *rendu public par le Saint-Siège le 3 mai 1986, on peut lire (cf. 3,3) :* Le développement de l'ésotérisme gnostique, en particulier, atteint le christianisme en son cœur et représente aujourd'hui un défi plus redoutable peut-être que celui de l'incroyance, dans la mesure où il tend à vider le vocabulaire chrétien (conservé) de son contenu, dans la mesure où des croyants commencent à pratiquer la « double appartenance » et où se développe une sorte de contre-culture « païenne » qui pourrait devenir la culture d'un grand nombre dans les classes moyennes et les jeunes générations en Europe. Le nœud du problème ne se situerait-il pas là ?

Il conviendrait d'abord que les auteurs de cet article défi-
nissent ce qu'ils entendent par ésotérisme et par gnose.
Saint Paul parle du *eso-anthropon*, c'est-à-dire de l'homme
intérieur. L'ésotérisme dans l'Évangile et les Épîtres ce n'est
rien d'autre que la connaissance de l'homme intérieur, ou
encore de « l'homme caché », l'*homo absconditus* à l'image du
Deus absconditus dont parle saint Pierre. L'apôtre Paul est
assez clair à ce sujet quand il dit aux chrétiens qu'il a dû leur
donner du lait et non de la nourriture solide parce qu'ils sont
trop « psychiques », trop enclins aux jalousies et aux discordes. Ce n'est que lorsqu'ils seront devenus « spirituels »,
« pneumatiques », qu'il pourra leur révéler la Sagesse réservée
aux parfaits (cf. I Corinthiens 2-3). Et qu'est-ce que cette
sagesse, sinon la gnose véritable ; la participation à la connaissance que Dieu a de Lui-même dans l'Esprit-Saint ? Qui a
« vidé le vocabulaire de son contenu » ? Il faudrait que les
théologiens contemporains redonnent aux mots *gnosis* et
epignosis le sens profond qu'ils avaient dans les premiers siècles
du christianisme, pour ne pas les confondre avec ses dégéné-
rescences dont furent témoins les divers gnosticismes historiques.

On oppose aussi souvent la gnose à l'amour ?

Alors que la gnose véritable est l'union de l'intelligence et
de l'amour. Fusion de l'intellect et du cœur. Sans cette union,
l'intelligence est froide, sans cœur, sans compréhension. Sans
cette union, le cœur est stupide, sans lumière. Le christianisme
actuel avec ses théologiens secs, cerveaux sur pattes, qui dissè-
quent les Écritures sans « chaleur spirituelle » et avec ses
croyants pleins de bonne volonté et de générosité aveugle, sans
intelligence de leur foi, ne manifestent-ils pas assez le manque
dans lequel nous sommes d'une gnose véritable ?

L'Évangile de Thomas indique qu'il existe dans le christianisme
toute une tradition gnostique qu'il s'agit aujourd'hui de
redécouvrir, et ce n'est pas un hasard si cet Évangile resté caché
pendant des siècles nous est révélé de nouveau aujourd'hui.

Un récent article du Monde *affirmait que de dominicain vous étiez devenu gourou. Qu'en pensez-vous?*

Qu'est-ce qu'un dominicain? Qu'est-ce qu'un gourou? Un dominicain, selon saint Thomas d'Aquin, c'est un « homme qui contemple et qui partage avec les autres les fruits de sa contemplation », autrement dit c'est un homme de prière et d'étude, qui partage ce qui lui a été enseigné ou révélé durant la prière et l'étude. Un gourou, c'est un *rishi*, un voyant. Selon la tradition des *Vedas*, c'est quelqu'un qui transmet par la parole ou par l'exemple ce qu'il a vu.

Pour ce qui est du véritable dominicain comme du gourou, il s'agit donc de partager l'intime de son être par la parole ou par la présence, et d'élever celui qui écoute au même niveau de conscience ou de contemplation... Quand je pense à ce que disait Swamiji, le gourou d'Arnaud Desjardins : « Swamiji n'a pas d'autres pouvoirs qu'une infinie patience, un infini amour », si être gourou c'est être le témoin de cette infinie patience, de cet infini amour, je ne suis vraiment pas encore gourou !

Vous n'êtes plus un dominicain non plus puisque, selon le droit romain, on ne peut être prêtre, religieux et marié. Comment pensez-vous pouvoir concilier les deux ?

Là aussi il faudra revenir aux sources. Saint Paul nous dit que, pour être un bon évêque, il faut se montrer capable de bien diriger sa propre famille, ce qui après tout est plein de bon sens : « Chaque candidat à l'épiscopat doit être irréprochable, n'avoir été marié qu'une seule fois, avoir des enfants croyants. » (Tite 1,15). L'Église catholique orthodoxe a gardé partiellement cette ancienne tradition, elle ordonne des hommes mariés mais choisit ses évêques parmi les moines.

Je crois beaucoup à la vocation monastique, mais alors il faut, comme on le faisait traditionnellement « se retirer du monde ». Si on veut vivre, enseigner dans le monde, mieux vaut alors être marié. Cela est davantage conforme à la tradition (le célibat des prêtres catholiques romains n'a été rendu obligatoire que tardivement), et cela peut paraître

également plus sain. La psychologie des profondeurs nous a
suffisamment montré les déplacements de la libido (volonté de
pouvoir, perversions diverses) pour qu'on ne se méfie pas du
prêtre célibataire, mais je ne joindrai pas ma voix à celle d'une
presse spécialisée qui dénonce assez vivement les névroses
provoquées par des hommes à la maturité incertaine. Un de
mes frères dominicains m'a dit que, dans l'ordre et dans
l'Église, on pouvait avoir autant de maîtresses ou d'amants que
l'on veut, à condition de ne pas s'engager légalement à leur
égard.

En effet, dès qu'on pose un acte légal, on est un peu plus
responsable de ses actes... Mais je ne voudrais pas m'attarder
là-dessus sinon pour dire que je respecte le mariage comme je
respecte le célibat. Dans un cas comme dans l'autre, nous
serons jugés sur l'amour. Aucune voie n'est plus facile que
l'autre ; je pense à saint Jean Chrysostome, l'évêque de
Constantinople, qui était moine et qui faisait l'éloge du
mariage ; je pense aussi à saint Grégoire de Nysse, qui était
marié et qui a écrit les plus beaux éloges sur le célibat et la
virginité...

Quel avenir pour le centre culturel et spirituel que vous animez
depuis cinq ans ?

L'avenir appartient à Dieu. Cela étant dit, la qualité d'un
lieu comme la Sainte-Baume dépend aussi de la qualité des gens
qui y vivent. Le programme de ces dernières années a créé, je
crois, une certaine exigence. On ne peut pas y enseigner le
« lâcher prise » en s'agrippant au tiroir-caisse ou à un poste
quelconque. On ne peut pas y diriger les Éditions de l'Ouvert et
empêcher que les « autres » y entrent... Cela devrait conduire à
un renouvellement profond des personnes qui animent ce lieu
pour que, dans la continuité de ces dernières années, ils
approfondissent l'enracinement du Centre international et
élargissent son ouverture...

Et vous, qu'allez-vous devenir ?

Eh bien, « à la grâce de Dieu » ! D'une frontière j'irai vers une
autre frontière...

Mon magasin ayant brûlé
plus rien ne me cache la vue de la lune éclatante.

En réalité j'étais beaucoup moins serein que cela. Il n'y avait pas de lune éclatante, plus rien ne me cachait la nuit... Malgré toutes les lettres de consolation que je reçus et qui me disaient que je pouvais bien faire autre chose que d'être prêtre, je n'arrivais pas à me détacher du sacerdoce, c'était ma façon d'aimer et de servir Dieu, d'aimer et de servir les autres. Bien sûr, je pouvais être conférencier ou thérapeute, mais je ne pouvais plus donner aux autres ce que je considérais comme meilleur que le meilleur de moi-même, l'Autre, dont j'étais le disciple et le serviteur. On me proposa de monter un ashram où je pourrai continuer l'enseignement et la pratique inaugurés à la Sainte-Baume, je répondis que je ne voulais pas fonder une nouvelle secte ou une nouvelle religion, je voulais rester au service du Christ et de l'Église. Mais quelle Église ?

C'est alors que je rencontrai Mgr Vigile, évêque de l'Église orthodoxe française, à l'occasion d'un colloque à l'institut Karma Ling près de Grenoble. Il me proposa de revenir dans l'Église de mon baptême, je pourrais de nouveau y célébrer et servir. Mais ce n'était pas encore l'heure.

Certains amis dominicains me supplièrent de divorcer, cela ne choquait personne que j'aie une femme dans ma vie ; mais surtout pas de mariage légal. On me cita le nom d'un certain nombre de frères qui avaient femme et enfants. On pouvait vivre en parfait concubinage, entretenir ou être entretenu par des « mignons », cela n'empêchait pas de célébrer canoniquement et de donner l'absolution...

J'étais presque heureux de voir que ma situation était devenue claire, publique, je n'avais plus rien à cacher. Ce qui me faisait mal c'était la souffrance des personnes qui m'avaient fait confiance et qui avaient un attachement particulier au célibat des prêtres. Je les comprenais d'autant mieux que je n'avais pas vraiment choisi le mariage, mais, en même temps, je me rendais compte que, théologiquement et psychologiquement, il était beaucoup plus sain et plus conforme à la tradition qu'un prêtre vivant dans le monde soit marié. A vrai dire, ces problèmes de mariage-célibat me semblaient relatifs par rapport aux données essentielles de la foi. La vie sexuelle du clergé est sans intérêt, ce qui est intéressant, c'est la Foi, l'Espérance contre toute espérance, l'Amour plus fort que la mort.

Je préférais le ton d'un Georges Durand-Lauris, dominicain et poète, qui m'écrivit au début de l'année 1986 :

« Toute la Bible n'est qu'un minuscule ruisseau d'égout : Dieu marche sur la merde, comme les mouches. Il faut atteindre à Jésus-Christ pour voir enfin l'aurore. L'aurore, simplement. Car on ne sait rien de la nuit noire, elle-même supportée par les gouffres de la nescience. Que faisons-nous dans ce cosmos où l'échelle n'est point l'homme mais l'année-lumière ? On n'ajoutera rien, pas une coudée au misérable savoir de l'Adam glébeux, sinon un cri mieux affûté, plus brûlant. Les hommes du Moyen Âge avaient la chance de penser que la théologie était un savoir garanti par la certitude même de Dieu... Tout était admirablement cohérent dans ce système astral-théologique, tout, à commencer — ô miracle ! — par le mal. Le Mal était à son aise, Satan faisait du bon boulot. Il était un tantinet au-dessous de Jésus, comme l'homme était un tantinet au-dessous de l'ange. Le désert était prévu de toute éternité pour que les gazelles passent un bon moment sous la mâchoire du lion, et que Jésus-Christ, après Moïse, fasse une rencontre historique. Tout cela est assez hallucinant, poétique à souhait. Le Saint-Esprit fait aussi son métier quand il rencontre, comme un petit pastoureau coquin, une jeune fille de seize ans dont on ne sait qu'une chose, mais de taille : elle a l'âme à la hauteur du Magnificat...

» Les temps bibliques ont changé : nous sommes à nouveau sur le Moriah et le Golgotha. Jumelés. Les herbes amères ont été remplacées par la foi nouvelle. Le linceul a été plié, mais la Pentecôte, apparemment aussi. L'Église piétine, comme jadis les Hébreux, dans les marécages du Delta... Mon trajet rejoint celui de Rimbaud : il faut désespérer du verbe, calciner son âme sous le soleil torride, car la foi est aussi enfer, brûlure, fer rouge, celui qui marquait les esclaves. Notre liberté elle aussi est aurore, mirage du désert, vagissement d'enfant, visage entrevu de cette femme idéale qui m'a marqué, comme on marque un tissu, en brodant des initiales ou des armes de famille...

» Voici donc la déposition d'un châtelain ruiné, mais heureux. C'est probablement un bon café qui m'a provoqué à t'écrire... ou bien l'amitié. Chaque homme dans sa nuit, dans ses rêves surtout, que l'on dessine avec sa main... sur le sable, celui de la grève promise... »

Chaque homme dans sa nuit est accompagné d'une invisible étoile. Celle-ci me conduisit quelques mois plus tard au monastère Saint-Michel-du-Var. Ce monastère, bien que de langue française, était en communion avec l'Église russe hors frontières, l'Église de mon baptême... Sur les fresques de la chapelle je retrouvai sainte Marie-Madeleine ; l'iconostase était habitée non seulement par le Christ, la Vierge et des archanges, mais aussi par des « amis intimes », Jean l'Évangéliste, Séraphim de Sarov, François d'Assise, Honorat de Lerins ; des hommes, des femmes, des juifs, des Russes, des Latins, des Français...

Ce fut pour moi comme un écho de l'Église indivise, un appel et un signe... Je pensais à l'apôtre Paul qui était à la fois juif, grec et romain, et qui portait en lui le dialogue conflictuel des civilisations. Un jour il crut avoir trouvé la délivrance ou la relativisation de ces conflits « puisqu'en Lui il n'est plus ni juif, ni grec, ni esclave, ni homme libre, ni homme, ni femme. Car tous nous sommes, par la foi, fils de Dieu en Jésus-Christ » (Gal. 3,26).

En réalité ce n'est pas aussi simple... J'allais retrouver dans cette Église orthodoxe les mêmes conflits que, dans l'Église romaine, entre « traditionalistes » et « progressistes ». Ici, entre « nouveaux calendaristes » et « anciens calendaristes »... De nombreux amis me demandaient : Alors pourquoi vouloir à tout prix rejoindre une Église ? Pourquoi m'embarrasser de ces institutions désuètes ? Le « nouvel âge » ne marque-t-il pas la fin de ces structures toujours plus ou moins oppressives relevant d'un fonctionnement « limité » du cerveau ? N'avais-je pas assez souffert de la part de ces clercs à l'esprit borné ? Est-ce que je ne recherchais pas encore inconsciemment ma « mère » dans une institution plus ou moins enveloppante qui m'empêchait ainsi d'accéder à l'autonomie et à la maturité ? Est-ce que je n'étais pas assez grand pour penser par moi-même ? Pourquoi toujours ce besoin de se référer à une tradition ? N'avais-je pas suffisamment entendu Krishnamurti à ce sujet ?

A toutes ces questions je ne pouvais répondre que par une autre interrogation. Pourquoi Dieu s'était-il fait homme ? Pourquoi avait-il épousé tant de limites, naître juif, dans un petit pays de culture grecque, sous occupation romaine ? Pourquoi l'Universel, pour se manifester, doit-il s'ancrer dans le particulier, le particularisme d'un peuple, d'un homme ? Ou, pour parler un langage plus « oriental », pourquoi faut-il que le « sans forme » s'éprouve dans la forme ? Tout ce qu'on sait d'un « au-delà de l'ego », c'est toujours à travers un ego, c'est un ego qui en parle. Tout ce qu'on sait de Dieu, on le sait à travers les limites et l'expérience d'un homme, que celui-ci s'appelle Abraham, Moïse, Jésus ou Mohammed ; et ce Dieu a toutes les « imperfections » de la culture et de la société dans lesquelles ils ont vécu. C'est à partir de leurs limites qu'ils indiquent une réalité plus vaste.

Pour moi, accepter d'appartenir à une Église, à une tradition, c'est accepter l'Incarnation, c'est accepter l'enracinement de l'Universel dans le particulier, de l'infini dans le fini, c'est réaliser les conditions mêmes d'une « transfiguration du temps » (rien à voir avec un problème de calendrier !). Ceux qui rompent avec l'institution rompent avec leur vocation même, qui est de transformer cette institution, de la rendre plus transparente au Tout Autre qui la fonde.

Ceux qui croient pouvoir réaliser contre l'institution ce qu'ils n'ont pas pu réaliser avec elle ne risquent-ils pas de faire de leur œuvre une nouvelle institution, d'ajouter des formes aux formes, au lieu de prendre celles qui leur sont données et de les rétablir dans leur ouverture à l'Infini ?

La mission d'une Église c'est de manifester de l'Autreté, c'est-à-dire de la Sainteté et de la Transcendance au cœur du monde, du non-pareil, du non-même... Manifester que « le Tout Autre est précisément ici », ce « Tout Autre précisément ici » étant pour moi la définition du numineux, ce numineux souvent absent de nos Églises. Celles-ci ne peuvent alors que devenir des écoles de conformité, on y transmet du « même », on n'y témoigne plus de « l'Autre ». Elles deviennent des institutions réductrices, où les fils du vent se trouvent à l'abri des courants d'air, au lieu d'être des institutions instauratrices où l'homme retrouve sa filiation perdue et témoigne de l'Amour du Père. A ce propos, faut-il rappeler que l'Église est fondée sur l'attestation d'une filiation divine retrouvée ? et que c'est le sens même du mot « pierre » en hébreu :

Père se dit Ab *et s'écrit* aleph, bet ;
Fils se dit Ben *et s'écrit* bet, noun.
*Si des deux mots on en fait un seul, qui comprendrait dans
    l'ordre les trois lettres* aleph, bet, noun, *on trouve le mot*
    eben, *qui signifie « Pierre ».*

Telle est l'interprétation que donne Gérard Haddad du fameux passage de l'Évangile de Matthieu (Mt. 16) :
— Je te dis que tu es Pierre et sur cette pierre je bâtirai mon Église.
Jésus répond à Simon :
— Tu m'as appelé *Ben* (Fils) ! Par mon *Ab* (Père) qui est aux cieux et qui t'a inspiré, tu t'appelleras désormais *Eben* (Pierre).
« Le nom de Pierre contient déjà en latence le dogme de la Trinité. Il symbolise la réconciliation messianique des pères et des fils annoncée par le prophète Malachie » (G. Haddad, *Les Bibliocastes*, Grasset, p. 25).
Ce jeu de mots de Jésus nous rappelle que l'Église est fondée sur Sa propre filiation qu'Il nous communique. L'Église n'a pas d'autre mission que de faire entrer les hommes dans la Trinité, c'est-à-dire dans l'Amour, cette relation intime entre le créé et

l'incréé, l'éternel et le temps. Cette relation, Jésus l'a symbolisée et incarnée magnifiquement en appelant la Source et l'Origine de Son Être, le Principe de Son souffle et de Sa parole : *Abba*, « papa ».

La Réalité signifiée par cette métaphore du « père », je n'ai pu vraiment en saisir toute la profondeur que le jour où il m'a été donné d'être moi aussi « père ». Je découvrais là, pour parler comme Levinas, « une relation avec autrui où autrui est radicalement autre, et où cependant il est en quelque façon moi ; le moi du père a affaire à une altérité qui est sienne, sans être possession ni propriété ».

L'Église a-t-elle une autre fonction que d'éveiller le « moi » des « fils » à une relation avec une altérité qui est sienne sans être possession ni propriété ?

Le nom même de Pierre, *Eben*, « Fils-Père », n'est-il là que pour nous le rappeler ? En tout cas, le nom de Pierre ne peut être utilisé comme « pierre d'angle » d'un système, ayant un « pouvoir central » et une structure plus ou moins totalitaire...

A ce propos un ami théologien me faisait remarquer que l'écroulement actuel de l'empire soviétique annonçait l'écroulement prochain de l'empire catholique romain. De même que chaque pays veut retrouver son autonomie, chaque Église doit pouvoir aussi retrouver son autonomie et sa liberté. Cela ne va pas sans difficultés pour des pays ayant perdu l'usage et les réflexes de la liberté, cela ne sera pas facile non plus pour les Églises ayant perdu la pratique de l' « Autonomie en communion ». Ces difficultés, une Église prophétique comme l'Église orthodoxe de France en connaît quelque chose...

Pourtant, il faudra bien revenir à l'ecclésiologie des origines ; l'Église à qui le Christ a promis la pérennité n'est pas l'Église romaine mais une communauté d'Églises, une Église en relation, à l'image et à la ressemblance de Dieu, Un et Trine, une Église dont l'unité est fondée sur le respect des différences, gardienne des libertés, attentive au nom propre de chacun et au nom propre de chaque pays.

Les paroles du patriarche Athénagoras me reviennent à la mémoire.

« Ce qui manque le plus aux hommes d'Église, c'est l'Esprit du Christ, l'humilité, la dépossession de soi, l'accueil désintéressé, la capacité de voir le meilleur de l'autre. Nous avons peur, nous voulons maintenir ce qui est périmé, parce que nous en avons l'habitude, nous voulons avoir raison contre les autres. Nous dissimulons sous le vocabulaire d'une humilité stéréotypée l'esprit d'orgueil et de puissance. Nous jouons à l'écart de la vie. De l'Église nous avons fait une organisation comme les autres. Toutes nos forces sont passées à la mettre sur pied, elles passent maintenant à la faire fonctionner. Et cela marche, plus ou moins, plutôt moins que plus, mais cela marche. Seulement cela marche comme une machine, comme une machine et non pas comme la vie. »

Mon choix fut toujours de ne pas trop me préoccuper de la machine et d'entretenir la vie. Je ne dirai pas que l'Église orthodoxe française où je fus accueilli m'apparut comme le but de ma quête ; l'Église n'est jamais un but, elle est un moyen, elle est une orientation, elle nous transmet les paroles de l'Évangile et des Pères, pour que nous les actualisions dans les formes et les particularismes qui nous sont propres...

Comme au temps de Jésus, aujourd'hui le Verbe se fait chair, chacun de nous est un fils unique, un Verbe incarné ; chacun de nous est une façon unique, irremplaçable, d'incarner la Vie, l'Intelligence et l'Amour. Chaque Église est aussi une façon unique, irremplaçable d'être l' « incarnation continuée ».

Lors de ma dernière année de la Sainte-Baume, je fus heureux de pouvoir célébrer en tant que prêtre orthodoxe. Comment oublier cette pâque, ce feu dans les ténèbres, cet *Exultet* dans la nuit ? « Bienheureuse faute d'Adam » ! Et cette montée à travers la forêt, cette attention pour ne pas glisser et garder le cierge allumé dans la brise qui faisait trembler les chênes, cet étonnant symbole qu'il m'était demandé de porter et qui plutôt me portait, me tenait droit dans la marche... Et derrière, la multitude des pas, lourds ou légers, qui suivait et qui avait besoin de cette pâle clarté pour ne pas se perdre ou ne pas tomber. Puis, après l'épaisseur des arbres, la fatigue des montées : le dégagement du sommet, le soleil levant où vint s'éteindre la flamme jusqu'ici épargnée.

Puis cette joie inconnue qui bouscule les déterminismes, les frontières, les murailles du temps accumulés entre nous et nous, entre nous et Dieu : « Christ est ressuscité », par sa mort il a vaincu la mort. Christ est ressuscité : ce n'est pas la bêtise, la violence, la souffrance qui auront le dernier mot. Christ est ressuscité : l'Amour est plus fort que la mort !... Que dire après cela ? Qu'il y avait du vent ! et qu'il nous interdisait de rester sur la montagne ; il fallait redescendre, bénir les vallées, marcher d'un pas précis et ailé sur le chemin...

« Va ton chemin sans te soucier de son pourquoi. Vis sans pourquoi. Le fond de Dieu est ton propre fond, et ton fond est le fond de Dieu. Là, tu vis selon ton être propre, comme Dieu vit de son être propre... C'est à partir de ce fond intime que tu dois opérer toutes tes œuvres sans pourquoi... Tout le temps que tu accomplis tes œuvres pour quelque chose, fût-ce pour le royaume céleste, ou pour Dieu ou pour ton éternelle béatitude, c'est-à-dire de l'extérieur, tu n'es pas encore tel que tu dois être... »

Laisser être, marcher dans l'Ouvert... Maître Eckhart ne m'invitait pas à la nostalgie, il me rappelait, comme au pèlerin d'Emmaüs, que, si le Christ vient nous rejoindre de loin « derrière », Il marche devant...

CHAPITRE XX

Fragments d'une itinérance

Au-delà de la Sainte-Baume, le chemin continue. Ce n'est pas l'heure d'en parler au passé ; Paris, Genève, Bruxelles, Oslo, Brasília, Athènes, Jérusalem... et d'autres déserts, où manque moins l'espace, sont les étapes où je reviens le plus souvent. J'habite beaucoup dans les trains et les aéroports. Là je note quelques mots, quelques phrases, écho de ce qu'il ne me sera jamais donné de dire. Fragments d'une Parole, itinérance du Logos dans la chair vive de l'instant :

> *Marie de Smedt vient*
> *de m'apprendre que « les vampires*
> *n'ont pas d'ombre et ne*
> *laissent pas d'empreinte*
> *dans les miroirs ».*
> *Quand j'étais moine*
> *je voulais être sans ombre*
> *et ne pas laisser d'empreinte*
> *dans les miroirs (pas d'ego !).*
>
> *Après relecture de ces lignes*
> *je crois que j'ai une ombre et que sans cette ombre*
> *ma vie serait sans « relief » ; je vois aussi*
> *que le miroir a plus d'une*
> *page d'empreintes...*
> *donc je ne suis pas un*
> *vampire !*
>
> *J'apprends à être humain.*   (Gordes)

*
**

Jean Tristan joue du violoncelle, sa petite sœur Hélène-Marie l'écoute les mains jointes, Barbara bat la mesure, moi qui ai toujours eu une sainte horreur des saintes familles et une dévotion particulière pour Jésus-Christ enfant fugueur, me voilà les yeux brisés, le miroir qui se voulait de glace est humide de rosée, comme une aurore. Là où je ne pouvais penser que de l'absurde, je découvre les traits de la grâce...

Je ne peux pas m'imaginer heureux en famille... N'est-ce pas ce que je désire ou ce que je redoute le plus ? comment céder au bonheur ?

Accepter que la capacité ou l'impuissance à être heureux de toute une vie dépend peut-être de ces instants-là...

Si je pouvais leur donner cela, le bonheur d'être leur père, croire en eux comme je crois en Dieu...

Il n'y a pas de petite et de grande Vie, de créature et de Créateur.

Il y a du réel que l'on coupe du Réel, il y a de grands arbres faits de petites fleurs.   (Village-Neuf).

*
**

Quand l'empereur Wu
demanda à Bodhidharma
— Qui es-tu ?
celui-ci répondit :
— Je ne sais pas.
« Je » ne sais pas.
Dieu le sait
Je suis qui je suis
Je ne sais pas qui je suis
Dieu merci...   (Tokyo)

*
**

Là où je tombe
Dieu descend.
Il est descendu plus bas
que là où je suis tombé.
Là où je monte
Dieu attend.
Il est toujours plus haut
que là où je suis monté.
Il est plus fou que l'Absurde
plus gracieux que la Grâce.   (Oslo)

*
**

Ce n'est pas ce qu'il sait
qui fait le gnostique
c'est ce qu'il ne sait pas :
connaître l'infini qu'on ne connaît pas
« être ivre du vin qu'on n'a pas bu ».   (Le Caire)

*
**

A distinguir me paro las voces de les ecos (Machado) (Je me recueille afin de distinguer les voix des échos).

Nos pensées ne sont souvent que des échos : bruits et rumeurs amplifiés des bruits et rumeurs du temps.
Redire a cor, revenir à son cœur, éveiller en soi une « écoute centrée » afin d'entendre la voix infiniment discrète de notre plus profond désir... et plus bas encore ou plus haut, entendre comme un battement d'ailes la respiration qui nous fonde et fonde les univers.   (Toulon)

*
**

Quand on a dit « uni-vers », on n'a pas encore dit uni-vers quoi ? vers qui ?

« Nous sommes embarqués... »

Mais au point où nous en sommes de notre traversée : tous les rivages sont possibles parce que tous les rivages sont rêvés...

Quand je dis Dieu en parlant de l'Autre Rive, bien préciser que je ne vois rien... sinon cette graine de laurier qu'une colombe toujours inconnue pose sur mon cœur...   (Brasília)

*
* *

Avoir ce minimum de conscience qui permet de mesurer l'infini qui distingue « ma » réalité de « La » Réalité suffit à me garder ouvert et à ne pas m'enfermer dans cette relative réalité comme dans une coquille ou une idole.   (Lyon)

*
* *

« *Quand le scepticisme s'allie au désir, naît le mysticisme* » (Nietzsche).

Le Désir du Beau et du Vrai est blessé par de trop vifs contraires pour qu'on n'en vienne pas parfois à désespérer. Rester fidèle malgré tout à ce désir, dans une foi qui n'exclut pas le doute, mais chaque jour apprend à le surmonter, fait de nous des mystiques... Non pas des religieux, encore moins des fanatiques, mais des sceptiques qui ont appris à douter de leurs propres doutes devant l'évidence d'un Réel qui sans cesse leur échappe et les transcende... Trop le nommer serait sans doute le réduire ou vouloir se rassurer, mais ne pas tendre vers Lui serait s'entraver sinon mourir.

C'est dans ce sens que Malraux a pu dire : « le XXIe siècle sera mystique ou ne sera pas. »

Nous sommes devenus trop lucides pour ne pas saisir tout ce que les univers composés ont de dérisoire. Seule une percée vers la Transcendance, ou l'ouverture de notre être à l'Incréé peut nous garder du suicide ou du désespoir.

A cela il faut ajouter que si le XXIe siècle devenait religieux plutôt que « mystique » et « sceptique », il deviendrait pire que les siècles qui l'ont précédé, les nouveaux fanatismes et leur corollaire d'inquisition ayant d'autres moyens de s'entre-détruire que par le passé !

Le croyant qui ne sait pas douter, non pas de l'Absolu, mais de lui-même est dangereux. Il se servira d'un Dieu ou d'une Vérité qu'il « a » pour asservir et dominer ceux qui ne « l'ont pas ».

Le mystique n' « a » rien. Ce que son désir indique se refuse à devenir une possession ou un avoir...

Dieu n'a pas de « possédés », seulement des êtres libres qui doutent parfois de leur capacité à aimer l'Invisible et de leur tendresse pour ces « choses visibles », qui chaque jour un peu plus s'effacent...

C'est sans doute pour cela que le bonheur des mystiques nous touche et nous effraie. C'est un bonheur réel ou plutôt l'essence du bonheur : il n'est fondé sur rien, sur aucune illusion, le Dieu dont ils parlent n'est pas celui de leurs pensées ou de leurs émotions.

Il ne leur ressemble pas trop. Il est « saint ». A quoi pourrait-on le comparer ? là où il n'y a pas de comparaison possible la pensée se tait...

N'est-ce pas l'étymologie même du mot mystique ? (l'onoma-topée *mu* symbolisant un son inarticulé — cf. le mot « muet » et le mot grec *muein* — se taire, avoir la bouche ou les yeux fermés).   (Paris)

Il devient de plus en plus difficile d'être athée et de rester intelligent. « L'athéisme du charbonnier », dernier recours pour celui qui se refuse à penser jusqu'au bout les grandes énigmes de ce siècle.

La pensée n'est que « l'expression d'un état particulier de la matière », affirme le neurobiologiste Jean-Pierre Changeux.

C'est joliment dit mais c'est dommage de s'arrêter là : la

matière n'est-elle pas l'expression d'un état particulier de l'énergie ?

L'énergie n'est-elle pas l'expression d'un état particulier de l'Être ?

L'Être n'est-il pas l'expression d'un état particulier de… ?

Chacun met son point d'arrêt à la question là où il veut, là où il peut. Le mettre le plus loin possible nous oblige à être un peu plus savant et un peu moins prétentieux.   (New York)

Être prudent avec ceux qui font tinter leur trousseau de clefs devant nos esprits, avec cette promesse d'ouvrir toutes les portes. Des portes qui ouvrent sur quoi ? Sans doute sur le plus narcissique de nous-même, qui n'a besoin que d'être vu pour être flatté…

Ces porteurs de clefs pourraient bien être nos pires geôliers, ceux qui veulent nous faire croire que le Ciel est « là » et nulle part « ailleurs » et vendre l'espace de leur lucarne au prix de l'immense bleu…

Là où je veux aller il n'y a pas de chemin.

Là où je veux entrer il n'y a pas de porte.

Là est ce qui est depuis toujours, que nul ne peut me donner, que nul ne peut me prendre.

Il n'y a rien à garder, rien à défendre :

Est-ce le coq, est-ce l'aurore

ou est-ce la nuit qui est la clef du jour ?

Où commence Dieu, où finit l'homme

dans un regard d'enfant ?   (Alger)

Si « Tout ce qui s'enseigne ne vaut pas la peine d'être appris », c'est que la mémoire seule s'en empare, c'est-à-dire le moi et la pensée. Or je ne connais la vérité que lorsqu'elle se révèle Vie au-delà du moi qui l'appréhende.

Tout ce que je sais c'est la mort qui me l'a appris : je vis encore de la certitude de ce qui a survécu à un coma profond, plus exactement à un électro-encéphalogramme plat...

Tout ce que je peux encore apprendre aujourd'hui n'est-ce pas l'amour qui me l'apprendra ?

l'amour qui est sans doute la façon la plus intelligente de mourir :

servir plutôt que se dissiper.

se donner plutôt que se perdre...   (Genève)

On ne peut appeler véritablement la lumière que si on a d'abord véritablement consenti à la nuit.   (Athènes)

Il reste à beaucoup assez de lucidité et de jansénisme pour être dégoûtés des bassesses et des illusions de la vie mais pas assez d'âme et de foi pour regarder et aimer la vie au-delà de ces bassesses et de ces illusions.   (Annecy)

« *A la mort le masque tombera du visage de l'homme et le voile du visage de Dieu* » (Hugo).

Ne pas attendre ce moment ultime et remarquer que c'est dans le mouvement même où on enlève le masque que le voile se retire. (Bordeaux)

« *Ce n'est pas la vérité en elle-même qui fait mal, mais en tant qu'elle détruit une croyance* » (Nietzsche).

Ce n'est pas le soleil qui nous blesse ce sont nos yeux qui ne sont pas préparés à tant de lumière. (Nantes)

Décider d'être heureux, ne pas ajouter au malheur de l'humanité, ne serait-ce que par une plainte ou par une pensée... Volonté de ne pas nuire, de ne pas attrister. Ce n'est pas encore de l'amour ni de la sagesse, c'est le commencement de l'éthique. Pour beaucoup c'est déjà de l'héroïsme...   (Angers)

Ne pas s'arrêter à la surface ni dans les bas-fonds, aller jusqu'à la Profondeur.

Ne pas s'arrêter dans les méandres du conscient et de l'inconscient, aller jusqu'au Silence qui les contient.   (Los Angeles)

Ne pas renoncer à ce qui est bon, renoncer à ce qui nous blesse et nous abîme : « Nous abstenir, en vue de plus hautes valeurs, de ce qui ne les égale point » (Thomas d'Aquin).   (Londres)

« *Au commencement Dieu créa l'homme à son image : homme et femme Il les créa* » (Genèse 1, 27). L'image ou la ressemblance de Dieu n'est pas à chercher dans telle ou telle faculté de l'être humain (pensée, liberté, personnalité...), mais dans sa capacité d'entrer en relation avec l'autre. Avoir des bras, un cœur, un sexe, c'est avoir une place pour l'autre en soi, c'est ne pas être entier tout seul, c'est découvrir que le sens du monde « on le trouve à deux » : c'est dans la communion qu'il se donne et se révèle.

Saint Jean ira jusqu'à dire : « Celui qui n'aime pas demeure dans la mort... celui qui aime demeure en Dieu et Dieu demeure en lui... » Paroles trop simples qui nous mettent face à notre difficulté d'aimer et à notre ignorance du vrai Dieu.

Ce n'est pas par hasard si le Cantique des Cantiques, ce chant du Bien-Aimé et de la Bien-Aimée, est au cœur de la Bible... L'amour humain est sans doute une des meilleures voies d'accès à un Dieu qui ne soit pas une idole, c'est-à-dire un Dieu qu'on ne possède pas, comme on ne possède pas l'amour.

Dieu ce n'est pas ce que l'homme fait de sa plus haute solitude, c'est ce qu'il fait de sa plus belle rencontre.   (Carry-le-Rouet)

Pourquoi tant se préoccuper de son avenir et être si peu soucieux de son éternité ?   (Aix-en-Provence)

La grande question ce n'est pas : quel sera mon avenir ? ou l'avenir de l'humanité ou l'avenir de la terre. Tout cela peut durer encore quelques années ou quelques millénaires ; tout peut s'arrêter d'un moment à l'autre... De toute façon on n'échappe pas à la loi de l'entropie : « le monde tel que nous le voyons est en train de disparaître ».

La grande question, c'est davantage : quelle sera mon éternité, que faire de ma vie qui échappe au temps ou qui « rachète le temps » ?

Il y a des jours où il faut se poser la question : suis-je sur une voie de réussite, suis-je sur une voie de sainteté ? ou suis-je sur une voie d'entièreté ?

La réussite est dans le temps, elle concerne mon avenir, la sainteté est au-delà du temps, elle concerne mon éternité...

L'entièreté n'oppose pas les deux, elle concerne mon avenir *et* mon éternité.

Comment introduire de la sainteté, c'est-à-dire de l'Autreté, de la gratuité dans le temps ?

Autant dire :

Comment introduire de la Grâce dans de l'absurde ?

Il arrivait à saint Bernard, agité par de multiples entreprises, de s'arrêter net au milieu de sa course et de se poser la question : « Bernard pourquoi cours-tu... si tu ne cours vers Lui... » ?

Vacare a Deo, disaient les Anciens, être disponible à l'Être dans l'Instant, à l'Amour dans le temps... Aimer ce qui est « entièrement », la terre comme le ciel...

Faire les choses pour rien, pour Dieu, par amour pour Lui, introduire dans les incertitudes de mon « peut-être » la sérénité de son Être.   (Jérusalem)

Évidemment Dieu n'existe pas ! S'Il existait, comme tout ce qui existe Il serait voué tôt ou tard à disparaître, on n'aurait pas besoin de ces modes subtils de connaissance que sont la foi et la gnose, la science suffirait à le montrer ou à le dé-montrer. Il n'existe pas. Il Est. Dire que « Dieu existe parce que je l'ai rencontré », c'est le rendre trop dépendant de ce « je » qui le rencontre ; c'est le ramener, en quelque sorte, si ce n'est dans les limites de ma raison, au moins dans les méandres de ma subjectivité. Pourtant c'est bien là que « quelque chose qui n'est pas une chose » vient me toucher. « Quelque chose qui n'existe pas, un no-thing, une non-choséité. »

Dans le langage de la théologie, on dirait que ce qu'on connaît de Dieu, ce n'est pas son Être, mais sa Présence, sa manifestation. Ou encore, dans le langage de Grégoire Palamas, son Énergie... Mais ce qu'est Dieu en lui-même, son essence, demeure inconnaissable. Le mystique apprend à connaître par ignorance celui qui n'est « rien du Tout, dont il est la cause ».   (Bruges)

Pour les Sémites, le numineux est le « non même », le « nonpareil », le Tout Autre qu'aucune pensée ne peut saisir.

Pour les Grecs, le numineux c'est la perception du « même », de l'Unique, de l'Un présent dans le multiple, c'est le « précisément ici ».

Le numineux, n'est-ce pas encore « le Tout Autre précisément ici » ? Transcendance irréductible et inévitable Immanence ? « Plus moi que moi-même » (où ailleurs qu'en moi pourrais-je l'éprouver ?) et « tout autre que moi-même » (si ce n'était que moi qu'aurais-je à éprouver ?), « Transcendance immanente », disait Graf Dürckheim. Découvrir que le « Tout Autre » est aussi le « Tout Nôtre ».   (Bruxelles)

Ni un itinéraire ni une errance, la vie intérieure est itinérance. Le chemin n'est pas tracé à l'avance, nos points de repères, nos bornes et nos balises souvent s'effacent ou sont emportés par le vent. Pourtant le chemin a un sens, une orientation. Dans le désert, plus important qu'une carte, est une boussole, pour ne pas perdre le nord. Quel que soit le désert à traverser, tu n'es jamais vraiment perdu si dans ce désert tu as un cœur.   (Timimoun)

Étrange paradoxe : il y a des moments de vide, de néant qui nous étouffent et des moments de présence qui nous ouvrent, nous espacent...

Il existe donc une présence plus vaste que son absence ?
    (Qumran)

L'amour de la tradition n'est pas nostalgie du passé mais souci de l'avenir. Quand je vois pourrir une racine, je pense aux fruits qui ne seront plus.   (Thessalonique)

A chaque parole entendue en confession, j'ai pu dire : « Moi aussi », sauf une fois, où j'hésitais : un homme me confiait en pleurant les détails de son crime… Je n'avais jamais tué… pourtant, tous ces amours que j'avais suscités, oubliés, abandonnés ? Qui peut mesurer le sang versé des âmes qu'on a niées ou trahies ? Pas une seule fois je ne me suis senti moins pécheur que la personne à qui je devais transmettre le pardon du Christ : « Va en paix. Ta foi t'a sauvé. » Cette parole, c'était aussi pour moi que je la disais, je n'ai jamais donné l'absolution à une personne sans la recevoir aussi pour moi-même. La miséricorde d'un prêtre a son secret : il se sait plus grand pécheur que ceux qu'il confesse. C'est ce qui lui manque le plus qu'il peut le mieux donner.   (Lorgues)

*

« YHWH dit à Abrâm : va vers toi-même, quitte ton pays, ta parenté, la maison de ton père, va vers le lieu que je te montrerai » (Genèse 12,1).

Aller dans le désert, c'est d'abord « partir vers soi-même ». C'est à cela que nous sommes invités. Pour se connaître véritablement soi-même, il s'agit de « quitter » un certain nombre de mémoires avec lesquelles nous confondons notre identité. Quitter le connu, le reconnu que nous croyons être, pour l'inconnu, le méconnu que nous sommes. Inutile ici de détailler les multiples attachements ou crispations, tous légitimes, à la maison, au père, à la mère, qui nous évitent le face-à-face avec notre néant. Philon d'Alexandrie dira que « quitter la maison de son père » c'est « quitter le langage », c'est-à-dire les références qui nous structurent. Lorsque la conscience n'a plus un mot, plus une image, plus un concept pour se dire, elle entre dans un espace infini que symbolise bien l'espace sans limite du désert.

Mais cette marche à travers le silence, vers l'infini et le sans-limite de soi-même n'est pas démarche d'anéantissement ; elle renoue avec ce que l'homme a d'Éternel, cet Éternel qu'il est lui-même et que lui voilent les occupations et les préoccupations du temps.

Pour Abraham, cet Éternel est un Autre, une Autreté qui le fonde. « Se connaître soi-même c'est se découvrir connu », dira plus tard l'Évangile de Thomas. Dans l'immensité et l'immobilité du désert, on sait qu'on ne se crée pas soi-même, on sait que le moindre de nos souffles vient d'ailleurs.

Se connaître soi-même, c'est connaître le Vivant qui nous donne d'être ce que nous sommes et connaître que ce Vivant est toujours prêt à nous retirer, comme à nous offrir, le souffle de nos narines.

Il y a des prétentions et des autosuffisances qui ne résistent pas à un vrai quart d'heure de méditation dans le désert.

Abraham et les patriarches aimaient s'asseoir à la tombée de la nuit à même la terre nue, à même les étoiles, bénissant leur fatigue, souriant de leurs désirs dérisoires, il leur arrivait d'être là, terriblement là ! au point de ne faire qu'un avec « celui qui est là, Présent », Ya-hou, Ô lui ! le Dieu d'Abraham, d'Isaac et de Jacob, Présence ardente et Silencieuse, Présence de l'Être, Présence de l'Autre, qui nous efface et qui nous fonde.

On peut aller au désert pour se connaître soi-même ou pour rencontrer l'Autre qui nous fonde. On peut y aller aussi pour fuir, fuir le monde, fuir l'injustice. On peut y aller parce qu'une question nous ronge, nous ne connaîtrons pas le repos avant d'en avoir reçu la réponse.

La première fois que Moïse se rendit au désert, c'était pour fuir, fuir l'État totalitaire qu'il venait de découvrir et qui maintenait ses frères en esclavage. A la violence, il avait répondu par la violence en tuant un garde qui maltraitait un Hébreu sans défense... L'histoire de Moïse n'est pas sans rappeler celle d'un autre prince, élevé lui aussi à la cour, à l'abri de toutes souffrances et qui un jour découvrit la douleur et la mort : le Prince Siddharta Gautama. Lui aussi après cette rencontre de la Souffrance partit au désert, avec cette question qui était la sienne, qui fut celle de Moïse et qui est toujours la nôtre :

Pourquoi la souffrance, pourquoi le mal, l'injustice ?

Que faut-il faire pour en sortir, pour être délivré de la souffrance, du mal, de l'injustice ?

Ce que Moïse découvre au désert c'est qu'avant de se poser la question du mal, il faut se poser la question de l'existence. Avant de se demander pourquoi il y a de la souffrance dans le monde, il faut se demander pourquoi il y a un monde.

« Pourquoi y a-t-il quelque chose plutôt que rien ? »

L'expérience de Moïse va rejoindre ici celle d'Abraham. Dans l'infini du désert, il va découvrir la vanité et la fragilité des univers.

Qu'est-ce que l'homme, qu'est-ce que le monde ?

« Une goutte de rosée au bord d'un seau », dira plus tard le prophète Isaïe.

Comme la goutte de rosée au soleil, en même temps que son moi, s'évanouissent les questions de Moïse. Il est devenu « le plus humble des hommes », il est redevenu humus, *Adamah*, c'est-à-dire terreux, glaiseux, terre nue sous le ciel vertical, il s'occupe de ses moutons, les oignons d'Égypte ne sont plus ses oignons.

Mais voici qu'au désert, s'il n'y a rien, il y a quand même des buissons, des buissons épineux.

Du fond de la vacuité naît un murmure qui pourrait bien être celui de la compassion. « Il y a quelque chose plutôt que rien. »

Comment faire pour que ce quelque chose ne souffre plus ou souffre moins sous le soleil ? Question épineuse, ardente…

Aller au bout d'une question fondamentale, essentielle, est une forme de traversée du désert. Moïse est allé au bout de la sienne, il en ressort brûlant mais non consumé. Une voix s'est fait entendre. L'Être n'est pas indifférent à la misère des hommes, le mal n'est pas fatalité, il est aiguillon pour que se manifestent les facultés cocréatrices de l'homme.

« YHWH dit : j'ai vu, j'ai vu la misère de mon peuple qui réside en Égypte. J'ai prêté l'oreille à la clameur que lui arrachent ses surveillants… maintenant, va, je t'envoie auprès de Pharaon pour faire sortir d'Égypte mon peuple… » (Exode 3,7-10).

Mais dans le désert, Moïse a oublié le langage, sa parole est devenue brève et hésitante. Le désir d'ordonner et de conduire l'a quitté, la fréquentation de ses abîmes le porte davantage à l'effacement :

« Qui suis-je pour aller trouver Pharaon et pour faire sortir d'Égypte les enfants d'Israël » (Exode 3,11) ? Je ne sais point parler... Envoie qui tu veux !

« Qui suis-je ? » est une bonne question à se poser dans le désert.

La réponse, après quelques jours de soif, ne se fait jamais attendre : « Rien ! »

« Je ne suis rien », Moïse a vécu plus d'une fois cette réponse, mais il découvre maintenant qu'au cœur de ce rien, un rien épineux, vit une force, une Présence, un « Je Suis avec Toi ». Et c'est là un des grands cadeaux du désert, découvrir qu'on n'est jamais moins seul que lorsqu'on est seul, au-delà du moi, il y a un pur « Je Suis ». Là où cèdent nos forces, se réveille une nouvelle énergie. Là où s'arrête notre compréhension naît une autre Conscience.

Découvrir qu'il y a en soi plus grand que soi, plus aimant, plus intelligent que soi, c'est ce qui nous donne la grâce, comme à Moïse, de revenir vers la ville pour inviter ses amis au désert...

Mais Moïse était-il naïf ? Pensait-il que trois jours suffiraient au peuple pour faire l'expérience qui était la sienne ? C'est pourtant ce qu'il demandera au Pharaon : « trois jours de marche dans le désert, pour y servir Dieu ».

André Neher le rappelle : « Dans le projet primitif, le désert ne devrait être que cela, non pas un itinéraire mais le lieu d'un instant mystique. »

C'est vrai qu'il suffit d'un instant pour « lâcher prise », pour renoncer à ses illusions et découvrir « Celui qui Est » quand nous ne sommes plus rien...

Un instant, trois jours, ne suffiront pas aux Hébreux. Ils devront errer quarante ans dans le désert.

Quarante, beau chiffre pour symboliser les épreuves, la maturité, qui viendront peut-être à bout de nos identifications, de nos représentations, pour que nous puissions toucher enfin la pierre précieuse, la terre promise, l'Incréé qui veille au fond du cœur.

Lors de son premier désert, Moïse était seul avec sa question, seul avec la Présence qui le tenait debout et éveillait en lui la compassion pour ses frères. Désormais, il marche avec tout un peuple, un peuple à la nuque raide, qui préfère la souffrance à la vacuité, l'esclavage aux grands espaces du désert, les oignons et les cailles à la manne insipide.

Il les emmenait au désert pour qu'ils se taisent et que dans le Silence ils entendent « une Parole qui compte ». Et voilà qu'ils bavardent, ressassent leurs mauvais souvenirs, leurs mémoires de guerres...

Moïse avait rêvé d'un peuple qui n'aurait pas de roi, pas de chef, pas de pharaon. Seul « Celui qui est ce qui Est » serait leur maître. Mais voici que dans le désert comme ailleurs, à la tyrannie succède l'anarchie et Moïse est encore sous le feu d'une nouvelle interrogation : y aurait-il une loi, un ordre à donner à ce peuple, « un logos, pour que le chaos devienne cosmos » ? Des règles simples que chacun pourrait suivre et de cette adhésion de chacun à la loi naîtrait l'harmonie de tous ?

Entre l'anarchie et la tyrannie, n'y aurait-il pas une place pour la conscience ? Conscience individuelle et collective à la fois ?... Moïse était-il un rêveur ? Toujours est-il que ce fut pour lui un nouveau désert, et le désir né d'un plus profond silence : une Parole pour tous. Il se refusait à jouir seul, « tous ou rien », disait-il à YHWH... C'est ainsi que la Thora vint s'inscrire en éclairs dans la nuée obscure de son âme.

Mais plus tard, ces paroles d'Alliance, d'harmonisation du comportement humain au Principe qu'il manifeste, devinrent des paroles de pierre.

Elles servirent alors à lapider plus qu'à délivrer.

La loi qui délivrait de la tyrannie devint une nouvelle tyrannie plus subtile encore parce que s'introduisant dans le repli des subjectivités.

La joyeuse différence de ne pas se laisser conduire par des

veaux devint la sourde culpabilité de ne pas être comme les autres.

Osera-t-on le dire, l'enseignement transmis par Moïse, et que l'on pourrait résumer ainsi : « Obéis et tu seras heureux », ne fonctionne plus aujourd'hui. « Tu dois », « il faut », sont des impératifs qu'on ne peut plus entendre. Trop de tyrannie et de totalitarisme en ont usé et abusé.

Certains diront la loi de Moïse caduque parce que remplacée par la loi du Christ qui est une loi d'amour : à « Obéis et tu seras heureux » il faut préférer : « Aime et fais ce que tu voudras » (saint Augustin). Mais cette parole elle aussi est usée. Combien s'en sont servi pour justifier leurs égoïsmes, combien d'hypocrisie et de culpabilité engendrées par une telle parole ? Comme si on pouvait aimer sur commande !

Le désert du Sinaï aurait-il aujourd'hui une autre parole à nous donner, une loi, une ordination qui viendrait s'inscrire au-dedans de nous et dont la pratique rétablirait un moment un peu d'ordre dans l'individu puis, par voie de conséquence, dans la société ?

Le mercredi 15 février 1989, une parole simple, banale presque (chaque époque n'a-t-elle pas la parole qu'elle mérite ?), une parole à vérifier ou à incarner nous fut offerte : « Sois conscient et fais ce que tu peux. » Elle complète et intègre assez bien les deux paroles précédentes.

Obéir à la Loi sans conscience c'est renoncer à être libre et la pratique de l'Amour sans conscience n'est que ruine de l'âme.

Être conscient — instant après instant — et faire ce que l'on peut (non pas ce que l'on veut). Il y a là une sorte de sain réalisme, propre à nous délivrer de nos schizophrénies et paranoïas contemporaines.

« Sois conscient et fais ce que tu peux » — cela n'est pas plus facile et pas moins exigeant que : « Obéis et tu seras heureux » ou « Aime et fais ce que tu voudras ». Les paroles entendues par Moïse dans le Souffle du Sinaï ne sont pas effacées, elles sont dites autrement. « Tu dois » est transformé en « Tu peux ».

Si tu le veux, tu peux ne pas avoir d'autre Dieu que Dieu, n'être l'esclave d'aucune idée, idéologie, image ou illusion. Il n'y a pas d'autre Réalité que la Réalité. Tu peux préférer le Réel indestructible à la buée de tes songes.

— Tu peux honorer ton père et ta mère, ils ne sont pas la source de ta vie, mais la vie s'est donnée à toi par eux.

— Tu peux ne pas tuer, préférer le pardon au crime, être plus grand que ta colère ou ton honneur.

— Tu peux ne pas voler, prendre plus de plaisir à être honnête qu'à t'enrichir de façon injuste.

— Tu peux ne pas mentir, être joyeux et sans peur devant la vérité.

— Tu peux être libre de toutes convoitises, désirer ce que tu as, aimer ce que tu es.

— En un mot, tu es capable d'amour, tu es capable de conscience.

Il s'agirait maintenant de développer les moyens et les méthodes par lesquels peuvent s'exercer cette conscience mais le quotidien reste, dans le domaine de la conscience comme dans celui de l'amour, le plus grand exercice. Il n'y a pas un instant à perdre, chaque instant est l'occasion d'une nouvelle Alliance, chaque joie comme chaque épreuve, celle d'une plus grande conscience.

Quand Moïse redescend de la montagne, il entend des cris et des danses, des bruits de fête en l'honneur d'un veau.

On peut comprendre sa colère ou son dépit, son envie de réduire en miettes les belles paroles qui viennent de s'inscrire dans sa chair. Que sont venus chercher ces hommes et ces femmes dans le désert ? Ni loi, ni amour, ni conscience, non, de la gaieté, de l'animation… du monde !

Un veau, c'est-à-dire du visible, du palpable, du mesurable.

L'Être dont parle Moïse n'est pas visible, n'est pas palpable, il est sans mesure, la joie pour lui c'est de sentir sa Présence « dans le Silence d'un souffle subtil » (cf. Élie). La fête pour lui, c'est de se tenir immobile sous le ciel étoilé. Une fête trop simple peut-être, une joie sans objet, joie pure qu'aucune absence ne peut ternir.

C'est cette joie que connaîtront plus tard les moines de Sainte-Catherine et des Kellia (cellules) entre Le Caire et Alexandrie.

Car si le désert n'est pas un jardin mais un creuset où notre buisson d'humanité passe par le feu pour s'éveiller à l'Être essentiel, s'il est le lieu des révoltes et des nostalgies, si on y regrette ses habitudes, si on y a peur de l'inconnu, s'il aiguise notre faim de connaissance et de tendresse... le désert est aussi un jardin, pour celui qui creuse dans l'instant, à chaque pas, son puits... Il connaîtra sur ses lèvres brûlées le goût toujours inattendu de l'Eau vive... (Sinaï).

CHAPITRE XXI

L'absurde et la grâce

Au terme de ces « fragments » de mon itinérance, à mi-vie, je vois bien ce que la mémoire a de prudence ; j'ai eu la pudeur de cacher mes plus grandes grâces et heureusement je ne me suis pas vraiment abandonné à l'inventaire de mes miasmes ; cela fait pourtant assez d'absurdités et de merveilles pour oser croire que « je sais ce qu'il y a dans l'homme ».

J'ai connu l'absurdité d'être là, sans l'avoir voulu, l'absurdité de la naissance, puis l'absurdité d'être adulte quand ce n'est pas l'âge, l'absurdité d'être enfant sans la grâce de l'enfance.

Ce fut ensuite l'adolescence, l'absurdité du dérisoire, du dérèglement de tous les sens, l'absurde absurde, l'acte gratuit à l'envers de la grâce, tout est possible, tout est permis, parce que rien n'a de but ; j'ai connu l'absurde d'une gratuité sans grâce.

Puis ce fut l'absurde d'une vie sans cœur, l'absurdité du travail et des amours à la chaîne, la corvée de vivre...

Vint cette nuit étoilée par la grâce, ou plutôt ce petit matin où s'est vraiment levé le jour avec son odeur de croissant et de chocolat chaud — on m'apportait le petit déjeuner en enfer, Dieu choisit les pires endroits pour vous dire qu'Il vous aime. J'ai connu alors la grâce au cœur de l'absurde...

Ce fut l'occasion d'un retournement, d'un changement de cap, ce fut la grâce accompagnée d'une ascèse, presque absurde... J'ai connu alors la grâce et l'absurde comme deux étrangers qui marchent côte à côte, qui s'ignorent même lorsqu'ils sont dans le même lit ou dorment dans le même fossé.

Puis ce fut l'absurde de la désillusion, la pleine lune n'était pas le soleil, la sagesse que je cherchais n'était pas la Sagesse, Narcisse ne pouvait contempler le reflet de son visage que dans les eaux mortes, pas dans de l'Eau vive. J'ai connu l'absurdité de croire que Dieu me trompait, qu'Il m'avait éclairé un instant pour me conduire dans une plus profonde nuit... J'ai connu l'absurdité de mourir au printemps : logique de l'absurde ; quand on est si vieux en culottes courtes, à vingt ans on ne peut être que moribond...

J'ai connu alors la grâce au plein midi de la mort, j'ai touché de la vie éternelle, du non-fait, du non-créé, un « Je Suis » qui ne meurt pas, Jésus, mon Seigneur et mon Dieu...

Puis je suis entré dans cette grâce qui peu à peu efface l'absurde, le transforme dans sa lumière ; je me croyais charbon, j'étais diamant. J'ai connu des jours de jubilation où n'existe que la grâce, où Dieu seul suffit...

Puis de nouveau la grâce s'est voilée d'absurde, j'ai connu la grâce blessée, blessée par ma faute. Imprudence, présomption, infidélité ? Puis j'ai vécu la grâce humiliée, par l'injustice, presque écrasée par l'absurde, mais jamais mise à mort, jamais plus désespérée. « Dieu est fidèle... » Malgré tout c'est bien une absurdité que celle des rivalités ecclésiastiques, c'est bien une absurdité que de ne pas reconnaître la grâce dans le corps de la femme ou dans le visage des enfants, mais ce sont absurdités moins graves que de se croire coupable pour toujours, damné, exclu de Dieu, étranger à jamais du Vivant...

Aujourd'hui la grâce et l'absurde marchent en moi côte à côte, non plus étrangers mais étrangement amis.

Je peux être fou (paranoïa à tendance schizoïde) et en même temps d'une lucidité sereine que peuvent m'envier les plus sages.

Je peux être heureux, infiniment heureux et en même temps blessé de toutes parts, « parce que l'Amour n'est toujours pas aimé » et qu'il m'est toujours aussi dur d'aimer la vie et les vivants.

Comment peut-on ainsi boire à la Source et avoir encore soif ? Connaître la paix et éprouver le manque ?

Pourquoi éprouver tant d'amour et n'être bien qu'en solitude ?

La maturité, paraît-il, est proportionnelle au nombre de paradoxes ou d'ambiguïtés que l'on peut endurer. Quarante ans est un âge où, selon Jung, on peut prétendre entrer dans un processus d'individuation (réaliser l'unité ego-Soi ou la transparence entre son être existentiel et son être essentiel) ; selon Tauler, c'est l'âge où on peut sérieusement envisager la « vie mystique ».

Mais à quel âge commence-t-on, ou finit-on, par avoir quarante ans ?

« J'avoue que j'ai vécu », j'avoue aussi que je n'ai pas encore commencé à vivre.

L'absurde et la grâce ne sont plus pour moi séparés. Dire que « tout est absurde » ou dire que « tout est grâce », c'est également mentir ou tricher... Comme mourir et ressusciter, l'absurde et la grâce sont les deux revers d'une même médaille.

Cela se passait il y a deux mille ans, cela se passe aujourd'hui :

Joie : un enfant nous est né
le Verbe se fait chair
Douleur : sang et larmes ont coulé, dans la ville,
meurtre des innocents !...

Ne plus séparer cette joie et cette douleur.

Ne plus éborgner l'histoire (puisque tout cela fut vécu au même instant).

Vivre jusqu'au bout les paradoxes parfois insoutenables de l'Incarnation.

Notre vie inséparable de la mort ne peut qu'être paradoxale... Alors, aimer la nuit et s'attendre au jour ; aimer le jour et laisser venir la nuit... sans oublier cet Autre espace ou cet Autre temps qui les contient : l'Étoile infiniment proche et toujours inaccessible, qui nous aveugle et nous éclaire, afin qu'aveuglés ou dans la lumière, nous nous découvrions libres et conduits...

Cap Rousset, fin 1990

Ouvrages cités

1. *Carnets de pèlerinage*, Ramdas, Albin Michel, collection « Spiritualités vivantes », p. 517-520.

2. *Le Symbolisme de la Croix*, René Guénon, Véga, 1984, p. 10-11.

3. *Saint-Augustin*, H. I. Marron, Le Seuil, collection « Maîtres spirituels », p. 102.

4. *Lettre aux frères du Mont-Dieu*, Guillaume de Saint-Thierry, Éditions du Cerf, 1976, p. 169.

5. *Théologie de la Libération*, Éditions du Cerf/Centurion, 1985, p. 60-61.

6. *Actes du Chapitre provincial de Montpellier*, 1984.

7. *Regards inédits sur Graf Dürckheim*, Éd. Béthanie, 1990, p. 38.

8. *Mémoire Éternelle pour Graf Dürckheim*, Éd. Dervy, 1990, p. 59-61.

9. *Écrits sur l'hésychasme*, J.-Y. Leloup, Albin Michel, 1990, p. 128-129.

10. *Dieu Homme et Femme*, E. et J. Moltmann, Éditions du Cerf, 1984, p. 122-123.

11. *Le Polythéisme de l'âme*, J. Hillman, Mercure de France, 1982, p. 58-59.

12. *Enracinement et Ouverture*, J.-Y. Leloup, Albin Michel, « Question de », p. 117-118.

13. *Cent Éléphants sur un brin d'herbe*, le Dalaï Lama, Le Seuil, 1990, p. 219-220.

14. *Idem*, p. 222-223.

15. *Idem*, p. 194-195.

16. *Les Enfants du Verseau*, M. Ferguson, Calmann-Lévy, 1984, p. 14-15.

17. *Le Temps du changement*, Fritjof Capra, Éditions du Rocher, 1983, p. 69.

18. *Carlos Castaneda. Ombres et lumières*, Daniel C. Noël, Albin Michel, 1989, p. 197.

19. *Le Cantique des Cantiques*, J.-Y. Leloup, Éditions de l'Ouvert, p. 11, 12, 13, 14.

20. *La Méditation Siddha*, Swami Muktananda, Librairie d'Amérique et d'Orient, p. 50.

21. *Idem*, p. 74.

22. *La Révolution du silence*, Krishnamurti, Stock, 1977, p. 164-165.

23. *Idem*, p. 117-118.

24. *La Révolution du réel*, Krishnamurti, Courrier du Livre, 1985, p. 151.

25. *Pratiquer Zazen*, B. Rerolle, J.-Y. Leloup, L. Gottwald, Éditions de l'Ouvert, 1988, p. 56-57.

26. *Du sexe à la conscience divine*, Shree Rajneesh, Le Voyage intérieur, p. 83, 84, 85.

27. *Idem*, p. 74-75.

28. *Idem*, p. 25-26.

29. *Viens suis-moi*, Osho Rajneesh, Le Voyage intérieur, 1989, p. 32-33.

30. *Marie Madeleine*, Lacordaire, Éditions de l'Ouvert, 1985, p. 13-14.

31. *Un amour infini*, Jacqueline Kelen, Albin Michel, 1982, p. 12-13.

32. *Idem*, p. 109.

33. *Méditer*, Graf Dürckheim, le Courrier du Livre, 1982, p. 58-59.

34. *Marie Madeleine*, Lacordaire, Éditions de l'Ouvert, 1985, p. 7-8.

35. *L'Unité transcendantale des traditions*, Éd. Prajna, 1989, p. 25-26.

Table

Ouvrages de Jean-Yves Leloup

Aux éditions Albin Michel :

L'Évangile de Thomas, 1986.
L'Évangile de Jean, 1989.
L'Enracinement et l'Ouverture, 1989.
Écrits sur l'Hésychasme, 1990.
Paroles du Mont Athos, 1991.
L'Absurde et la Grâce, 1991.
Prendre soin de l'Être, 1993.

Collection « Spiritualités chrétiennes », textes présentés par
J.-Y. Leloup :

Praxis et gnosis d'Evagre le Pontique, 1992.
Les Collations de Jean Cassien, 1992.
Vie de Moïse de Grégoire de Nysse, 1993.
Homélies de Jean Chrysostome, 1993.

Chez divers éditeurs :

Le Cantique des Cantiques, traduction et notes suivies
d'« échos » sur les interprétations bibliques de Marc Cha
gall, éd. de l'Ouvert, 1987.
L'Art du Saule, Poèmes (avec exercices de L. Gottwald), éd.
de l'Ouvert, 1987.
« Méditer ou l'art d'apprivoiser le Buffle », traduction des dix
tableaux de Kakouan, *in Pratiquer Zazen*, éd. de l'Ouvert,
1988.
« Jnana Yoga, La voie de la connaissance », *in Les Yogas
chemins de transformation*, éd. Seveyrat, Paris, 1988.
« Approche métaphysique et éthique du visage de l'homme »,
in Visage, sens et contresens, éd. Eshel, 1988.
« Pléroma et Kenosis, deux modes d'appréhension de l'Ou-
vert », *in Tradition et Modernité*, éd. L'Originel, 1988.
« De l'homme noble chez Maître Eckhart et Graf Dürckheim », *in Regards inédits sur Graf Dürckheim*, éd.
Béthanie, 1990.
La Voie du Pèlerin, éd. Terre Blanche, 1992.

La reproduction photomécanique de ce livre
*a été réalisée par l'**Imprimerie Bussière,***
l'impression et le brochage ont été effectués
sur presse Cameron
*par **Bussière Camedan Imprimeries,***
à Saint-Amand-Montrond (Cher),
pour le compte des Éditions Albin Michel.

Achevé d'imprimer en octobre 1997.
N° d'édition : 17031. N° d'impression : 1/2632.
Dépôt légal : octobre 1997.